Dziewczyna mojego brata

Dziewczyna mojego brata

K.A. LINDE

Z języka angielskiego przełożyła
Danuta Śmierzchalska

Tytuł oryginału: *The Wright Brother*

Copyright © by K.A. Linde, 2017

Copyright for the Polish edition © by Burda Publishing Polska Sp. z o.o., 2017
02-674 Warszawa, ul. Marynarska 15
Dział handlowy: tel. 22 360 38 42
Sprzedaż wysyłkowa: tel. 22 360 37 77

Redaktor prowadzący: Marcin Kicki
Tłumaczenie: Danuta Śmierzchalska
Redakcja: Magdalena Binkowska
Korekta: Marzena Kłos, Dorota Ring/Melanż
Skład i łamanie: Beata Rukat/Katka
Redakcja techniczna: Mariusz Teler
Projekt okładki: Eliza Luty
Zdjęcie na okładce: nd3000/Shutterstock

ISBN: 978-83-8053-423-0
Druk: Abedik SA

www.burdaksiazki.pl

Dla Rebeki Kimmerling za każdą cudowną książkę,
przy której mi pomogłaś, i za milion kolejnych

ROZDZIAŁ PIERWSZY

Emery

Poruszyłam ramionami raz i drugi i ziewnęłam. Nie cierpiałam przychodzić tu tak wcześnie. O tej porze mój mózg jeszcze nie pracował, ale to była okazja, żeby zobaczyć się z Mitchem. Przez następną godzinę nie miał zajęć i sądziłam, że moglibyśmy wykorzystać ten czas, by wybrać się na kawę... albo po prostu zająć jego gabinet. Jest parę rzeczy, które wolę od pracy.

Nogi prowadziły mnie korytarzem budynku Wydziału Historii Uniwersytetu Teksańskiego w Austin. Pragnęłam spędzić godzinę sam na sam z moim chłopakiem. Może było to trochę niezgodne z zasadami, bo Mitch to również mój profesor i opiekun naukowy mojego doktoratu, ale nie miałam nic przeciwko temu.

Dotarłam do jego gabinetu i otworzyłam drzwi.

– Mitch, pomyślałam, że moglibyśmy... – Przerwałam w pół zdania i wpatrzyłam się w obraz, który miałam przed sobą.

Mitch siedział w fotelu za biurkiem – tym samym, o którym fantazjowałam. A drobna jasnowłosa studentka siedziała na jego kolanach. Spódnicę miała podciągniętą, co mogłam dostrzec nawet z miejsca, w którym stałam.

Żołądek mi się skurczył. To nie mogło się dziać. Nie mogłam być aż tak naiwna.

– Co tu się dzieje, do kurwy nędzy? – syknęłam.

Dziewczyna podskoczyła i obciągnęła spódnicę.

– Nic – pisnęła.

– Właśnie pomagałem jej przygotować pilne... zadania – powiedział Mitch.

– Chyba jaja sobie robisz – warknęłam. Zmierzyłam wzrokiem dziewczynę. – Masz stąd wyjść. Już.

– Emery... – Mitch próbował mnie uspokoić.

– Już! – krzyknęłam.

Chwyciła torebkę i wypadła z pokoju. Zatrzasnęłam za nią drzwi i spojrzałam na tego, którego, jak mi się zdawało, kochałam przez ostatnie trzy lata. Siedząc, doprowadzał do porządku ubranie. Ujrzałam jedynie żałosną namiastkę mężczyzny.

– Boże, to żenujące! – rzuciłam wściekle. – Odchodzę! Rzucam ciebie, program i uniwersytet. Skończyłam, kurwa, z tym.

– Emery, nie możesz porzucić programu – odparł, nie przyjmując moich słów do wiadomości.

– Mogę i zrobię to.

– To śmieszne. – Odgarnął zmierzwione włosy. – Został ci tylko rok.

Wzruszyłam ramionami.

– W tej chwili mam to gdzieś. Cholera, zdradziłeś mnie, Mitch.

– Daj spokój, Emery. Naprawdę tak uważasz?

– Hm... słucham? Właśnie wpadłam na ciebie i Angelę! Ona jest studentką!

– Nie wiesz, co widziałaś.

Prychnęłam.

– Jesteś zabawny. Dobrze wiem, co widziałam. I wątpię, żeby to się zdarzyło pierwszy raz. Ile ich jeszcze jest?

Wstał i spróbował mnie objąć, ale się odsunęłam.

– Możemy to naprawić, Emery.

– Boże, masz mnie za idiotkę?

– Och, Em – rzekł, wygładzając czarną marynarkę. – Nie zachowuj się jak dziecko.

Na te paskudne słowa zagotowałam się ze złości.

– Nie zachowuję się jak dziecko, oskarżając mężczyznę, którego kochałam, o to, że sypia z kimś innym. Bronię tego, co uważam za właściwe, a twoje gówniane zachowanie jest od tego bardzo dalekie. Sypiasz z innymi studentkami?

– Kochanie, proszę.

– Sypiasz, prawda? – Potrząsnęłam głową i dałam za wygraną. – Kurczę, byłam idiotką. Nie tylko nie chcę zostać na uczelni, nie chcę też być z tobą.

– Emery! – zawołał, gdy ruszyłam do drzwi. – To były trzy lata. Nie możesz tego zrobić.

Obróciłam się do niego gwałtownie.

– Powiedz, że nie pieprzysz nikogo innego i że jestem twoją jedyną dziewczyną.

Drżącą dłonią przeczesał długie jasne włosy. Uważał, że jest fajnym profesorem, takim, z którym każdy mógł pogadać nie tylko o swoich badaniach, ale i o życiowych problemach. W ten sposób mnie omotał i jak idiotka byłam zaślepiona eleganckimi garniturami, wykwintnymi kolacjami i tym, że w końcu znalazłam mężczyznę na swoim poziomie. Okazało się, że… to zwykły padalec.

Nie słysząc odpowiedzi, zaśmiałam się drwiąco.

– Tak właśnie myślałam.

Wyszłam z jego gabinetu i to było jedno z najbardziej wyzwalających doświadczeń w moim życiu. Przez to, co robił przez te wszystkie lata, zasłużył, żeby stracić pracę, jednak w tym momencie nie czułam potrzeby, by posunąć się tak daleko. Poszłam do Wydziału Historii i wypełniłam stosowne papiery, żeby wycofać się z programu. Być może pewnego dnia zechcę wrócić i dokończyć przewód doktorski, ale dziś byłam pewna, że dotarłam do kresu sił. O jeden atak paniki za dużo, pierwsza w życiu recepta na xanax i przedmiot pracy doktorskiej, którego badanie, jak się wydawało, nie miało końca. To wszystko mnie wykończyło.

Pieprzyć akademię.

Wsiadłam do swego subaru forestera i wróciłam do domu, przez całą drogę przeklinając uliczne korki w Austin. Jak można nieustannie tkwić w korku?

Niewielkie dwupokojowe mieszkanie przez trzy lata zapuściłam do potęgi i teraz głowa pękała mi na myśl, co mam z tym wszystkim zrobić. W tym momencie byłam kompletnie wolna. Bez zobowiązań. Bez pracy. Bez przyszłości.

Porzuciłam te absurdalne myśli i zabrałam się do pakowania, połowę zawartości szafy upychając w dwóch walizkach, które miałam. Po godzinie włożyłam MacBooka do skórzanej torby, na koniec chwyciłam telefon i ładowarkę do komputera, i pożegnałam Austin. Potem będę musiała wrócić po resztę rzeczy, ale teraz zamierzałam jedynie włączyć świąteczne melodie i wyruszyć w sześciogodzinną drogę do domu w Lubbock.

Jeśli chodzi o Lubbock, najdziwniejsze jest to, że większość ludzi nie ma pojęcia, gdzie leży, a kiedy im wyjaśnić, że wiatr nie przegania tam po ulicach stepowych roślin ani pustynnego piasku*, wydają się zaskoczeni. Tak jakby w zachodnim Teksasie było tylko to. Na miłość boską! To miasto z trzystoma tysiącami mieszkańców!

Przez cztery lata spędzone w Norman na Uniwersytecie Stanowym Oklahomy tak się wprawiłam w odpowiadaniu na pytania o to, skąd jestem, że nawet kiedy wróciłam do Teksasu, z przyzwyczajenia mówiłam, że jestem z Teksasu.

Na to nieuchronnie padało: „A skąd?".

Wtedy musiałam wyjaśniać: „Z Lubbock. To w zachodnim Teksasie. Szczerze mówiąc, jest tu sporo rzeczy: Uniwersytet Texas Tech, muzeum Buddy'ego Holly'ego"**.

Ludzie kiwali głowami, ale nie sądziłam, by ktokolwiek z nich naprawdę mi wierzył, ponieważ nie byli w zachodnim Teksasie.

Moja siostra Kimber czekała na zewnątrz, kiedy podjechałam pod jej nowiutki dom. Położyła dłoń na wypukłym ciążowym brzuchu, a czteroletnia córeczka Lilyanne biegała wokół jej nóg.

Zaparkowałam i wyskoczyłam z samochodu, by jak najszybciej uścisnąć moją małą siostrzenicę.

– Cześć, Lilijko, mój robaczku! – zawołałam, kręcąc z nią kółko, a potem zarzuciłam ją sobie na biodro.

– Lilie to nie robaczki, ciociu Em. To są kwiaty!

– To prawda, mądralo.

– Cześć, Em – powiedziała Kimber, przyciągając mnie w objęcia.

---

* Położone w północno-zachodniej części Teksasu Lubbock nawiedzają piaskowe burze (wszystkie przypisy pochodzą od tłumaczki).
** W Lubbock urodził się Buddy Holly (1936–1959), piosenkarz, gitarzysta i kompozytor, jeden z pionierów rock and rolla.

– Cześć, Kimmy.

– Ciężki dzień? – zapytała.

– Można tak powiedzieć.

Postawiłam Lilyanne z powrotem na ziemi i otworzyłam bagażnik. Kimber wyjęła mniejszą walizkę, a większą wtoczyłam na kółkach do jej ogromniastego domu.

– Em! Chcesz zobaczyć moją nową sukienkę? Jest w dinozaury. One mówią: wrrrr! – zawołała Lilyanne.

– Nie teraz, Lily. Musimy ulokować Emery w pokoju gościnnym. Możesz jej pokazać, dokąd ma iść? – zapytała Kimber.

Oczy Lilyanne zaświeciły i z prędkością błyskawicy popędziła ku schodom.

– Chodź, ciociu Em. Znam drogę.

Kimber westchnęła, wyczerpana.

– Cieszę się, że tu jesteś.

– Ja też. To urwis. Ale dobrze, że ją mamy. Jak inaczej znalazłabym tu drogę? – zażartowałam, kiedy wchodziłyśmy na schody za Lilyanne. – A mówiąc serio, czuję się jak w *Pięknej i Bestii*. Jest tu zachodnie skrzydło, którego powinnam unikać? – wysapałam.

Kimber parsknęła i przewróciła oczami.

– Dom nie jest aż taki wielki.

– Oczywiście nie jest za duży na bibliotekę z drabinkami.

– Oczywiście. Zmieściłaby się i taka.

– Wiedziałam! Powiedz, że wszystkie powieści erotyczne, które czytałyśmy za szkolnych czasów, są teraz dumnie wystawione na pokaz.

Kimber postawiła moją walizkę w gościnnej sypialni, niemal tak wielkiej jak moje mieszkanie w Austin.

– Noah by mnie zabił – odparła, robiąc znaczącą minę. – Zresztą większość tych książek mam teraz na iPadzie. Przestawiłam się na e-booki.

– Super – powiedziałam, machając w jej stronę palcami. – Użyję iPada. Tak tylko mówię, na wypadek gdyby Noah szukał pomysłów na gwiazdkowe prezenty.

Kimber się roześmiała.

– Boże, tęskniłam za tobą.

Uśmiechnęłam się szeroko. Noah wykładał na Wydziale Medycznym Uniwersytetu Texas Tech. Pracował całymi dniami i dorobił się niczym Sknerus McKwacz. Z moją siostrą byli razem już w liceum i chyba jeszcze nie spotkałam bardziej obrzydliwie uroczej pary.

– Chodź, Lilyanne! – zawołała Kimber. – W piekarniku mamy ciasteczka.

– Ciasteczka? – zapytałam, a oczy mi rozbłysły. – Według przepisu mamy?

– Oczywiście. Wybierasz się do niej? – Kimber rzuciła jakby mimochodem. Ale dostrzegłam jej zaniepokojone spojrzenie.

Nie chodziło o to, że nie dogadywałam się z matką. Bardziej o to, że… byłyśmy dokładnie takie same. Obie uparte ponad miarę i dlatego kiedy się spotykałyśmy, dochodziło między nami do starć, a wtedy wszyscy wokół woleli wiać gdzie pieprz rośnie. Ale w Lubbock pieprz nie rósł.

– Taa… chyba tak.

– Czy chociaż ją zawiadomiłaś, że przyjeżdżasz?

Kimber podniosła Lilyanne i posadziła ją na krześle przy posypce do deserów. Minutnik zadźwięczał i Kimber wyjęła ciasteczka z piekarnika. Puszyste, złocistobrązowe bożonarodzeniowe ciastka, właśnie takie, jakie lubiłyśmy.

Posłałam siostrze zakłopotane spojrzenie.

– Nie, ale…

– Ha, Emery! Ona mnie zamorduje, jeśli się u mnie zatrzymasz, nie mówiąc jej, że jesteś w mieście. Nie chcę mieć z tym kłopotu akurat teraz, kiedy jestem w ciąży.

– Powiem jej! – odparłam, sięgając po ciastko.

Kimber trzepnęła mnie łopatką po palcach.

– Te są za gorące. Poczekaj, aż ostygną.

– Na pewno nie chcesz się oparzyć – wtrąciła Lilyanne.

Włożyłam palec do ust i zrobiłam zabawną minę, patrząc na siostrę.

– Okej.

Kimber zmieniła temat i resztę popołudnia spędziłyśmy na pieczeniu ciastek. Lilyanne i ja wycinałyśmy je foremkami, a Kimber układała na tacy i wkładała do piekarnika. Kiedy już ostygły, lukrowałyśmy je i ozdabiały posypką.

Kiedy Noah wrócił do domu, tym razem wcześniej niż zwykle, byłyśmy całe obsypane słodkimi okruchami.

Objęłam go mocno i uścisnęłam.

– Tęskniłam za tobą.

– Ja za tobą też, Em. Słyszałem, że miałaś kłopoty.

Zmarszczyłam nos.

– Tak… Dziękuję, że pozwoliliście mi tu zostać, dopóki sobie wszystkiego nie poukładam.

– Zawsze jesteś tu mile widziana. Dobrze, że będziesz z nami, także ze względu na Kimber. Dużo czasu spędza w domu, a wiem, że chciałaby wrócić do pracy.

Moja siostra jest właścicielką Death by Chocolate, fantastycznej cukierni tuż obok kampusu. Są tam najlepsze ciastka, babeczki i pączki w mieście. Teraz, kiedy spodziewała się dziecka, zajęła się głównie zarządzaniem, aby móc pracować w domu. Ale jej prawdziwą pasją było pieczenie i wiedziałam, że chciałaby wrócić do tego jak najszybciej.

– Dzięki, Noah.

Kiedy przyszła pora, by położyć Lilyanne do łóżka, w końcu wyszłam od nich i pojechałam spotkać się na drinka z najlepszą przyjaciółką.

Zaparkowałam pod Flips i zatrzęsłam się z zimna. Niespodziewanie zapanował przejmujący grudniowy chłód. Przetrząsnęłam rzeczy na tylnym siedzeniu, wyciągnęłam czarną skórzaną kurtkę i pędem ruszyłam przez parking.

Pokazałam bramkarzowi dowód tożsamości i przez tłum hipsterów przepchnęłam się w głąb baru. Tak jak się spodziewałam, znalazłam Heidi przy stole bilardowym. Robiła właśnie słodkie oczy do faceta, któremu się zdawało, że wygra od tej cizi trochę łatwej kasy. Jego kumple stali wokół z uśmieszkami na twarzach, popijając bud light. Lubbock jest wystarczająco duże, żeby wciąż znajdywali się tu frajerzy, których Heidi mogła naciągnąć, ale stali bywalcy nawet nie próbowali stawać z nią do pojedynku.

– Em! – zawołała Heidi, podskakując na mój widok.

– Cześć, mała – powiedziałam i puściłam do niej oko.

– Chłopaki, muszę wcześniej zakończyć grę. Właśnie przyszła moja najlepsza przyjaciółka.

Jej przeciwnik zmarszczył czoło skonsternowany. Heidi pochyliła się i niemal od niechcenia, jednym uderzeniem kija skierowała pozostałe bile do łuz. Facetowi i jego kumplom opadły szczęki, a ja tylko się roześmiałam. Widziałam to już zbyt wiele razy.

Kiedy Heidi była mała, jej ojciec miał klub bilardowy, więc zdobyła niezłe umiejętności. Jestem całkiem pewna, że od

bilardu zaczęła się jej fascynacja geometrią. Studiowała inży-
nierię lądową na Tech, a teraz pracowała w Wright Construction, największym w kraju przedsiębiorstwie budowlanym.
Uważałam, że marnuje przez to swój talent, ale Heidi lubiła
być jedyną kobietą w zdominowanej przez mężczyzn branży.

– Naciągnęłaś nas! – krzyknął facet.

Zatrzepotała długimi rzęsami i uśmiechnęła się do niego
szeroko.

– Zapłać!

Rzucił na stół zwitek dwudziestek i wypadł z sali jak burza.
Najwyraźniej nie umiał przegrywać. Heidi przeliczyła bank-
noty, po czym wepchnęła je do tylnej kieszeni sfatygowanych
dżinsów.

– Emery, kochanie – powiedziała, zarzucając mi ramiona na
szyję. – Tęskniłam za twoim widokiem.

– Ja też za tobą tęskniłam. Stawiasz?

Zaśmiała się, wyciągnęła z kieszeni jedną z dwudziestek tego
faceta i rzuciła ją na stół.

– Peter, po kieliszku dla mnie i dla Emery!

Peter ukłonił mi się.

– Cześć, królowo balu.

– To była Kimber. Nie ja!

– Ach, rzeczywiście – odparł, jakby nie pamiętał, że ten tytuł zdobyła moja siostra, nie ja. – Ale to ty chodziłaś z jednym
z tych braci Wrightów, prawda?

Westchnęłam ciężko. Minęło dziewięć i pół roku, odkąd
Landon Wright zerwał ze mną w dniu ukończenia szkoły średniej, a wciąż byłam znana jako dziewczyna, która chodziła
z jednym z Wrightów. Niesamowite.

– Taa... – odburknęłam. – Dawno temu.

– A skoro mowa o braciach Wrightach – zaczęła Heidi, popychając w moją stronę kieliszek tequili z limonką i sypiąc sobie szczyptę soli między kciuk i palec wskazujący.

– Nie.

– W sobotę Sutton Wright wychodzi za mąż.

– Naprawdę? – zapytałam zaskoczona. – Nie jest jeszcze na studiach w Tech?

Heidi wzruszyła ramionami.

– Znalazła tego jedynego. Chyba im się spieszy. Zaręczyli się zaledwie w Halloween.

– Ślub pod przymusem?

W całej rodzinie Wrightów roiło się od skandali. Mając miliardy, którymi można szastać, i będąc pozbawionym kodeksu moralnego, każdy wpadłby w kłopoty. Ale pięcioro rodzeństwa Wrightów wzniosło to wszystko na nowy poziom.

– Nie mam pojęcia, ale chyba tak. Tak czy inaczej, kogo to obchodzi? Nie przepuszczę szpanerskiej imprezy i okazji, by skorzystać z otwartego baru.

– Baw się dobrze – odparłam oschle.

– Zabieram cię ze sobą, zołzo – powiedziała Heidi.

Uniosła ku mnie kieliszek. Spojrzałam na nią podejrzliwie i podniosłam swój.

Kiedy wychyliłam tequilę i possałam limonkę, w końcu odpowiedziałam:

– Wiesz, że mam zasadę, aby unikać rodzeństwa Wrightów, prawda?

– Tak, wiem, że po Landonie miałaś dość większości z nich.

– Przecież wiesz, że chodzi nie tylko o Landona.

– W porządku, więc wszyscy oni to banda palantów. Kogo to obchodzi? Pójdźmy tam upić się na ich koszt i się z nich ponabijać.

17

Heidi uwodzicielskim gestem położyła mi dłoń na udzie i uniosła brew.

– Mam zamiar się zabawić.

Parsknęłam i klepnęłam ją po ramieniu.

– Ale z ciebie zdzira.

– Wiem, że mnie kochasz. Znajdę ci nową sukienkę. Będziemy się świetnie bawić.

Wzruszyłam ramionami. Co mi to szkodzi?

– Dobra. Dlaczego nie?

ROZDZIAŁ DRUGI

Jensen

– Moja cholerna siostra znów jest w ciąży i tym razem chce ją utrzymać – rzuciłem, nie zwracając się do nikogo konkretnego, kiedy wprawnie zawiązywałem na szyi czerwoną muszkę.

– Tak, właśnie po to dziś są śluby, Jensenie – odparł mój brat Austin. Jego muszka nadal zwisała luźno i pił już trzecią szklankę whiskey. Miał dwadzieścia dziewięć lat i coraz bardziej zanosiło się na to, że zszarga nazwisko Wrightów. Jeśli nie będzie uważał, skończy jak nasz ojciec – w alkoholowym ciągu aż do dnia, kiedy został pochowany sześć stóp pod ziemią.

– Nie mogę, kurwa, uwierzyć, że to dziś robimy.

– Człowieku, ona jest zakochana – powiedział Austin.

Uniósł szklankę w moją stronę i z trudem zwalczyłem chęć nazwania go sentymentalnym głupkiem.

– Chodzi mu o pieniądze. Pieniądze, które będę musiał mu wypłacać, bo mowy nie ma, żeby sam był w stanie zatroszczyć się o naszą małą siostrzyczkę. – W końcu równo zawiązałem muszkę i odwróciłem się do Austina.

– Napij się. Jesteś za bardzo spięty przez tę całą sprawę.

Spiorunowałem go wzrokiem. Nic dziwnego, że byłem spięty przez ten szajs. Miałem tylko trzydzieści dwa lata i to ja zarządzałem naszym biznesem. To mnie powierzono wszystkie pieniądze i odpowiedzialność za czworo młodszego rodzeństwa. Jeśli jestem przez to spięty, to niech się pieprzy.

Ale nie powiedziałem nic takiego. Po prostu przeszedłem przez pokój i dolałem mu whiskey.

– Napij się jeszcze, Austin. Tak bardzo przypominasz mi tatę.

– Pieprz się, Jensen. Nie możesz po prostu być szczęśliwy z powodu Sutton?

– No właśnie, Jensenie – odezwała się Morgan. Weszła do pokoju w długiej czerwonej sukni. Ciemne włosy miała ściągnięte do tyłu. Jej uśmiech był jak zwykle zniewalający.

Morgan miała tylko dwadzieścia pięć lat i była najnormalniejsza z całej mojej rodziny. Każdy z nas zmagał się z jakimiś problemami, ale Morgan dawała mi najmniej powodów do zmartwienia, dlatego była moją ulubienicą.

– Ty też nie zaczynaj na ten temat – odparłem.

– Sutton jest niezależna i sama o sobie decyduje. Zawsze taka była. Robi, co chce, bez względu na to, co kto powie – stwierdziła Morgan. Wyjęła drinka z ręki Austina i wychyliła duży łyk. – Nie pamiętasz, jak postanowiła, że zostanie księżniczką superbohaterką? Przez rok mama nie mogła zdjąć z niej spódniczki, peleryny i korony.

Roześmiałem się na to wspomnienie. Sutton była niezłym ziółkiem. Cholera, wciąż nim jest. Ma dwadzieścia jeden lat i już wychodzi za mąż.

– Tak, pamiętam. Czułbym się o wiele szczęśliwszy, gdyby ten, jak mu tam, nie był tak beznadziejnie niekompetentną dupą wołową – powiedziałem.

– Ma na imię Maverick – wtrącił Austin. – A ty, chłopie, lepiej nic nie mów. Masz na imię Jensen – wymówił je z akcentem na ostatnią sylabę. – Jest równie cholernie dziwaczne.

– Nie jest dziwaczne, tylko kretyńskie, zwłaszcza że używa imienia Maverick, a nie Mav, Rick czy jakoś tak.

Morgan przewróciła wielkimi brązowymi oczami, które odziedziczyła po naszej matce.

– Zostawmy to już, dobrze? A poza tym gdzie jest Landon?

Jakby na zawołanie w pokoju pojawił się mój młodszy, dwudziestosiedmioletni brat Landon. Jego żona Miranda weszła za nim w sukni takiej samej, jak u Morgan. Zerknąłem na siostrę i nasze oczy się spotkały. Jednym spojrzeniem wyraziła milion rzeczy naraz.

– Cześć, Landonie – powiedział Austin, kiedy zdał sobie sprawę, że żadne z nas za cholerę nie ma zamiaru odezwać się w obecności Mirandy.

– Cześć – odparł Landon, zapadając się w fotel obok Austina. Wyglądał na zmęczonego.

Landon jako jedyny z nas nie związał się z rodzinną firmą. Austin i Morgan pracowali dla mnie w Wright Construction, a Sutton dołączy do nich po dyplomie – przynajmniej taki był plan, zanim zaszła w ciążę. Teraz prawdopodobnie będę musiał na jej miejsce zatrudnić tego Mavericka, tak aby mogła zająć się dzieckiem.

W przeciwieństwie do pozostałych członków rodziny, którzy studiowali w Texas Tech, odkąd uczelnia powstała w latach dwudziestych zeszłego wieku, Landon ukończył Stanford, ale zamiast zrobić dobry użytek z biznesowego wykształcenia, zaczął brać udział w zawodowych turniejach golfowych. Właśnie wtedy poznał Mirandę. Spotykali się zaledwie pół roku, kiedy się jej oświadczył. Byliśmy przekonani, że, tak jak Sutton,

Miranda zaszła w ciążę i wykorzystywała go dla pieniędzy, ale gdy okazało się, że dziecka nie ma, poczuliśmy się zbici z tropu.

Ożenić się z dziewczyną taką jak Miranda z powodu dziecka to jedno. Trzeba się nim zaopiekować. To zawsze należy postawić, cholera, na pierwszym miejscu. Bez względu na to, kim jest matka. Ale ożenić się z dziewczyną taką jak Miranda, bo się nam podoba albo jest się w niej, kurwa, zakochanym, to całkiem inna rzecz.

– Cóż za radosne spotkanie – powiedziała Miranda. Taksowała nas wzrokiem, jakby próbowała wymyślić, jak wyciągnąć więcej pieniędzy od rodziny Wrightów. Równie dobrze mogłaby mieć w oczach symbol dolara.

– Mirando – odezwał się Austin. Wstał i szybko ją uścisnął. – Dobrze cię widzieć.

– Dzięki, Austinie – odparła, chichocząc.

Austin, rozjemca. Zwykle był nim Landon, ale to już przeszłość, odkąd ta nikczemna zdzira zatopiła w nim pazury.

Jako ten, który ma za sobą koszmarny rozwód, nie potrafiłem pojąć, dlaczego Landon się z nią nie rozstał. Nawet pięć minut w towarzystwie Mirandy to było dla mnie zbyt wiele, a Morgan wprawiało we wściekłość. Nie mogłem znieść, że Landon zawsze wyglądał tak, jakby ktoś kopnął jego ukochanego szczeniaczka.

Sam to przeżyłem. Wiem, co to znaczy. Nie chciałem, żeby Landon musiał przechodzić przez to samo, co ja. Albo żeby skończyło się to dla niego takimi samymi konsekwencjami.

– Chodź, Morgan – zaszczebiotała Miranda. – Jestem pewna, że Sutton będzie chciała, żebyśmy dołączyły do druhen.

– Z pewnością. Może byś tam poszła i przekazała jej, że będę za chwilę? – Morgan powiedziała to powoli, tonem, którym zwykle zwracała się do małych dzieci.

Miranda rzuciła jej pełne złości spojrzenie. Ale może to był jej zwykły wyraz twarzy. Nigdy nie umiałem tego stwierdzić.

Dotknęła ramienia Landona.

– Do zobaczenia w czasie ceremonii, kochanie. Buziak?

Landon uniósł ku niej twarz, a ona przyssała się do jego ust jak pijawka.

– Kocham cię.

– Ja też cię kocham – odparł odruchowo.

Kiedy wyszła, wszyscy odetchnęliśmy z ulgą.

– Krzyżyk na drogę – wycedziła Morgan.

– Przestańcie – jęknął Landon.

Morgan zaczęła nucić piosenkę Złej Czarownicy z Zachodu z filmu *Czarnoksiężnik z Oz*.

– Morgan, czy ty nigdy nie przestaniesz? – zapytał Landon.

– Nie, chyba nie.

– Już dwa lata jesteśmy małżeństwem.

– Nie mogę uwierzyć, że zatrzymaliście się w hotelu – powiedziałem.

Landon wzruszył ramionami i sięgnął po butelkę whiskey. Nalał sobie szklankę.

– Miranda chciała zostać w centrum miasta.

– Zanim wywołamy trzecią wojnę światową z powodu Mirandy, uważam, że ktoś powinien ściągnąć tu Sutton – przerwał nam Austin. – Będziemy musieli ścierpieć wielogodzinne pozowanie do zdjęć z jej osiemnastoma przyjaciółmi. Miejmy trochę czasu tylko dla naszej piątki.

– Kazałem jej się ograniczyć do dziewięciu druhen – zaznaczyłem.

– To ma być ograniczenie? – prychnęła Morgan. – Nie sądzę, żebym choćby lubiła aż dziewięć osób.

– Na studiach nie należałaś do siostrzanego stowarzyszenia – przypomniałem jej.

– Nie lubię ludzi. I z pewnością nie mam ochoty wydawać
pieniędzy na nowe siostry. Sutton aż nadto mi wystarczy.

Austin i Landon wybuchnęli śmiechem i napięcie w końcu
mnie opuściło. Miło było mieć ich tu wszystkich razem. Odkąd
Sutton poszła na studia, a Landon zamieszkał na jakiejś plaży na
Florydzie, gdzie przez okrągły rok mógł grać w golfa, nie było już
tak jak dawniej. Niektórzy twierdzili, że rodzeństwo Wrightów
jest… dziwne. Uważali, że jesteśmy ze sobą zbyt blisko, ale musieliśmy być. Nasi rodzice nie żyli i mieliśmy tylko siebie.

– Nie chciałabyś zobaczyć, czy jest już ubrana? – zapytałem
Morgan.

– Oto co mam za to, że jestem jedyną pozostałą dziewczyną
w rodzinie – jęknęła.

Otworzyłem jej drzwi, a Morgan uniosła dół sukni i pospiesznie wyszła z pokoju. Wiedziałem, że nie cieszy jej perspektywa
spędzenia co najmniej dwunastu godzin z siedmioma dziewczynami, których nie zna albo nie lubi, a do tego z Mirandą, ale
nie mogłem nic na to poradzić. Starać się przekonać Sutton do
czegokolwiek, to jakby próbować przesunąć górę. Była drobną
osóbką, ale niezwykle stanowczą.

Wyjąłem butelkę whiskey z rąk Landona, żeby nie zdążyli z Austinem jej opróżnić. Pozostawienie tych dwóch sam na
sam z alkoholem gwarantowało katastrofę. Poszperałem w swojej torbie i wyjąłem z niej szklanki do drinków, które ze sobą przy-
niosłem. Właśnie je ustawiałem, kiedy Morgan wróciła z Sutton.

– Cześć wszystkim! – zawołała Sutton, w podskokach wbie-
gając do pokoju. – Morgan powiedziała, że macie do mnie jakąś
ważną sprawę.

Pokazałem jej butelkę whiskey Four Roses Single Barrel.

– Twoi bracia próbowali to wypić przed twoim przyjściem, ale pomyślałem, że może wznieślibyśmy toast?

Spojrzała z rozczarowaniem.

– Wiesz, że mi nie wolno.

Uśmiechnąłem się tajemniczo i wyciągnąłem butelkę soku jabłkowego, którą wcześniej ukryłem, wiedząc, że Sutton nie może pić alkoholu.

– A co powiesz na to?

– O tak! Nalej mi podwójną! – zawołała.

Roześmiałem się i napełniłem szklanki. Sutton zdecydowanie była jedną z nas. Skłonność do uzależnień jest dziedziczna w naszej rodzinie. Ja też mam swoje słabości, ale na szczęście alkohol do nich nie należy.

– Aaa… – Sutton zaczęła powoli – skoro już tu jesteś, Jensenie, właśnie chciałam omówić z tobą pewną drobniuteńką sprawę.

Otworzyła szeroko wielkie błękitne oczy, jakby zamierzała poprosić mnie o milion dolarów. Dobrze znałem ten wyraz twarzy. Kiedyś chodziło o galę z okazji jej szesnastych urodzin, która mogłaby rywalizować z programem *My Super Sweet 16*. Innym razem zażyczyła sobie wycieczkę do Europy ze wszystkimi siostrami ze stowarzyszenia. Trudno mi było sobie wyobrazić, czego teraz jeszcze mogła chcieć ode mnie. W sześć tygodni zorganizowaliśmy jej wesele, na miodowy miesiąc poleci pierwszą klasą na dwa tygodnie do Cabo. Mimo to czuła się nieszczęśliwa, że nie dałem jej do dyspozycji samolotu.

– O nie – mruknąłem. – O co chodzi?

– Posłuchaj, wczoraj wieczorem rozmawiałam z Maverickiem i wiem, że już podpisał intercyzę, ale…

Natychmiast spoważniałem.

– Nie.

– Nawet o nic jeszcze nie poprosiłam!

– Wiem, o co chcesz poprosić i odpowiedź brzmi: nie.

– Ale to niedorzeczne, Jensenie. Naprawdę! On jest miłością mojego życia. Chcemy być ze sobą na zawsze. Intercyza jest bez sensu. To nie jest dobry początek małżeństwa. Jeśli myślisz o tym, jak je zakończyć, zanim jeszcze się zaczęło, to co to mówi o człowieku?

Morgan, Austin i Landon siedzieli cicho. Musieli widzieć wściekłość malującą się na mojej twarzy. Nie chciałem wybuchnąć gniewem na siostrę w dniu jej ślubu, ale byłem tego niebezpiecznie bliski.

– Sutton, jesteś warta małą fortunę. Gówno mnie obchodzi, za kogo wychodzisz za mąż. Masz intercyzę dla swojego bezpieczeństwa, na wypadek, gdyby coś się stało. Trzeba myśleć o przyszłości, żeby mieć pewność, że nie zostanie się okantowanym. Niezależnie od tego, jak bardzo ktoś cię kocha.

– Ale, Jensenie... – zaczęła Sutton, próbując mnie przekonać.

– Sutton – rzekł Austin, włączając się do rozmowy. – Czy naprawdę chcesz teraz o tym mówić? I Jensen, i Landon mieli intercyzy. Nie bierze się ślubu z kimś z Wrightów, nie podpisując jej.

– To prawda – powiedziałem, bezgłośnie dziękując Austinowi za wsparcie.

– A poza tym masz tylko dwadzieścia jeden lat – dodała Morgan. – Kto może wiedzieć, co się wydarzy?

– O rany! Dziękuję, Morgan – Sutton mruknęła niezadowolona.

– Nie chcę powiedzieć, że Maverick nie jest „tym jedynym". – Morgan zrobiła w powietrzu znak cudzysłowu. – Po prostu mam na myśli to, że Jensen w żadnym razie nie brał pod uwagę, że rozwiedzie się z Vanessą i zobacz, co się stało.

Zacisnąłem zęby na wspomnienie byłej żony. O Vanessie Hendricks zwykle nie wspominało się w uprzejmej rozmowie. Ale moja historia z pewnością stanowiła przestrogę i dowód na to, że intercyza jest niezbędna.

– Jeśli Maverick naprawdę chce odrzucić intercyzę, z przyjemnością z nim o tym porozmawiam – zwróciłem się do Sutton, unosząc brwi.

Przewróciła oczami.

– Nie jestem taka głupia. Przestraszyłbyś go na śmierć.

– Jeżeli próbuje wziąć cię dla pieniędzy, zasłużyłby na to.

– Okej, dobra. Rozumiem. Po prostu pomyślałam, że zapytam. Mieliśmy z Maverickiem długą rozmowę na ten temat.

– Założę się, że tak – mruknął pod nosem Landon.

– Tak czy owak, weźcie szklanki! – zawołała Sutton.

Podałem whiskey Austinowi, Landonowi i Morgan, a Sutton sok jabłkowy.

Wzniosłem swoją szklankę.

– Za Sutton, w najszczęśliwszym dniu jej życia i za wiele dalszych cudownych lat.

Wychyliliśmy toast. Whiskey, spływając, paliła mnie w gardle, ale uśmiechnąłem się szeroko do rodzeństwa.

Świat był w porządku, kiedy byliśmy wszyscy razem. Choćby nie wiem jakim wyzwaniom przyszłoby nam stawić czoło, przynajmniej mieliśmy siebie.

ROZDZIAŁ TRZECI

Emery

– Heidi, co robisz z moimi włosami? – zapytałam.

Heidi zaśmiała się serdecznie zza moich pleców.

– Staram się wyszykować cię, Em. Poczekaj spokojnie. W końcu będziesz gotowa.

Wplotła kilka kolejnych pasm moich włosów w ten wariacki warkocz.

Gdybyśmy nie były z Heidi najlepszymi przyjaciółkami od przedszkola i gdybym tak dobrze nie znała wszystkich jej ciemnych sekretów, jestem pewna, że porzuciłaby mnie dla modniejszego towarzystwa. Pomimo pasji do geometrii, wyłącznie czarnych ubrań i talentu do bilardu należała do drużyny cheerleaderek i miała obsesję na punkcie popularności.

Moja siostra Kimber była kobieca – w szkole i na zjeździe absolwentów królowa balu, zawsze wybierana jako najatrakcyjniejsza. Cały ten cyrk.

Ale ja nie. Chociaż nigdy nie miałam problemu ze znalezieniem chłopaka na randkę, nie byłam typową nastolatką. Na pierwszym roku studiów grałam w piłkę nożną, jeździłam z kumplami po mieście na deskorolce i doszłam do wniosku, że mój wymarzony zawód to pogromca wampirów.

W tym czasie Landon Wright poddał próbie moją przyjaźń z Heidi. Niby dlaczego rozgrywający, gwiazda szkolnej drużyny, miałby wykazać jakiekolwiek zainteresowanie chłopczycą? Sama nie rozumiałam tego bardziej niż Heidi.

Zamknęłam oczy i odsunęłam od siebie te wspomnienia. Przypomniałam sobie o Landonie tylko dlatego, że – jak wiedziałam – tego popołudnia będzie na ślubie. Od dawna nie pojawiał się w moich myślach, a jeszcze dłużej go nie widziałam.

– Przysięgam, że będzie super – zapewniła mnie Heidi.

– Wiem, ufam ci – odparłam. – Po prostu nie mogę uwierzyć, że namówiłaś mnie, żebym poszła z tobą na ten ślub. Czy to nie będzie jak szkolny zjazd absolwentów? Nie wiem, czy jestem na to przygotowana.

– To nie zjazd absolwentów – powiedziała Heidi. – Dostałam zaproszenie, bo pracuję dla Wrightów. A poza tym połowa firmy jest zaproszona. To będzie wielkie wesele. Wątpię, czy się nawet na niego natkniesz.

– Nie boję się natknąć na Landona. Minęło już prawie dziesięć lat, odkąd ze sobą zerwaliśmy.

– Czy on przypadkiem się nie ożenił? – zapytała Heidi.

Szarpnęła mnie za włosy, aż się skrzywiłam.

– Nie śledzę, co się u niego dzieje. Powinnaś wiedzieć więcej ode mnie. – Spojrzałam na odbicie Heidi w lustrze. – Przestań tak na mnie patrzeć. Wiesz, z iloma facetami spotykałam się od czasu Landona? Nie, nie wiesz. Bo nawet ja tego nie pamiętam, ale było ich wielu. A teraz siedzę tutaj, bo mam kłopoty przez faceta.

– Po prostu znam ciebie i Landona – powiedziała Heidi, zamyślając się. – W szkole byliście idealnie dobrani. To była jedyna rzecz, w której pokonałaś Kimber. W klasowej księdze pamiątkowej zostaliście nazwani najlepszą parą.

Przewróciłam oczami.

– Proszę, przestań wspominać szkołę albo puszczę pawia.

– Byliście uroczy – dodała Heidi.

– Jeśli choć przez chwilę pomyślałaś, że na tym weselu coś może się wydarzyć między Landonem i mną, to chyba ci rozum odjęło. Nie tylko jest żonaty, ale będzie tam razem z żoną. Poza tym, na dzisiaj, oficjalnie zrywam z mężczyznami.

Heidi się roześmiała.

– Tak, oczywiście, Em – powiedziała. – Lubisz chłopaków tak samo jak zawsze. Nawet kiedy byłaś naszą dziewczynką z deskorolką.

– Posłuchaj, Mitch nabrał mnie, mówiąc, że mnie kocha. Był, no wiesz, piętnaście lat starszy ode mnie i lubił uwodzić kobiety. Jestem niemal pewna, że sypiał ze studentką. To znaczy... jak mocno wypaczona musi być moja zdolność oceny sytuacji, jeśli skończyłam z kimś takim jak on? Uważam, że przez jakiś czas powinnam pozostać singielką.

– W porządku – stwierdziła Heidi, kręcąc głową. Jej długie jasne włosy zakołysały się na plecach cudowną falą. – Dziś będzie ich więcej dla mnie.

– Wszyscy będą dla ciebie.

Heidi odstąpiła krok w tył i przyjrzała się swojemu dziełu. Zmierzwiła mi grzywkę i na koniec dodała jeszcze jeden lok.

– Gotowe. Co o tym myślisz?

Spojrzałam w lustro i z trudem siebie rozpoznałam. Przestałam już być chłopczycą, ale kiedy czułam się przygnębiona, wracałam do starych zwyczajów, nie malowałam się i niedbale upinałam włosy. Ale Heidi przeobraziła moją twarz nieomal

jak w Photoshopie. Makijaż był bez skazy, a błyszczący cień pod-
kreślił zieleń oczu. Ciemne włosy zostały zaplecione na czub-
ku głowy w koronę, a niżej z boku spływały w postaci ułożonego
w loki końskiego ogona.

– Masz talent – stwierdziłam. – Sprawiłaś, że znów wyglądam jak człowiek.

– Idź włożyć sukienkę – poleciła Heidi. – Nie mogę się doczekać, żeby zobaczyć całość.

– Dobra, dobra, już idę.

Włożyłam sukienkę, którą wybrała dla mnie w butiku w centrum miasta.

Gdy wyszłam z garderoby, Heidi zagwizdała.

– Jesteś śmieszna – powiedziałam.

Ale sukienka mi się podobała. Na ślubie Sutton obowiązywał
strój formalny. Niestety, niełatwo było znaleźć coś, co by mi od-
powiadało, a co dopiero długą suknię, ale Heidi się udało. Wy-
brana przez nią czarna suknia z połyskliwą złotą warstwą pod
spodem podkreślała moją figurę, kiedy się poruszałam. Do tego
śliczne szpilki z odkrytymi palcami. W Teksasie korzyść z wesela zimą była taka, że jeśli się miało szczęście, temperatura w ciągu dnia mogła przekroczyć nawet dwadzieścia stopni
Celsjusza. Pogoda była bardzo zmienna.

– Jak nic zaliczysz kogoś w tej sukience – stwierdziła Heidi.

Teatralnie wzniosłam oczy ku górze.

– Żadnych chłopaków. To strefa zakazu lotów.

– Zaczniesz mówić co innego, kiedy ktoś będzie cię dzisiaj
bzykał. Miejmy nadzieję, że Landon Wright. Wtedy koło się
zamknie.

– Nawet o tym nie wspominaj. Jeśli go zobaczę, ucieknę
w drugą stronę – odparłam.

Heidi uśmiechnęła się szeroko, jakby rozbawiła ją jakaś myśl.

– Już dobrze, w porządku – powiedziała, widząc moje gniewne spojrzenie. – Żadnych chłopaków. Rozumiem. Jeśli Landon zbliży się do ciebie, odwrócę jego uwagę. Wciąż potrafię poruszać się jak cheerleaderka.

Zrobiła wymach nogą, niemal dotykając nią nosa. Potem obróciła się jakimś skomplikowanym tanecznym ruchem. Nie mogłam pojąć, jak to możliwe, że była tak elastyczna.

– Boże, jeśli zrobisz to w sukni, zdekoncentrowanie Landona to drobiazg. Rozerwiesz ją na pół i wszyscy będą mieli co oglądać.

Heidi zaśmiała się i wzruszyła ramionami.

– Pójdę się ubrać, a potem będziemy mogły już jechać.

Po kilku minutach wróciła w długiej kreacji o fasonie syreny i w odcieniu najgłębszej ciemnej purpury. Podeszła do mnie tanecznym krokiem i puściła oko.

– Chodź, laseczko. Dziś wieczorem mam z tobą randkę. Niech Kimber zrobi nam zdjęcie!

Ruszyłyśmy do sypialni Kimber, która zgodziła się nas sfotografować. Heidi wręczyła jej telefon, po czym wyciągnęła w górę jedną rękę, a drugą oparła na biodrze, robiąc przy tym kapryśną minkę i wydymając wargi. Skierowałam palec w stronę aparatu, jednocześnie całując Heidi w policzek. Spojrzałyśmy na zdjęcie i zaczęłyśmy chichotać. Było przezabawne, a jednocześnie pokazywało nas właśnie takimi, jakie byłyśmy.

– Muszę to umieścić na Instagramie. Cholera, jak dobrze, że tu wróciłaś – powiedziała Heidi.

– Użyj filtra – poprosiłam.

– Już zastosowałaś filtr na twarzy – stwierdziła Kimber, wskazując mój makijaż. – Nie potrzebujesz go na zdjęciu.

– Mojemu życiu potrzebny jest filtr – mruknęła Heidi.

Wysłała zdjęcie i sięgnęła po wieczorową kopertówkę. Włożyła do niej telefon i dowód tożsamości. Nie cierpiałam nosić torebek w żadnej sytuacji, a zwłaszcza kiedy musiałam poruszać się w sukni i butach na wysokich obcasach. Podałam więc swój telefon i dokument Heidi, która, wznosząc oczy do góry, umieściła je w swojej torebce.

– Kimber, na pewno możesz nas podrzucić? – zapytałam.

– Nie ma problemu. Ale kiedy wrócicie, chcę usłyszeć o wszystkich waszych wybrykach.

– Będę ci o nich tweetować na bieżąco – odparła Heidi.

– Boże, chyba nie chcesz spędzić całej nocy z telefonem w ręce – powiedziała Kimber. – Powinnaś się bawić. Upić się i popełnić jakiś błąd albo i dwa.

– Załatwione. – Heidi puściła do niej oko. – Jedźmy już.

Wsiadłyśmy do samochodu Kimber. Korek na ulicach wokół Historic Baker Building, znajdującego się w centrum Lubbock, był horrendalny. To coś znaczyło, bo taki ruch na ulicach bywał tu tylko wtedy, gdy trwały zawody sportowe uniwersytetu Texas Tech.

– Ile osób Sutton zaprosiła? – zapytałam, wysuwając głowę przez okno samochodu.

– Wygląda na to, że wszystkich, których kiedykolwiek spotkała – stwierdziła Heidi.

– Albo całe pieprzone miasto – burknęłam.

– Może powinnyśmy tu wyskoczyć – zasugerowała Heidi.

– Uważajcie na siebie – rzuciła Kimber. – Weźcie ze sobą kondomy na wszelki wypadek.

Heidi przewróciła oczami.

Roześmiałam się i wyskoczyłam z SUV-a.

– Dzięki, Kimber.

– Pa, kochanie! – zawołała do niej Heidi, która wysiadła za mną.

Zatrzasnęła za sobą drzwi i szybkim krokiem, mijając samochody, przedostałyśmy się na chodnik. Baker Building znajdował się przecznicę czy dwie dalej i już zaczęłam przeklinać siebie za to, że włożyłam szpilki. W sklepie robiły zachwycające wrażenie. Teraz okazały się małymi narzędziami tortur.

Kto je wynalazł?

Mężczyźni.

Mężczyźni je wynaleźli, by torturować nas i żeby nasze tyłki wyglądały fantastycznie.

Dzięki Bogu mój tyłek właśnie tak wyglądał. W przeciwnym razie szybko bym je zdjęła.

– Przestań kuśtykać – powiedziała Heidi, dumnie krocząc na wysokich obcasach, jakby były dla niej stworzone.

– Nie kuśtykam. Tylko nie sądzę, że będę w stanie wytrwać w nich przez całą noc.

– Zdejmiemy je, kiedy tylko wejdziemy do sali weselnej. Ale teraz są ci potrzebne, żebyś mogła wszystko widzieć.

Klepnęłam ją po ramieniu.

– Nie jestem aż taka niska. Wszystko świetnie widzę. Za to ty jesteś, cholera, wyjątkowo wysoka.

– No cóż, obie nie możemy być doskonałe, Em.

– O Boże, dlaczego zostałaś moją najlepszą przyjaciółką? – westchnęłam.

– Nie mam pojęcia – odparła, chichocząc. Potem ujęła mnie pod ramię i wkroczyłyśmy do Baker Building.

W środku było naprawdę tłoczno. Przy wejściu kłębił się tłum gości, którzy czekali, aż zostaną zaprowadzeni na swoje miejsca. W parę chwil rozpoznałam około dziesięciu osób i starałam się ustawiać bokiem, by uniknąć z nimi kontaktu.

W końcu przyszła nasza kolej. Ja i Heidi zagarnęłyśmy dla siebie jednego z kilkunastu wprowadzających.

– Panie są gośćmi panny młodej czy pana młodego? – zapytał nas chłopak. Miał błękitne oczy i akcent z Południa. Zapewne należał do studenckiego bractwa w Tech i znalazł się tu skuszony obietnicą darmowego alkoholu.

– Panny młodej – odparła Heidi. – Jesteśmy jej przyjaciółkami.

– Super. Jak panie poznały Sutton? – zapytał, prowadząc nas, ramię w ramię, środkiem sali.

– Dorastałyśmy razem – powiedziała Heidi.

Uniosłam brwi, na co wzruszyła ramionami.

– Przyjaciółka rodziny. Rozumiem.

Zaprowadził nas prosto do trzeciego rzędu. Poczułam, że ogarnia mnie panika. Dlaczego mamy siedzieć tak blisko? Nie mógł nam dać innych miejsc? Nie chciałam znaleźć się tak blisko rodzeństwa Wrightów. Byłam tu po to, żeby się upić i obiecano mi dobrą zabawę.

– Przyjaciele rodziny siedzą z przodu – poinformował z uśmiechem, gestem wskazując nam krzesła.

Heidi uśmiechnęła się do niego promiennie i zajęła drugie miejsce od strony przejścia.

– Zostawiasz mnie na zewnątrz? – syknęłam.

– Tak. Posadź tyłek na krześle.

– To nie było częścią umowy, Martin – rzuciłam ze złością i usiadłam.

– Ooch, zwróciła się do mnie po nazwisku! Naprawdę się boję.

– Masz u mnie za to wielki dług.

– Po prostu baw się dobrze, Em. To potrwa jakieś piętnaście minut, a potem możemy pić za darmo przez całą noc.

– Racja. Priorytety – wymamrotałam. W tym momencie drzwi za nami w końcu się zamknęły.

Gdy ostatni goście zajęli miejsca, rozejrzałam się po sali. Była kunsztownie udekorowana kwiatami, które przytwierdzono do każdego krzesła. Z przodu zostały rozpięte lśniące draperie. Białe światełka rzucały blask na uczestników uroczystości, migocząc na całej długości balkonu.

Rozległy się łagodne dźwięki kwartetu smyczkowego i światła przygasły. Spojrzałam znów przed siebie, kiedy pastor wyszedł z pomieszczenia w głębi sali, prowadząc pana młodego, a za nim długi szereg drużbów.

Policzyłam ich. Dziewięciu. Miał dziewięciu drużbów. Ja pierdzielę!

Było ich tylu, że musieli stanąć w dwóch rzędach.

A trzej ostatni w rzędzie wyróżniali się wśród pozostałych i wyglądali wręcz wspaniale.

Bracia Wrightowie – Jensen, Austin i na końcu Landon.

Impreza się zaczęła.

ROZDZIAŁ CZWARTY

Emery

Umyślnie starałam się nie zwracać uwagi na braci, których miałam przed sobą. W każdym razie nie chciałam patrzeć na żadnego z nich. Na szczęście dla mnie pojawiły się druhny i zaczęły iść w stronę ołtarza. Rozległ się tradycyjny *Kanon D-dur* Pachelbela, wszyscy wstali i do sali wkroczyła Sutton. Byłam całkiem pewna, że kiedy ostatni raz ją widziałam, miała zaledwie jakieś dwanaście lat. Teraz, kiedy była już dorosła, uderzyło mnie jej ogromne podobieństwo do Landona.

Wszyscy oni wyglądali tak samo – mieli ciemne włosy, pełne usta, wysportowane sylwetki. Rzecz jasna różnili się między sobą, tyle że niezbyt wyraźnie. Od razu było widać, że są spokrewnieni.

Heidi pochyliła się i szepnęła mi do ucha:

– Założę się o dziesięć dolców, że będzie płakać.

– Jest w ciąży. To oczywiste, że się rozpłacze – mruknęłam.

Z trudem powstrzymałam się od śmiechu, kiedy Sutton doszła na miejsce i natychmiast wybuchnęła płaczem. Pan młody ujął jej dłonie i uśmiechnął się do niej.

Pastor podniósł ręce.

– Możecie wszyscy usiąść – powiedział.

Opadłam na krzesło i zaczęłam czekać, aż cała oficjałka się skończy.

– Zgromadziliśmy się tu dzisiaj, żeby połączyć Sutton Marie Wright i Mavericka Wayne'a Johnsona świętym węzłem małżeńskim.

Oczy mi się zaokrągliły i zerknęłam na Heidi. Bez jednego słowa wymieniłyśmy wrażenia.

Maverick Wayne.

Maverick?

Tak ma na imię?

Ja pierdzielę.

Tak.

No tak.

Widocznie Sutton chodzi o jego dżonsona.

Parsknęłam śmiechem i musiałam udać, że to atak kaszlu, kiedy kilka osób odwróciło się i zmierzyło mnie wzrokiem. Heidi próbowała ukryć śmiech, grzebiąc w torebce niby w poszukiwaniu telefonu.

Ceremonia przebiegała dalej tak samo, jak inne, w których uczestniczyłam. Jeśli było się na jednym ślubie, to tak, jakby widziało się wszystkie.

Bla, bla, bla.

Tak.

Bla, bla, bla.

Dopóki śmierć nas nie rozłączy.

Bla, bla, bla.

Możesz pocałować pannę młodą.

Biłam brawo razem ze wszystkimi i po cichu modliłam się o kieliszek naprawdę dobrego szampana, by sobie to zrekompensować. Szampan jest dobry na wszystko.

Po chwili znów rozległa się muzyka. Tamci mieli już za sobą swoje piętnaście minut. Teraz czekały nas ważniejsze i lepsze rzeczy. Takie jak otwarty bar i stół weselny.

Maverick wziął Sutton za rękę i wolno ruszyli środkiem sali. Promienieli jak latarnie. Druhny w jedwabistych czerwonych sukniach szły w ślad za nimi pod rękę z drużbami. Było po dziewięć osób ze strony obojga małżonków, więc trwało to w nieskończoność. Para za parą, para za parą.

Rozpoznałam jedynie Morgan, która okazała się druhną honorową. Była tylko o dwa lata młodsza ode mnie i Heidi, i oczywiście należała do modnego, elitarnego towarzystwa. Poznałam ją z łatwością, bo wyglądała dokładnie tak jak w liceum. Miała pecha, bo szła wsparta na ramieniu jakiegoś chłopaka ze studenckiego bractwa, który łypał na nią pożądliwie. Pozostałe dziewczyny, jak się domyślałam, były koleżankami Sutton z siostrzanego stowarzyszenia.

W końcu przyszła kolej na braci Wrightów.

Pierwszy ruszył się Jensen. Podał ramię dziewczynie, która czerwieniła się przy nim jak pomidor. Wzięła go pod rękę, a ja ledwie się powstrzymałam, by na ten widok nie przewrócić oczami. Kiedyś też taka byłam. Wiedziałam, jak to jest. Zainteresowanie ze strony jednego z braci Wrightów i we mnie wywoływało kiedyś to omdlewające uczucie skrajnego zachwytu i wtedy sprawiał to Landon. A przecież nie byłam takim typem dziewczyny. Teraz wydało mi się to śmieszne. Za pieniądze nie kupisz szczęścia i z pewnością są gówno warte, kiedy facet złamie ci serce.

Byłam tak głęboko pogrążona w myślach, że nie zauważyłam, że się gapię. Na Jensena Wrighta. A on gapił się prosto na mnie.

Dlaczego? O Boże, dlaczego, Heidi usadziła mnie od strony przejścia? I dlaczego on tak na mnie patrzy?

Nie zrobił nawet kroku. Po prostu stał tam, wpatrując się we mnie tymi brązowymi oczami. A ja nie wiedziałam, o czym myśli i co robi. Poza tym, że robi z siebie kompletnego durnia, ponieważ chyba w tym momencie powinien był ruszyć. Właśnie w tym cholernym momencie.

Synapsy widać znów zaiskrzyły mu w mózgu, bo powoli poprowadził dziewczynę naprzód. A kiedy już przeszedł obok mnie i myślałam, że jestem poza zasięgiem jego przenikliwego wzroku, odwrócił się. Spojrzał na mnie jeszcze jeden pierdolony raz. Właśnie tam, na oczach wszystkich, na ślubie własnej siostry, odwrócił się i przyjrzał mi się.

W jakim ja świecie żyję?

Ruszył dalej i chyba dopiero wtedy zaczęłam normalnie oddychać. W tym czasie minął mnie już Austin i nawet nie miałam okazji zobaczyć Landona i jego żony. A tylko to mnie interesowało.

I co z tego? Byłam jego dawną dziewczyną. Miałam wszelkie prawo przyjrzeć się jego żonie, żeby się przekonać, czy jest ode mnie ładniejsza.

Heidi potrząsnęła mnie za ramię, przywracając do rzeczywistości.

– Czy Jensen Wright właśnie pieprzył cię wzrokiem? – spytała z zapartym tchem.

Starsza kobieta siedząca przed nami posłała jej piorunujące spojrzenie za użycie takiego języka. Heidi rzeczywiście nie powiedziała tego zbyt cicho.

– Nie. Skądże! – odparłam. Wciąż próbowałam zrozumieć, co się działo. Bo nic, co przychodziło mi do głowy, nie miało sensu.

– Zrobił to. A właśnie, że to zrobił! – stwierdziła Heidi.

Gdy dwa rzędy gości siedzących przed nami opuściły salę, Heidi wypchnęła mnie, cały czas szepcąc mi do ucha, jaka jest podekscytowana.

– Pamiętasz, jak w szkole o nim marzyłaś? Był seksownym ciachem z college'u, kompletnie nieosiągalnym bóstwem. Jak Zeus na Olimpie. A może chodziło nam o to, by dosiąść jego pioruna, jeśli rozumiesz, co mam na myśli.

– Boże, Heidi, jesteś taka żenująca.

– Em, tylko pomyśl o Jensenie z czasów, kiedy chodziłyśmy do szkoły. Nadawał się na okładki magazynów.

– Spotykałam się z jego bratem.

– Ale przedtem – naciskała.

– Okej. Być może pamiętam, że kiedy spałam u ciebie raz albo dwa...

– Albo dziesięć.

– Wtedy rozmawiałyśmy o tym, że jest seksowny.

– Tak. I z seksownego faceta zmienił się w cholernie dobre wino. A ono im jest starsze, tym lepsze, skarbie. – Heidi trąciła mnie biodrem.

– Naprawdę sugerujesz, że bzyknę się z Jensenem Wrightem na weselu jego siostry, chociaż spotykałam się z jego bratem? – spytałam, unosząc brwi.

Heidi się zaśmiała.

– Wyprzedzasz fakty, co? Nie powiedziałam, że masz się z nim bzykać, to twoje słowa. A myślisz o tym?

– Nie – rzuciłam ze złością.

Nie. Naprawdę. To się nigdy nie stanie.

Miałam dość braci Wrightów. Nic takiego nie może się wydarzyć. Mowy, kurwa, nie ma. Jensen prawdopodobnie po prostu... zobaczył muchę na moim ramieniu albo coś w tym rodzaju. I to wszystko, bo jego zainteresowanie byłoby niedorzeczne.

Byłam kiedyś dziewczyną jego brata.

Byłam... sobą.

Po kilku minutach znalazłyśmy się w sali weselnej. Roiło się tu od kelnerów w smokingach, ze srebrnymi tacami w rękach pełnymi przystawek. Wzięłam od przechodzącego kelnera wykwintną babeczkę z krabem i skierowałam się prosto do baru.

– Prosimy szampana. – Heidi uśmiechnęła się do barmana.

Podniosłam dwa palce i ugryzłam kęs krabowej babeczki. Ja pierdzielę, jakie to pyszne. Coś wspaniałego. Ciekawe, kto im dostarczył catering? Rozejrzałam się wokół i znalazłam odpowiedź. West Table. No jasne. Tylko Wrightowie mogli zamówić catering w najdroższej restauracji w mieście.

– Musimy wziąć tego więcej – powiedziałam do Heidi, kiedy wręczyła mi dwa kieliszki szampana.

Bez zażenowania chwyciłam je w obie ręce.

Heidi zaśmiała się i kiwnęła głową w stronę stolików.

– Znajdźmy nasze miejsca.

Podeszłyśmy do stołu powitalnego z planem rozsadzenia gości umieszczonym w rustykalnej ramie.

Heidi zdjęła kartonik ze swoim nazwiskiem przypięty do sznurka drewnianym spinaczem do bielizny.

– Mamy stolik dwunasty. To mój szczęśliwy numer.

– To dlatego, że przez całą szkołę Brandon McCain grał z tym numerem w drużynie futbolowej.

– Okej, niech ci będzie. – Heidi wzruszyła ramionami. – Dzięki temu numerowi dziś kogoś zaliczę.

– Bardzo zabawne – prychnęłam.

– To nasz stolik. – Położyła kopertówkę przed kartą ze swoim nazwiskiem. – Heidi Martin z osobą towarzyszącą. Czyli z tobą.

– Z kim jeszcze siedzimy? – spytałam.

Przeczytałyśmy pozostałe nazwiska.

Wzruszyłam ramionami.

– Nie znam nikogo z nich.

– Są z pracy – wyjaśniła. – Ale przynajmniej mamy Julię. Julię Banner. Jest fajna. Polubisz ją.

– Nigdy mi o niej nie wspominałaś.

– Jest nowa. Wiesz, jak to jest z nowymi – odparła z kwaśną miną i wychyliła połowę kieliszka szampana. – Wolę się upewnić, że zostaną w Lubbock na dłużej niż rok. Tyle przyjaźni się rozpada, kiedy ludzie tu przyjeżdżają, a potem zaraz się przenoszą. Zobaczymy, czy tu wytrwa, a potem zdecyduję, czy ją do siebie przyjmiemy.

– Zachowujesz się, jakbyśmy były w jakimś gangu – zauważyłam, kręcąc głową.

Heidi pochyliła się ku mnie i konspiracyjnie wyszeptała:

– Jesteśmy.

Mimowolnie się roześmiałam. Boże, jak mi jej brakowało! Bez niej moje życie nie byłoby takie samo. To nic, że wszystkie te lata spędziłam w Oklahomie, a potem w Austin. Nigdy nie zaprzyjaźniłam się z nikim tak, jak z Heidi. I byłam pewna, że nigdy nie znajdę drugiej takiej przyjaźni.

Przez następne trzy kwadranse piłyśmy szampana i jadłyśmy tyle tych małych krabowych babeczek, ile się tylko dało. Do czasu, gdy rodzina oraz druhny i drużbowie zostali zaanonsowani, a Sutton i Maverick mieli swoje wielkie wejście, Heidi i ja nie wylewałyśmy za kołnierz. Dobrze, że od razu zaczęłyśmy jeść i mogłam wypełnić żołądek nie tylko alkoholem, ale i węglowodanami, aby przetrwać resztę nocy.

Kiedy skończyły się tradycyjne weselne uroczystości, w tym – Boże, ratuj – opracowany choreograficznie taniec panny młodej i jej przyjaciółek z siostrzanego stowarzyszenia dla pana młodego, a potem przećwiczony pierwszy taniec młodej pary, byłam gotowa wrócić do baru. Gdybym znów musiała wysiedzieć na czymś takim bez kolejnego drinka, z pewnością padłabym trupem.

– Okropność. – Heidi zachichotała mi do ucha. – Muszę znaleźć coś, co zetrze mi z oczu ten obraz.

Kiedy szłyśmy do baru, zaśmiewałam się do łez, prawdopodobnie głośniej niż wypadało. Ludzie wstali, żeby przyłączyć się do tańca, a to oznaczało jedno – więcej szampana. Rano głowa będzie mi pękać z bólu, ale co tam. Szampan był tego wart.

Heidi poprowadziła mnie przez tłum z powrotem do swoich kolegów z pracy i stanęłam tyłem do tanecznego trzęsienia ziemi, które za mną trwało. Julia okazała się całkiem spoko. Była prawie tak wysoka jak Heidi, miała długie do ramion włosy w odcieniu mahoniu i zieloną suknię. Właśnie rozmawiałyśmy o jej pracy na stanowisku szefowej działu HR, kiedy twarz Heidi rozjaśniła się w uśmiechu.

Niedobrze.

– Landonie! – zawołała.

Pomachała do niego, a ja zapragnęłam ukryć twarz w dłoniach i zniknąć. Czasami moja najlepsza przyjaciółka okazywała się tą najgorszą.

– Cześć, Heidi – powiedział Landon, stanąwszy przy mnie. Pochylił się i przyciągnął ją w objęcia. – Dobrze cię widzieć, jak zawsze.

– Gratuluję ci ostatniej wygranej w turnieju PGA. – Heidi uśmiechnęła się do niego.

– Dzięki. Miło mi to słyszeć. Miałem całkiem niezły rok.

I kiedy tak rozmawiali o jego zwyczajnych sprawach, stałam obok, jakbym w ogóle nie istniała. Dzielił nas najwyżej krok, a on nie odezwał się do mnie ani słowem. Był pochłonięty rozmową z Heidi.

Zaczerpnęłam głęboko powietrza i odważyłam się spojrzeć na niego. Wyglądał... dokładnie tak samo jak kiedyś. A jednak nie.

Ta sama wysoka sylwetka i wyraziste rysy. Ten sam elegancki wygląd, ciemne włosy i spojrzenie smutnego szczeniaka. Ale robił wrażenie wyczerpanego i znękanego. Ostatnim razem widziałam go, kiedy Heidi zmusiła mnie, żebym przyjechała na ten bezsensowny zjazd pięć lat po zakończeniu szkoły, bo była wiceprzewodniczącą ogółu studentów. Na znak protestu włożyłam wtedy buty Vans do jazdy na deskorolce i luźny T-shirt. Heidi nie mogła na to patrzeć. Ale Landon wyglądał jak zwykle doskonale. Wtedy jeszcze nie stracił nic ze swego uroku. Zastanawiałam się, co się stało.

Chyba umknęła mi część ich rozmowy, kiedy mu się przyglądałam... a może to dlatego, że byłam na rauszu. Ale Landon właśnie wyciągał do mnie rękę. Spojrzałam na nią ze zmarszczonymi brwiami.

– Przepraszam. My się chyba nie znamy – powiedział swoim zwykłym, niedbałym tonem.

Heidi roześmiała się, a ja nawet nie byłam w stanie odwrócić do niej głowy. To się naprawdę dzieje?

– Poważnie, Landonie? – wycedziłam z pogardą.

Uniósł brwi i natychmiast opuścił rękę.

– Emery?

– We własnej osobie.

Otworzył usta niczym ryba wyjęta z wody. Miło było zobaczyć, że jeden z braci Wrightów jest speszony.

– W ogóle cię nie poznałem.

– Hm... dziękuję? – Nie mogłam zdecydować, czy powinnam się obrazić.

Mój były chłopak nawet mnie nie poznał. Niesamowite.

W końcu odwróciłam się do Heidi. Wyglądała, jakby za chwilę miała pęknąć.

– Ile makijażu mam na twarzy?

– Nie, przepraszam. To było niegrzeczne – wtrącił się Landon, próbując załagodzić sytuację. – Twój głos rozpoznałem natychmiast. Przynajmniej sposób, w jaki powiedziałaś moje imię. Po prostu... nie spodziewałem się, że tu będziesz, to wszystko.

– Tak, pojawiłam się z Heidi w ostatniej chwili.

Landon pokiwał głową, ale wciąż się we mnie wpatrywał, jakbym była jakimś dziwnym szczurem laboratoryjnym, którego właśnie miał preparować.

– Wróciłaś do miasta na święta?

– Być może na zawsze.

– Na zawsze? – spytał, unosząc brwi.

Wzruszyłam ramionami.

– Zobaczymy. Chwilowo po prostu zrezygnowałam z uniwersytetu.

– Ha. Kto by przypuszczał, że wrócisz do Lubbock?

A wtedy, w tym właśnie miejscu i momencie, przypomniałam sobie, dlaczego chciałam walnąć go w tę śliczną buzię. To on mnie opuścił i sprawił, że poczułam się jak parias w swoim rodzinnym mieście. Nie miał prawa odwracać teraz sytuacji, jakbym to ja była tą, która odeszła.

Zamiast tego tylko zachichotałam, oszołomiona szampanem.

– Jest całkiem pewna, że nikt. Nigdy – stwierdziłam ironicznie.

– Tu jesteś, kochanie – odezwała się jakaś kobieta, podchodząc z tyłu do Landona i chwytając go pod ramię. Na obcasach była wyższa ode mnie, miała równo obcięte, utlenione na platynowo włosy i efektowny makijaż. Uznałam ją za atrakcyjną w pewien przesadny sposób. – Szukałam cię.

– Och, Mirando – powiedział Landon i posmutniał. – Właśnie rozmawiałem ze starymi przyjaciółkami ze szkoły.

– A więc przedstaw mnie, kochanie. Oczywiście twoi przyjaciele są moimi przyjaciółmi.

Zauważyłam grymas na twarzy Landona i nagle ten znękany wyraz stał się zrozumiały, skoro codziennie musiał mieć do czynienia z tą kobietą.

– Oto moja żona Miranda. Mirando, to jest Heidi i... – odchrząknął i spojrzał na mnie przepraszająco – Emery.

Miranda otaksowała mnie wzrokiem od góry do dołu, jakby oceniała moje szanse w konkursie Miss Ameryka.

– Emery. Jak... Emery?

– Właśnie ta – mruknęłam.

– Twoja była dziewczyna jest tutaj, a ty mi o tym nawet nie wspomniałeś? – syknęła Miranda.

– Nie wiedział, że tu będę – stanęłam w jego obronie z powodu, który trudno mi było pojąć. – Przyszłam tu z przyjaciółką.

Miranda najwyraźniej mnie nie słyszała albo moje słowa jej nie obchodziły. Obróciła się na pięcie i odpłynęła w przeciwnym kierunku.

Landon wzniósł oczy do góry i jęknął.

– Wybaczcie. Muszę… – Ruchem głowy wskazał Mirandę i pobiegł, żeby do niej dołączyć.

Otworzyłam szeroko oczy. Byłam zaszokowana. Heidi opadła szczęka.

– A niech to, co za jędza! – zawołała.

– Nie musisz mi mówić.

– Przynajmniej wiemy jedno.

– Co takiego?

– Jesteś o wiele ładniejsza! – stwierdziła Heidi, wznosząc toast kieliszkiem szampana.

ROZDZIAŁ PIĄTY

Jensen

Najgorszą część nocy mieliśmy już za sobą i w końcu mogłem wypić kolejnego drinka. Załatwienie sprawy z Sutton okazało się trudniejsze, niż się spodziewałem i butelka whiskey wzywała mnie wyjątkowo silnie.

A może to ta kobieta, która siedziała w trzecim rzędzie. Nie miałem pojęcia, skąd się, u diabła, wzięła, ale niech to cholera! Długie ciemne włosy, doskonałe nogi widoczne w rozcięciu sukni, cudowne usta, które mnie błagały, by ją całować. Wystarczyły mi trzy sekundy, by stwierdzić, że jest tu najseksowniejszą osobą i musiałem z całej siły się powstrzymywać, by nie porzucić druhny opartej na moim ramieniu. Chciałem wyprowadzić ją z sali prosto do mojego łóżka.

Minęło trochę czasu… sporo czasu… odkąd zareagowałem tak na kogoś w Lubbock. Spotykanie się z kimś tutaj nie wchodziło w grę, a ponieważ prowadziłem interesy w całym kraju, łatwiej mi było zawierać znajomości w podróży. Więc może ona nawet nie mieszka w Lubbock. Liczyłem na to, że nie. O wiele trudniej jest umawiać się z kimś tam, gdzie wszyscy dokładnie wiedzą, ile dolarów jestem wart i znają obrzydliwą sprawę mojej eks.

Trzeba było mieć nadzieję, że nie jest osobą stąd, którą jakoś przeoczyłem w swoim ponadtrzydziestoletnim życiu.

Miałem ukryty zapas alkoholu i nalałem sobie podwójną whiskey z butelki, którą Austin opróżnił sam niemal w całości. Teraz był z tymi dziewczynami z siostrzanego stowarzyszenia i pewnie decydował, którą z nich, a może dwie lub trzy, powinien zabrać ze sobą do domu. Ale moje oczy wypatrywały tamtej brunetki.

Skinąłem głową do Morgan, która rozmawiała z Patrickiem, najlepszym przyjacielem Austina.

– Cześć, stary! – powiedział Patrick.

Uścisnęliśmy sobie ręce i poklepaliśmy się nawzajem po plecach. Znałem go od zawsze. Praktycznie należał do rodziny. I jeśli Morgan nie przestanie o nim myśleć, w końcu naprawdę do niej wejdzie.

– Cześć, Pat. Co sądzisz o ceremonii? – spytałem.

Patrick uśmiechnął się lekko.

– To cała Sutton.

– Cholerna racja.

– W końcu jest szczęśliwa – wtrąciła Morgan. Nie spuszczała wzroku z naszej młodszej siostry, która bawiła się w centrum tańczących.

– Zawsze na taką wygląda – stwierdziłem.

– Fakt – przyznał Patrick.

– O cholera – jęknęła Morgan.

Podążyłem za jej spojrzeniem i zobaczyłem, jak Miranda zmierza przez salę, a w ślad za nią spieszy Landon. Dość często widok, szczerze mówiąc. Właśnie tak zawsze wyglądał ich pierdolony związek. Wciąż nie mogłem zrozumieć, dlaczego ten idiota z nią został. I wkurzało mnie, że moje nieudane małżeństwo nie było dla niego dostatecznym ostrzeżeniem.

– Sprawdzę, co się stało – powiedziała Morgan z westchnieniem.

– Zostaw ich – odparłem. – Twoja nienawiść do Mirandy jeszcze pogorszy sprawę.

Morgan uśmiechnęła się szelmowsko.

– Naprawdę? W takim razie wracam za chwilkę.

Pokręciłem głową nad moją wredną siostrą, widząc, jak zamaszystym krokiem rusza w stronę Landona i Mirandy. Nie życzyłbym Mirandy najgorszemu wrogowi, a tym bardziej bratu. Na razie jednak prowadziłem z Morgan Operację Miranda, która polegała na sprawdzaniu, jak daleko możemy posunąć się w naciskach na Landona, aby się z nią rozwiódł.

Ale pomimo problemów brata wciąż myślałem o tamtej dziewczynie. Na weselu Sutton były setki ludzi. Mogła być gdziekolwiek. Musiałem tylko ją znaleźć.

– O nie – rzekł Patrick.

Uniosłem brew w niemym pytaniu.

– Masz ten wyraz twarzy.

– Jaki wyraz? – spytałem.

– Ten, który się u ciebie pojawia na posiedzeniach zarządu. Masz taki sam, kiedy gonisz za cipką.

Chrząknąłem lekko. Patrick nie był w błędzie.

– Mam nadzieję, że ona okaże się równie wielkim wyzwaniem jak fuzja z Tarmanem, nad którą teraz pracuję.

Patrick zaśmiał się we właściwy sobie nieskrępowany sposób.

– Wątpię. Człowieku, jesteś pieprzonym Wrightem. Dziewczyny nie są dla ciebie wyzwaniem.

Znów się uśmiechnąłem.

– Zobaczymy.

I wtedy ją dostrzegłem. Stała odwrócona w kierunku wyjścia. Trzymała pusty kieliszek do szampana i wyglądała, cholera, olśniewająco. Mocno dopasowana suknia uwydatniała każde zaokrąglenie ciała. Włosy miała ściągnięte na bok i niemal się oblizałem, wyobrażając sobie, jak odchyla głowę w tył, a ja coraz niżej całuję jej szyję. Nie mogłem się doczekać, aby usłyszeć, jak jęczy w nocy moje imię.

Ruszyłem ku brunetce, po drodze sięgając po tacę z szampanem. Byłem zadowolony, że dziewczyna stoi w towarzystwie dwóch moich pracownic, bo ułatwiało mi to nawiązanie rozmowy.

Pamiętałem imiona wszystkich, którzy pracowali w głównej siedzibie Wright Construction. Osobiście witałem nowo zatrudnionych i upewniałem się, że pracownicy znają swoją wartość. W mojej firmie każdy musiał czuć się doceniany. Wiedziałem, co sam musiałem zrobić, by osiągnąć swoją pozycję. Nigdy się nie spodziewałem, że dostanę ją za darmo.

– Drogie panie – zagadnąłem z czarującym uśmiechem. Wskazałem tacę grupce kobiet stojących razem z brunetką. – Wyglądacie, jakby trzeba wam było kolejnego drinka.

– Ach, cóż za obsługa – odparła Heidi, puszczając oko do koleżanki.

– Nie codziennie szampana podaje ci twój szef – zauważyła Julia i sięgnęła po kieliszek.

– Dzięki – powiedziała ta druga dziewczyna. Pusty kieliszek zamieniła na jeden z tacy.

Natychmiast pojawił się przy nas kelner i zabrał tacę z moich rąk.

– Dobrze się bawicie? – zapytałem.

– Jest miło – odparła Julia.

– Widać, że twoja siostra lubi tańczyć – dodała Heidi.

Brunetka zacisnęła usta i utkwiła wzrok w kieliszku szampana. Okej, zmieniamy taktykę.

– Cieszę się, że mogłyście przyjść. Kim jest wasza przyjaciółka? – zapytałem znacząco, kierując uwagę na brunetkę.

Uniosła wzrok znad szampana. Jeszcze nigdy nie widziałem tak intensywnie zielonych oczu. Rozwarła lekko usta i ten widok odurzył mnie bardziej niż whiskey.

– Heidi – jęknęła. – Coś ty zrobiła z moją twarzą?

– To jest... Em – powiedziała Heidi, nie zważając na wyraz dezaprobaty w oczach Em.

Nie rozumiałem, w czym rzecz. Wydawała się mocno urażona, że o nią zapytałem. Byłem pewien, że widzę ją pierwszy raz w życiu. Inaczej z pewnością bym ją pamiętał.

– Miło mi cię poznać. Jestem Jensen – przedstawiłem się, próbując załagodzić sytuację.

– Yhm – mruknęła Em. Pociągnęła długi łyk szampana, jakby szukając w nim odwagi.

Nie potrafiłem odczytać jej myśli. Nie wiedziałem, czy to moja obecność ją krępowała, czy po prostu była zdenerwowana. Ale miałem wrażenie, że nie jest pewna, jak powinna się teraz zachować.

– Em, to jest szef Wright Construction – powiedziała Heidi, trącając ją biodrem w bok.

Em posłała jej miażdżące spojrzenie.

– Wiem, kto to jest.

– Przysięgam, że wszystko, co o mnie słyszałaś, to kłamstwa – odparłem ze śmiechem.

– Nie powiedziałam, że słyszałam coś złego – odrzekła. Jednym łykiem wychyliła resztę szampana i się skrzywiła.

– A tak poważnie... co jest z wami, bracia Wrightowie?

– Słucham? – zapytałem, marszcząc brwi.

– Nie zwracaj na nią uwagi – wtrąciła Heidi. – Jest moją starą przyjaciółką i potrzebuje tylko jeszcze jednego kieliszka szampana.

Heidi pochyliła się i wysyczała coś Em do ucha, ale udało mi się dosłyszeć, jak mówi:

– Daj. Mu. Szansę.

Em westchnęła, jakby się poddała. Ale kiedy odwróciła się do mnie, miała na twarzy lekki uśmiech. Wydawał się nieco wymuszony, jakby nie przywykła uśmiechać się do nieznajomych.

– Ja tylko... – Podniosła kieliszek i ruszyła w stronę baru.

– Czy mogę do ciebie dołączyć? – zapytałem.

– Oczywiście – powiedziała.

Bar nie był daleko, ale przez całą drogę do niego nie mogłem oderwać od niej oczu. A ona patrzyła wszędzie, tylko nie na mnie. Rzuciła mi jedno spojrzenie i zarumieniła się. A więc jednak robiłem na niej jakieś wrażenie.

Wspomniałem, że chcę, aby mimo wszystko czekało mnie wyzwanie. Była zachwycająca i zapewne faceci przez cały czas ją podrywali, mimo to nie spodziewałem się, że odmówi spędzenia ze mną chociaż jednego dnia. Odmowa jedynie budziła we mnie chęć, by próbować usilniej.

Dlaczego była tak niedostępna?

Wzięła kolejny kieliszek szampana, ale powstrzymałem ją przed powrotem do przyjaciółek. Nie zamierzałem zrezygnować z okazji.

– Zauważyłem cię podczas ceremonii – powiedziałem ściszonym, chrapliwym głosem.

Spojrzała na mnie szeroko otwartymi oczami. I, cholera, ta twarz. Ta intensywna zieleń oczu i czerwień ust. Sposób, w jaki ciemne włosy opadały na czoło, jakby zawsze były niesforne i nie dawały się poskromić. Tak jak ona sama. Coś w wyrazie jej twarzy, w wydatnych kościach policzkowych i wąskiej linii szczęki mówiło mi, że jest dzika i zuchwała. Żaden makijaż i piękne ubranie nie mogły zmienić dziewczyny, która kryła się pod nimi.

– Tak. To było... – Urwała. Jakby rozkojarzona, podniosła wzrok na moje usta. Potem wydała z siebie krótkie westchnienie, które przemówiło wprost do mojego fiuta.

– Zauważyłam.

– Przyjechałaś do miasta w odwiedziny? – zapytałem.

Powoli potrząsnęła głową i odwróciła ode mnie wzrok, jakby musiała odetchnąć.

– Posłuchaj, cokolwiek to jest, to nie zadziała.

Uniosłem brew.

– A jak myślisz, co to jest?

– Szczerze mówiąc, nie wiem.

– Po prostu z tobą rozmawiam.

– Nie dam się na to nabrać, Jensen.

To, jak wymówiła moje imię, było najseksowniejszą rzeczą, jaką słyszałem. Zamierzałem sprawić, by powtarzała je wciąż od nowa.

Ale sposób, w jaki jej wargi ułożyły się wokół sylab mojego imienia, tak mnie rozproszył, że nie zastanawiałem się nad tym, co powiedziała. Nie nabierałem jej. Nie próbowałem tego robić. Uważałem, że moje intencje były całkowicie jasne, ponieważ staliśmy tu razem. Tak blisko siebie.

Nawet nie byłem pewien, czy zdawała sobie sprawę, że im dłużej rozmawialiśmy, tym bardziej się do mnie zbliżała. Ale kiedy spojrzałem w dół, zauważyłem, że dzielą nas ledwie centymetry. Czułem ciepło jej ciała i przestałem jasno myśleć.

Dlaczego tego nie chciała? Jej ciało mówiło coś kompletnie innego. Mogło być tylko jedno wyjaśnienie.

– Masz chłopaka?

Cofnęła się, jakby moje pytanie było obraźliwe.

– Nie potrzebuję powodu, by ci odmówić.

Spróbowała odejść, ale chwyciłem ją za rękę. Nie potrzebowała powodu. Oczywiście, że nie. Ale odmowa nie miała sensu, kiedy ciało w taki sposób na mnie reagowało.

– Wiem, że nie potrzebujesz powodu. Ale wygląda na to, że go masz – powiedziałem, instynktownie przyciągając ją do siebie.

– Tak, mam powód. I kiedy go poznasz, nie będziesz mną dłużej zainteresowany.

– Bardzo w to wątpię – odparłem z przekonaniem.

– Już dawno temu dałam sobie spokój z rodziną Wrightów. Gdzie indziej będziesz miał więcej szczęścia.

Wyrwała dłoń z mojej ręki i posyłając mi ostatni smutny uśmiech, poszła, by dołączyć do Heidi i Julii. Obie gorączkowo gestykulowały, próbując zrozumieć, co się stało. Właśnie tego i ja chciałbym się dowiedzieć.

ROZDZIAŁ SZÓSTY

Jensen

Zawaliłem sprawę.

Kompletnie zawaliłem.

Oczywiście spotykałem wcześniej dziewczyny, które się mną nie interesowały, ale z pewnością nie taką jak ta.

Nie pamiętam już, od jak dawna nie zareagowałem na kogoś tak głęboko emocjonalnie. Przecież nawet te kobiety, które budziły moje słabe zainteresowanie, pragnęły mnie poznać.

W sensie biblijnym.

A Em wydawała się niewzruszona. Pragnęła mnie. Mogłem to wyczytać w jej jasnych, zielonych oczach. Zdecydowanie mnie pragnęła. A jednak powstrzymała się. I nie miałem pojęcia dlaczego.

Co mogła wiedzieć o rodzinie Wrightów, że wywołało to taką reakcję?

Jasne, nasz rodzinny bagaż problemów był większy niż u innych, ale to nie powinno mieć znaczenia w tej sytuacji. No dobrze.:. okej, to nieprawda. Było mnóstwo powodów, by trzymała się ode mnie z daleka. Po pierwsze, moja opinia kobieciarza. Po drugie, moja była żona. Ale nie mogła wiedzieć nic ponadto.

Jej reakcja wprawiła mnie w osłupienie.

Nie wyglądała też na taką, która odgrywa trudno dostępną. Po prostu odeszła, nie oglądając się za mną.

Przede wszystkim nie przywykłem, by mnie odrzucano.

W rzeczy samej, nie przypominam sobie, aby to się kiedykolwiek zdarzyło. Nie żeby to miało jakieś znaczenie. W końcu musi być ten pierwszy raz. Ale przez to jedynie zapragnąłem jej jeszcze mocniej. Chciałem tam wrócić, odciągnąć ją na bok i zacałować do utraty tchu. Szkoda, że nie wiedziałem, co poszło nie tak.

O co tu chodzi, do kurwy nędzy?

Z nieznanym mi dotąd poczuciem odrzucenia wróciłem do miejsca, w którym ukryłem whiskey. Nalałem sobie kolejną szklankę i zacząłem rozważać następny krok.

Bez wątpienia mnie znała, ale nie wiedziałem skąd. Nic nie przychodziło mi do głowy. Nie miałem pojęcia, gdzie mogłem ją spotkać. Ale teraz chciałem ją poznać. To interesująca kobieta, która potrafiła dać mi kosza... Nieważne, że wychodzę przez to na narcyza. To tylko zdrowa dawka pewności siebie.

Po kilku minutach, gdy kontemplowałem ten dylemat, wpadła na mnie Morgan.

– Kurwa! – powiedziała. – Daj mi to.

Zabrała mi szklankę i opróżniła ją jednym haustem. Spojrzałem na nią krzywo i napełniłem kolejną. Będę jeszcze potrzebował drinka.

– Problem z Landonem? – zapytałem, podając jej whiskey.

– Z Mirandą, oczywiście. – Chwyciła szklankę i pociągnęła solidny łyk.

– Co tym razem?

– Nie uwierzysz. – Pokręciła głową. Spojrzała w stronę miej-sca, w którym przed chwilą zostawiła Landona. – Miranda się wkurzyła, bo była dziewczyna Landona jest tutaj!

– Dlaczego miałoby ją obchodzić, że jest tu jego była? Na miłość boską, przecież to z nią się ożenił.

– Cóż, to cała Miranda. – Morgan wzruszyła ramionami.

– To prawda – burknąłem. Wziąłem kolejny łyk whiskey. – Ona mnie doprowadza do szału. Nie wiem, dlaczego są razem.

– Wiem tyle, co i ty.

Przytaknąłem, ale moje oczy znów powędrowały do Em, któ-ra śmiała się z czegoś, co powiedziała Heidi albo Julia. Chwy-ciły ją za ręce i niemal siłą pociągnęły na parkiet do tańca. Po-trząsnęła głową, ale spojrzały na nią błagalnie i zaczęły tańczyć do hip-hopowej muzyki, którą Sutton zamówiła na tę noc. Jak-by myślała, że to jakiś klub czy coś podobnego, a nie wesele.

Heidi tańczyła wokół Em, która po prostu tam stała. Powie-działa coś do Heidi i Julii, ale one nie zwracały na nią uwagi. Po paru minutach jednak rozluźniła się i wszystkie trzy tańczy-ły, jakby trafiły na najlepszą imprezę w życiu. A może po prostu za dużo wypiły.

Tak czy owak, cudownie było obserwować, jak się porusza w tańcu. Upajałem się tym widokiem. Sposobem, w jaki się wy-ginała. Jak odchylała głowę w tył i bez skrępowania śmiała się z dziewczynami. Jak unosiła ramiona, nisko uginała kolana, a potem prostowała się na całą wysokość. Sposobem, w jaki po-trząsała włosami i apetycznie kręciła biodrami. To było hipnoty-zujące.

Stałem tam, obserwując ją przez całe dwa tańce, zanim w końcu odważyła się na mnie spojrzeć. Zielone oczy zalśniły, kiedy dostrzegła, że się jej przyglądam, a potem gwałtownie się zaczerwieniła. Odwróciła się, ale po chwili z powrotem na mnie spojrzała. To było prowokujące spojrzenie i kosztowało mnie wiele wysiłku, żeby nie podejść i nie dołączyć do niej na parkiecie. Pragnąłem odpowiedzieć na wezwanie, które widziałem w jej oczach, ale nie chciałem zostać znów odrzucony. Marzyłem, by mnie poprosiła. Nie tylko mową swego ciała, ale i oczami, uśmiechem, ustami.

Dołączyła do dziewczyn, jednak wciąż wracała do mnie spojrzeniem. Wielokrotnie. Tak jakbyśmy w tej sali byli tylko we dwoje. Wszystko inne zniknęło i tańczyła wyłącznie dla mnie.

O tak, patrzyłem na nią.

O tak, chciała, bym patrzył.

Oblizała usta i przez chwilę zatańczyła razem z przyjaciółkami. Mój penis pulsował i wyobrażałem sobie, co mógłbym robić z jej biodrami, wyobrażałem sobie wszystkie obietnice jej ust. Musiałem doprowadzić się do porządku, bo myślenie o pieprzeniu jej, kiedy patrzyłem, jak się porusza, sprawiło, że mój fiut zaczął nazbyt mocno przyciągać wzrok. Poprawiłem spodnie i dokończyłem whiskey. Nagle Em odwróciła się do mnie, a potem dyskretnie przechyliła głowę w lewo.

Westchnąłem.

Nareszcie. Wracamy do gry.

Powiedziała coś szybko do przyjaciółek na parkiecie i wskazała w kierunku toalety. Coś jej odrzekły, ale na ich twarzach zauważyłem konspiracyjne uśmiechy. Wiedziały, dokąd idzie i co robi.

Em zeszła z parkietu. Obejrzała się przez ramię tylko raz, żeby sprawdzić, czy idę za nią. Szedłem. Gdy się przekonała, że zrozumiałem jej gest, uśmiechnęła się, ale zaraz postarała się nie dać nic po sobie poznać. Minęliśmy toaletę i znaleźliśmy się w nieoświetlonym miejscu, dostatecznie daleko od tłumu.

Kiedy odwróciła się do mnie, policzki miała zaróżowione od tańca, a także dlatego, że teraz się tu znalazła.

– Obserwowałeś mnie.

– Czy to zbrodnia?

– Pewnie nie. Dlaczego to robiłeś?

– Bo jesteś najpiękniejszą dziewczyną w tej sali i podoba mi się sposób, w jaki się poruszasz.

– Jensenie, to nigdy nie może się zdarzyć.

– Już o tym wspomniałaś – powiedziałem, robiąc kolejny krok w jej stronę.

Przywarła plecami do ceglanej ściany.

– Czy wiesz, kim jestem? – zapytała błagalnie.

– Jesteś Em. To wszystko, co muszę wiedzieć.

Ująłem w palce opadający ciemny pukiel jej włosów. W szczerym spojrzeniu szeroko otwartych oczu Em widziałem wszystkie myśli kłębiące się jej w głowie. Pragnęła mnie. Pod tym względem się nie myliłem. Mogła mnie odtrącić, ale nie była w stanie ruszyć się z miejsca.

– Kurwa – szepnęła.

Przesunęła dłonią po mojej marynarce, a ja pochyliłem się w stronę Em.

– Właśnie – przyznałem. – Mówisz, żebym sobie poszedł, a jednak mnie tu zapraszasz. Czego ty właściwie chcesz?

Nawet jeśli mnie pragnęła, jej umysł walczył z ciałem. Napięcie i pożądanie przenikały się w przestrzeni między nami. Mogłem się zbliżyć i objąć ustami jej usta. Pragnąłem tego. Ale nie chciałem brać. Chciałem, by mi je zaproponowała. Tak jak zaproponowała, żebyśmy tu przyszli.

– Nie wiem. To zły pomysł – szepnęła.

– Mnie wydaje się dobry.

Westchnęła.

– Dużo wypiłam.

– Ja też – odparłem, stając o krok bliżej.

– I naprawdę chcę cię pocałować.

Zaśmiałem się. Jej naturalna szczerość podobała mi się o wiele bardziej, kiedy mnie aprobowała, a nie odrzucała.

Mój śmiech sprawił, że spłonęła rumieńcem, a jej wzrok ześlizgnął się na moje wargi.

– Ale nie możemy.

– Nie możemy?

Leciutko pokręciła głową, a potem pociągnęła mnie odrobinę bliżej.

– Nie.

– Chcesz mnie pocałować – powiedziałem, wkraczając w jej intymną przestrzeń i patrząc na usta. – Ale nie możesz. A może nie?

– Och, zrobię to – wyszeptała. – Ale nie powinnam.

Nagle przyciągnęła mnie mocno do siebie i przylgnęła ustami do moich warg ze zniewalającą nieustępliwością. Świat przestał istnieć.

Objąłem ją w talii i przywarłem do niej całym ciałem. Lizałem jej wargi, błagając, by się otworzyły. Zareagowała natychmiast i nasze języki się spotkały. Staliśmy w głębi budynku, obejmując się i całując zapamiętale.

Całowała niesamowicie, była cholernie dobra. Mógłbym to z nią robić przez cały dzień. Mimo że fiut nakazywał mi działać szybciej, mózg mówił, że dzieje się teraz coś niesamowitego. Jej ciało przy moim. Usta na moich ustach. Serce bijące coraz szybciej, by zgrać rytm z moim.

To był pocałunek życia. Jeden z tych, które zdarzają się tylko raz. Taki, który nie miał zbyt wiele znaczyć, miał być tylko pożądliwym pocałunkiem w ciemnościach, ale nawet nie próbuj się oszukiwać. Ten pocałunek był wszystkim.

Nie wiem, jak długo tam staliśmy, całując się. Mogły to być godziny albo dni. Mój mózg przestał funkcjonować.

Ale Em w końcu odsunęła się i kręcąc głową, odstąpiła krok w tył. A ja nie miałem pojęcia, co te gesty oznaczały.

Czy nie odebrała tego pocałunku tak samo?

Musnęła wargi palcem. Były nabrzmiałe i czerwone.

– Jensenie… ja… my…

– Em – szepnąłem, wyciągając do niej dłoń.

Ale wyślizgnęła się z moich rąk i zniknęła w ciemnościach nocy. Próbowałem iść za nią, ale w jednej chwili stała przy mnie, a w następnej nie było już po niej śladu.

Mój własny cholerny Kopciuszek. Świetnie.

ROZDZIAŁ SIÓDMY

Jensen

Następnego ranka głowa pękała mi z bólu, kiedy rozległ się głośny dźwięk telefonu leżącego na stoliku przy łóżku. Chwyciłem go i nie patrząc, kto dzwoni, wcisnąłem „akceptuj". Kurwa, ile musiałem wypić wczorajszej nocy?

– Halo – odezwałem się.

– Dzień dobry, panie Wright – usłyszałem głos mojej asystentki Margaret. – Mam nadzieję, że nie dzwonię nie w porę. Właśnie dostałam dokumenty, na które musi pan spojrzeć, a kazał mi pan skontaktować się ze sobą natychmiast, kiedy się pojawią.

– Tak. Dziękuję – powiedziałem, próbując wygramolić się z łóżka.

Praca. Oczywiście, chodzi o pracę.

Przez kilka dalszych minut słuchałem, jak Margaret omawia formalności.

Z trudem dowlokłem się do łazienki i połknąłem dwie tabletki tylenolu. Doceniałem entuzjazm Margaret dla fuzji, ale zdawałem sobie sprawę, że dopóki nie pozbędę się bólu głowy, dopóty nie będę w stanie skoncentrować się na logistyce i papierkowej robocie.

– Czy życzy pan sobie, żebym przyszła dziś do pracy, żeby to z panem przejrzeć? – zapytała.

– Nie, dziękuję, Margaret. Rzucę na to okiem w domu i wrócimy do tego w poniedziałek.

Zawahała się.

– Obawiam się, że zechcą dostać pańską odpowiedź jeszcze dzisiaj.

– Kazali mi na to czekać pięć dni. I muszę lecieć, żeby zakończyć negocjacje z Tarmanem. Możemy się z tym wstrzymać jeszcze dzień. Poza tym, jeśli uda mi się zbić cenę, którą proponują, na Gwiazdkę będziemy mieli większe bonusy.

– W takim razie niech czekają tyle czasu, ile pan zechce.

– Dziękuję, Margaret – powiedziałem.

Rozłączyłem się i spojrzałem na swoje odbicie w lustrze. W nocy wypiłem zdecydowanie za dużo. Krzywiąc się, wskoczyłem pod bardzo gorący prysznic, by przestać wreszcie myśleć o Em. Zamęczałem się tym wczoraj zbyt długo. Kiedy się nad tym zastanawiałem, opróżniliśmy z Patrickiem, Austinem i Morgan kolejną butelkę whiskey.

Kiedy dokończyłem swoje zwykłe poranne przygotowania, poczułem się jak nowo narodzony. Nadal miałem cholerny mętlik w głowie, ale przynajmniej byłem bardziej sobą.

Sprawdziłem, która była godzina, i włożyłem dżinsy i koszulę. Wciąż było wcześnie. Alarm w budziku, który na dziś nastawiłem, nawet nie zdążył się włączyć. Prawdopodobnie mógłbym popracować jeszcze przynajmniej godzinę, zanim spotkam się ze wszystkimi w kościele – odkąd pamiętam, należało to do naszej tradycji w niedzielne poranki.

Skoro miałem dodatkowy czas, biuro mnie przyzywało. Zszedłem do gabinetu na parterze i usiadłem za mahoniowym biurkiem. Słońce właśnie wschodziło za ogromnymi panoramicznymi oknami wychodzącymi na pusty teraz, zimą, basen. Włączyłem iMaca i zagłębiłem się w prawniczy żargon, przez który musiałem jeszcze raz przebrnąć ze swoim adwokatem. Po całym tym alkoholu i bezsennej nocy czułem piasek pod powiekami i drapało mnie w gardle.

Miałem nadzieję, że mój organizm w końcu przywyknie do braku snu. Z bezsennością na ogół tak bywa. Nie pamiętam, kiedy ostatni raz przespałem całą noc. To był jeden z powodów, dla których nasza firma kwitła. Jeśli nie musisz spać, możesz wykonać dwa razy więcej pracy.

Tak mocno skupiłem się na projekcie, że nawet nie zauważyłem Landona, który stanął w progu, dopóki nie usłyszałem jego chrząknięcia.

– Przyszedłem nie w porę? – zapytał z kpiącym uśmiechem.

Dokończyłem wpisywać notatkę, którą przygotowywałem, i wstałem od biurka.

– Skądże. Po prostu ugrzązłem w pracy.

– Jensenie, w niedzielę? – Landon pokręcił głową. Wszedł do gabinetu i opadł na jeden ze skórzanych foteli stojących przed moim biurkiem.

– Codziennie. Ktoś musi kierować firmą. Nie każdy może grać w golfa w weekendy.

Landon się roześmiał.

– Codziennie. Nie tylko w weekendy.

– A swoją drogą, jak tam twój bark?

Obszedłem biurko i oparłem się przed nim z ramionami skrzyżowanymi na piersi.

Landon spochmurniał.

– W porządku. W każdym razie już lepiej. Fizykoterapeuta uważa, że nie powinienem go nadwerężać tak jak w tym roku, ale przecież żaden Wright nie umie zwolnić.

To akurat cholernie pewne.

– Będzie dobrze, pod warunkiem że o to zadbasz. Można całe życie grać zawodowo w golfa.

– Tak, zajmę się tym.

Landon wstał z fotela.

– Tak naprawdę przyszedłem tu tak wcześnie, żeby ci powiedzieć, że Miranda i ja wyjeżdżamy.

– Co? – zapytałem skonsternowany. – Myślałem, że zostaniecie na święta.

Landon się skrzywił.

– Miranda chce teraz wrócić na Florydę. Przyjedziemy na święta.

– Ale jeszcze dziś zostaniecie, żeby pójść do kościoła, prawda? – zasugerowałem.

– Ja... nie – odparł.

Westchnąłem ciężko.

– Nie zrobisz tego nawet dla mamy?

– Wiem. – Westchnął cicho. – Ja chcę zostać, ale Miranda...

Chciałem powiedzieć coś złośliwego o tym, że jest pod pantoflem, ale to chyba nie był dobry moment. Coś się działo między nim i Mirandą. Ich związek wyglądał dla mnie aż nazbyt znajomo. Landon wiedział to równie dobrze jak ja.

– Skoro mówimy o Mirandzie, słyszałem, że wczoraj wyszła z siebie.

Kiedy zmieniłem temat, Landon powoli wypuścił powietrze z płuc.

– Taa, brachu, moja była dziewczyna Emery Robinson tu była. Pamiętasz ją?

Zesztywniałem i wszystko zredukowało się do tego imienia.

– Emery Robinson – szepnąłem.

– Taa. No wiesz, dziewczyna, z którą chodziłem w liceum. Nawet jej nie poznałem, a Miranda była wściekła, że nikt jej nie uprzedził, że Emery tu będzie.

– Nie poznałeś jej? – wyszeptałem przerażony, gdy prawda zaczęła do mnie docierać.

– Nie. Ale to popieprzone, co?

Przeciągnąłem dłonią po krótko ostrzyżonych włosach.

– O kurwa.

– Co? – zapytał zdezorientowany.

Pokręciłem tylko głową. Nie wierzę, że to się dzieje. Em – moja tajemnicza Em, mój cholerny Kopciuszek – to Emery Robinson. Oczywiście, że mnie poznała. Ale ja jej nie widziałem od… Boże, dziesięciu lat. Nic dziwnego, że ode mnie uciekła. Właśnie próbowałem poderwać byłą dziewczynę brata.

– Jensenie, co się stało?

Nie mogłem mu powiedzieć. Mowy nie ma, żebym się przyznał, że najlepszy pocałunek w życiu przeżyłem z Emery Robinson. Nie miałem pojęcia, że to była ona. I zbyt dobrze znałem Landona, by nie wiedzieć, że muszę oszczędzić mu takiej wiadomości.

– Nic. Mam kaca i głowa mnie boli – skłamałem. – Opowiedz mi jeszcze o Emery. Pamiętam ją… jak przez mgłę.

Niedomówienie stulecia. Smak jej ust, dotyk skóry i sposób, w jaki całowała, pamiętałem bardzo dobrze. Zmysłami. Ale poza tym wszystko, co przychodziło mi do głowy na temat Emery, było niczym most na rzece w mglistą noc. Wiedziałem, że jest, ale nie mogłem go dostrzec.

– Spotykaliśmy się w liceum przez dwa lata, ale zerwaliśmy na rozdaniu świadectw. Ostatni raz ją widziałem pięć lat temu na szkolnym zjeździe i nie rozmawialiśmy wtedy ze sobą. Nie miałem pojęcia, że będzie na ślubie Sutton, sądzę, że to Heidi ją zaprosiła. – Potrząsnął głową. – Nawet jej nie poznałem! – powtórzył.

– Jak mogłeś jej nie poznać?

– Kiedy się spotykaliśmy, była kapitanem piłkarskiej drużyny i w weekendy jeździła na deskorolce – powiedział Landon na swoją obronę. – Nawet na balu na zakończenie szkoły miała związane włosy i była bez makijażu. Nie wiem, co porabiała przez ostatnie dziesięć lat. Nawet nie mamy ze sobą kontaktu na Facebooku.

– A Miranda była wściekła?

Landon wzruszył ramionami.

– Nie rozumiem dlaczego. Nie jestem zainteresowany dziewczyną, z którą chodziłem w szkole i której nie widziałem od lat. Ożeniłem się z Mirandą.

Och, wiedziałem, dlaczego Miranda była wściekła. Emery wyglądała seksownie jak cholera. Jakkolwiek wyglądała i zachowywała się w szkole średniej, teraz była kobietą. Tą, którą bardzo chciałbym blisko poznać. Szkoda, że prawdopodobnie nigdy więcej się nie zobaczymy ani nie porozmawiamy.

– Naprawdę z tego powodu wyjeżdżacie dziś rano?

Landon jęknął i zerknął w stronę drzwi.

– Nie wiem, stary. Prawdopodobnie. Ona jest wyjątkowo zazdrosna o wszystkie moje byłe.

Otworzyłem usta, by coś powiedzieć Landonowi o ostatniej nocy z Emery. Nie było tak, że chciałem zachować to w tajemnicy, ale co właściwie przyszłoby z tego, że bym mu się zwierzył?

Nie należałem do facetów, którzy spotykają się z dziewczynami. Działałem na zasadzie pieprz-i-rzucaj. Nawet gdybym poszedł do łóżka z Emery, to byłaby tylko zajebiście gorąca przygoda na jedną noc. Ni cholery nie miałoby znaczenia, kto się z kim spotykał dziesięć lat temu.

Zamiast tego zapytałem:

– Jesteś pewien, że nie możesz zostać, żeby pójść do kościoła?

W tej samej chwili frontowe drzwi otworzyły się z hałasem. Landon ciężko westchnął i wydawało się, że na samą myśl o tej, która w nich stanęła, wycofał się w głąb siebie.

– Miranda? – domyśliłem się.

– To ona – potwierdził. – Chyba powinienem się zbierać.

– Landonie! Chodźmy! Musimy już jechać! – zawołała z holu.

Wzrok Landona powędrował w stronę otwartego wejścia.

– Chyba już pójdę. Zdecydowanie nie chcę znaleźć się między wami dwojgiem podczas kolejnej sprzeczki.

– Zapewniam cię, że to Morgan je prowokuje.

Landon obejrzał się na mnie i przewrócił oczami.

– Niech ci się nie wydaje, że umiesz wszystkich oszukać.

Miałem nadzieję, że w tym momencie mi się to uda.

Wyciągnąłem rękę do brata. Landon mocno ją uścisnął.

– Po prostu chcę, żebyś był szczęśliwy. Powiedz, że Miranda daje ci szczęście.

– Landonie! – krzyknęła. Na drewnianej podłodze rozległ się głośny stukot obcasów. Brzmiał coraz bliżej, jakby nadciągał ziejący ogniem smok.

– Jesteś dobrym bratem. – Landon uśmiechnął się i ponownie uścisnął mi dłoń.

Miranda weszła do pokoju.

– Pospieszysz się czy wolisz, by cię tu zostawić, żebyś mógł być ze swoją byłą dziewczyną?

Przez twarz Landona przebiegł grymas.

– Daj spokój, Mirando. Powtarzałem ci setki razy, że nawet nie wiedziałem, że ona ma zamiar się tu zjawić.

– Jestem pewna, że się tego dowiesz, kiedy wrócimy na święta, żebyś mógł się wymknąć i z nią spotkać – rzuciła oskarżycielskim tonem.

– Naprawdę wróciła z uczelni tylko na parę dni, żeby zobaczyć się z przyjaciółką. Zdąży wyjechać, zanim wrócimy. Uspokój się – wyjaśnił Landon z westchnieniem.

– Wszystko jedno. Tylko żebym się przez ciebie nie spóźniła na samolot – odparła. Obróciła się na pięcie i wyszła z pokoju.

– Zobaczymy się za parę tygodni – powiedział Landon.

Objęliśmy się, a potem pobiegł korytarzem za żoną, która go tyranizowała. I chociaż widok odchodzącego brata wywołał we mnie smutek, o wiele bardziej obawiałem się tego, co przemilczał. Przyjdzie dzień, że dowiem się, jakie nieszczęście Miranda wywołała w naszej rodzinie, ale nie dziś. Dzisiaj musiałem iść do kościoła.

ROZDZIAŁ ÓSMY

Emery

– Nie mogę uwierzyć, że mnie do tego zmuszasz – powiedziałam do Kimber, kiedy stałyśmy przed domem naszej matki Autumn.

W tym domu się wychowałyśmy. Niewielki, przysadzisty, miał ściany z czerwonych cegieł i ciemne dachówki. Jak wszędzie w Lubbock, cały podjazd oddzielało od ulicy gigantyczne ogrodzenie. Drzewo, które matka zasadziła, wprowadzając się tutaj, górowało nad posiadłością. Dom stał w jednej z tych części miasta, w których nie widać było upływu czasu. Nic się tu nie zmieniało, nawet ludzie. Po prostu osiedli w tym miejscu niczym kurz.

– Nigdy byś tu nie przyszła, gdybym cię do tego nie zmusiła – odparła Kimber.

Nacisnęła stary, zdezelowany dzwonek i usłyszałam, jak jego donośny dźwięk rozlega się w domu, oznajmiając naszą obecność.

– Nie bądź taka pewna.

Kimber prychnęła.

– Okej. Niech ci będzie.

Drzwi otworzyły się i pojawiła się w nich matka. Wyglądała fantastycznie. Nawet w tym wieku zwalała z nóg urodą. Pomyślałam, że to trochę niesprawiedliwe, że Kimber odziedziczyła po niej wszystkie cechy królowej piękności, podczas gdy ja tylko złośliwe poczucie humoru i nieznośny charakter.

– Popatrzcie, kogo tu przywiało! – zawołała.

– Zabawne, mamo. Tego jeszcze nie słyszałam – odparłam, uśmiechając się szeroko.

– Jeszcze nie jesteś za stara na to, żeby ci przetrzepać tyłek, młoda damo.

Kimber popchnęła mnie do środka, a ja się roześmiałam. Nigdy w życiu nie dostałam od matki w skórę. Choć trudno uwierzyć, to Kimber była rozrabiaczką.

Weszłyśmy do salonu, a matka zamknęła za nami drzwi. Wszystko tu wyglądało dokładnie tak jak zawsze – te same brązowe tapicerowane meble z naszymi inicjałami, które wydrapałyśmy na drewnianych bokach, serwantka mojej prababci, po brzegi wypełniona przez matkę jej kolekcją figurek, a na gzymsie kominka mnóstwo zdjęć. Co najmniej kilka z nich było nowych, w tym zdjęcia z Noahem i Lilyanne.

Ale ani śladu po ojcu. Został wymieciony, odkąd zostawił mamę, gdy byłam mała. Jedynie zapomniany stary wojskowy medal i pudełko z fotografiami przetrwały na strychu.

Usiadłyśmy w fotelach, dusząc się w atmosferze wspomnień.

– Jeśli nie jestem za stara, aby mi przetrzepać skórę, to znaczy, że i ty nie jesteś za stara, mamo – zauważyłam, próbując wprowadzić bardziej frywolny nastrój.

– Och, wiem, kochanie – powiedziała. A potem mrugnęła do mnie. – Wiesz, rozmawiałam z Harrym Stevensonem, który mieszka po drugiej stronie ulicy. Był policjantem.

– O Boże, mamo! – zawołałam, zakrywając sobie uszy.

Widząc moje zażenowanie, mama zachichotała radośnie.

– A teraz powiedzcie, gdzie jest moja wnuczka? Kimber Leigh, nie możesz sprawiać, że czuję się staro przez to, że rodzisz dzieci – poklepała moją siostrę po mocno już wydatnym brzuchu – a potem ich ze sobą nie przyprowadzać, kiedy mnie odwiedzasz.

– Lilyanne została z Noahem. Mamy się z nimi spotkać w kościele.

– No cóż, dobrze. – Autumn westchnęła ze smutkiem. – I jak ja mam ją rozpuszczać?

– Świetnie ci to idzie – stwierdziła Kimber.

Mama znów spojrzała na mnie, otaksowując w ten zagadkowy sposób, w jaki tylko ona potrafi, i uśmiechnęła się łagodnie. Wokół oczu pojawiły się drobne zmarszczki. Zmarszczki szczęścia. Te, które uwielbiałam.

– Tęskniłam za tobą, Emery – powiedziała. – Ale co ty, dziewczyno, jesz w tym Austin? Czy ktoś cię tam karmi? Zostały z ciebie sama skóra i kości.

Obejrzałam się na Kimber, która patrzyła na mnie rozbawiona.

Dziś rano wzięłam od niej prostą czarną sukienkę. Siostra nie mogła jej teraz nosić i twierdziła, że powinnam ją włożyć, skoro nie zabrałam z Austin ubrania odpowiedniego na wyjście do kościoła.

– Jem całkiem dobrze. I... porzuciłam Austin – wypaliłam. – Zrezygnowałam z programu.

– Ojej. Naprawdę nie mogłam się doczekać drugiego doktora w rodzinie – powiedziała Autumn z figlarnym uśmiechem.

– Ach, gdybym tylko miała zagwarantowane wynagrodzenie Noaha...

74

– Gdybyśmy wszystkie miały… – przyznała Kimber.

– Przykro ci z tego powodu? – zapytała mama. – Nie wyglądasz na przygnębioną.

To dziwne, ale nie czułam przygnębienia. Wydawało mi się, że powinnam. Ale chociaż poświęciłam na ten projekt trzy lata, przygnębienie nie było odpowiednim słowem. Czułam ulgę.

– Nie. Uważam, że to była dobra decyzja. Muszę tylko znaleźć pracę i wysprzątać mieszkanie. Znam kogoś, kto je wynajmie na następny semestr. Przynajmniej pokryje to koszty.

– Może jeszcze zmienisz zdanie. – Matka niedbale wzruszyła ramionami. – Pozwólcie teraz, że włożę najlepsze niedzielne ubranie i będziemy mogły jechać.

Gdy wyszła, odetchnęłam głęboko.

Kimber klepnęła mnie w kolano.

– Nie było tak źle – szepnęła.

– Masz rację. Nie było. Pewnie dlatego, że ty tu jesteś.

– Za bardzo się tym przejmujesz. Ona się cieszy, że wróciłaś do domu.

– Taak… – powiedziałam, rozglądając się po pokoju. – Może i tak.

– Okej, możemy jechać – oznajmiła Autumn, wkraczając znów do pokoju. Miała na sobie czerwoną sukienkę i czarny szal, a na ustach swój znak firmowy – czerwoną szminkę.

– Myślicie, że Harry Stevenson będzie w stanie mi się oprzeć?

Jęknęłam, wstając z fotela.

– Jeśli jeszcze raz wspomnimy o twoim życiu erotycznym, zwymiotuję ci na podłogę.

– Możemy porozmawiać o twoim – odparła matka.

– Lepiej nie – powiedziałam z westchnieniem.

Poszła za Kimber do jej ogromnego SUV-a i zajęła miejsce z przodu. Kimber ruszyła z podjazdu i skierowała się w stronę kościoła, który znajdował się niedaleko przy tej samej ulicy.

– Słyszałam, że spotkałaś się wczoraj z rodziną Wrightów – zagadnęła Autumn.

– Dobre wieści szybko się rozchodzą – odrzekłam ironicznie.

Na wspomnienie rodziny Wrightów poczułam zawrót głowy... Ale nie przez Landona. Z powodu Jensena. Zobaczyć Landona to było... krępujące, jakby spotkać starego szkolnego przyjaciela, którego wolałoby się uniknąć. Ale Jensen... to była inna historia. Nie chciałam przyznać, jak silne wrażenie na mnie zrobił. To tyle, jeśli chodzi o wyrzekanie się mężczyzn. Wystarczył jeden dzień i już całowałam się z pieprzonym Jensenem Wrightem.

– Gdybyś mnie uprzedziła, że jesteś w mieście, nie musiałabym dowiadywać się o tym od Barbary – zauważyła matka. Odwróciła się i spojrzała na mnie badawczo, a ja odpowiedziałam jej obojętnym wzrokiem. – Tina też tam była. Twierdziła, że bardzo ładnie wyglądałaś i wszyscy chłopcy ci się przyglądali.

Czasami zapominam, że moja matka zna absolutnie wszystkich. Urodziła się tu, wychowała i nigdy stąd nie wyjechała. Była totalną ekstrawertyczką i natychmiast nawiązywała przyjaźń z każdym, kogo spotkała. Jeszcze jedna cecha, której po niej nie odziedziczyłam.

– Heidi uczesała mnie i umalowała. To był jedyny powód, dla którego ktokolwiek na mnie spojrzał. A Landon nawet mnie nie poznał.

– Co? – wykrztusiła Kimber. – Nie powiedziałaś mi o tym.

– A więc, zabawna historia, Landon mnie nie poznał, a potem zjawiła się jego żona i nieźle się wpieprzyła.

– Nie wyrażaj się, Emery – zganiła mnie matka.

Przewróciłam oczami. No tak, musiałam uważać na słowa, bo właśnie zbliżałyśmy się do kościoła.

Kimber wjechała na parking, który był już w połowie zapełniony. Wiedziałam, że Kimber i Noah przyjeżdżali do tego kościoła jedynie dlatego, że matka chodziła tu od dziecka. Inaczej wybraliby któryś z trochę bardziej... nowoczesnych.

W Lubbock kościoły znajdowały się niemal na każdym rogu. Wielkie białe budynki i stare ceglane gmachy były rozrzucone wzdłuż brukowanych ulic w centrum miasta. Na parkingach stały ogromne furgonetki z metalowymi emblematami Texas Tech na zderzakach. Akceptowanym strojem były dżinsy i kowbojskie buty. Duchowni mogli równie dobrze wygłaszać kazania, jak pleść polityczne bzdury. I co niedziela kazanie przerywało w połowie piętnastominutowe interludium, by ludzie mogli uścisnąć sobie ręce i pozdrowić przyjaciół mieszkających przy tej samej ulicy. W mieście, w którym krzyż na ścianie salonu był znaczącym elementem wystroju wnętrza, wizyta w kościele faktycznie należała do obowiązków.

Wysiadłyśmy z SUV-a i ruszyłyśmy do kościoła. Zostawiłam za sobą matkę, która musiała zamienić słowo z każdym, kto stał przy wejściu. Idąc za Kimber, z uśmiechem wzięłam broszurę od jednej z pań, które je rozdawały, po czym weszłam do środka.

Wnętrze miało wysokie sklepienie i witrażowe okna nad prezbiterium. Chór już siedział z prawej strony, a obok żona pastora grała na fortepianie. Na dużym drewnianym pulpicie znajdował się mikrofon, a wyłożone poduszkami klęczniki dla przyjmujących komunię były ustawione półkolem.

Nie sądziłam, że to będzie miejsce, w którym znajdę się rano po nocy, podczas której opróżniłyśmy z Heidi kilka butelek szampana. Szczęśliwie nie miałam kaca. Zanim poszłam do łóżka, wypiłam butelkę izotonicznej gatorade i połknęłam tylenol, a Kimber rano troskliwie się mną zajęła. Jednak to nie znaczy, że byłam przygotowana na coś takiego.

– Kimber! – zawołał Noah.

Pomachał do nas z miejsca z przodu nawy. Lilyanne siedziała w ławce, wystukując coś na iPadzie.

Podeszłyśmy tam i Kimber pocałowała Lily w czubek głowy.

– Cześć, malutka. Cieszysz się, że zobaczysz babcię Autumn?

– Teraz nie jest jesień, mamo – powiedziała Lilyanne, spoglądając na nią z powagą. – Jest zima*.

– W rzeczy samej – wtrąciłam – zimowe przesilenie nastąpi dopiero dwudziestego pierwszego. Zatem wciąż mamy jesień.

– Ale jest zimno – odparła Lily.

– Brzmi logicznie.

Noah parsknął śmiechem i przesunął Lilyanne tak, byśmy mogły zająć miejsca na końcu rzędu.

– Opowiedz mi o spotkaniu z Landonem – poprosiła Kimber, trącając mnie łokciem.

– Cii, Kimber, nie powinnyśmy plotkować w kościele.

Przewróciła oczami.

– To nie plotka, jeśli pochodzi z bezpośredniego źródła. Czyż wam, historykom, nie chodzi o relacje z pierwszej ręki?

– Ech. Nie mówmy teraz o historii. Przez dziewięć lat nie myślałam prawie o niczym innym. Muszę zrobić sobie przerwę.

– Taką przerwę jak Landon Wright? – szepnęła.

– Hm, nie. Landon jest żonaty, pamiętasz?

---

* Nieprzetłumaczalna gra słów: *autumn* to po angielsku jesień.

78

– Och, dobra – powiedziała Kimber, a w głosie słychać było zawód. – No cóż, w mieście jest wielu innych facetów.

Noah odwrócił do nas głowę tak szybko, że Kimber się zarumieniła.

– Co to miało znaczyć? – zapytał.

– Och, cicho bądź! – odparła speszona.

Kimber i Noah byli o rok starsi od Austina, więc nigdy nie chodzili do jednej klasy z żadnym Wrightem. Chociaż oczywiście znali całą ich rodzinę. Wszyscy znali Wrightów.

– Pytam tylko, czy będąc tutaj, chcesz się trochę rozerwać. – Kimber puściła do mnie oko.

– W kościele mówisz o bzykaniu? – zapytałam, żegnając się z udawaną zgrozą.

Kimber zaśmiała się i pokręciła głową.

– Jesteś okropna – stwierdziła.

– Lilyanne! – zawołała moja matka.

Wkroczyła do kościoła tak, jakby należał do niej. Ale Lily ją uwielbiała. Skoczyła ze swego miejsca, porzucając iPada, i rzuciła się w ramiona Autumn. Ta obróciła ją w koło i postawiła na podłodze, a następnie posadziła na ławce obok siebie.

– Naprawdę kocha twoją dziewczynkę – powiedziałam.

– Rzeczywiście. Nie mogłabym sobie życzyć lepszej babci – przyznała Kimber.

– Kto by przypuszczał?

– Wszyscy – odparła Kimber, a potem się uśmiechnęła. – Spójrz, kto właśnie zjawił się w kościele.

Odwróciłam się akurat w chwili, by móc zobaczyć całą rodzinę Wrightów wchodzącą do środka. Moje oczy najpierw dostrzegły Jensena w czarnym garniturze, białej koszuli i bordowym krawacie. Wyglądał… seksownie jak diabli. W rzeczy samej nie miałabym nic przeciwko temu, żeby zobaczyć, co jest pod tym garniturem. Policzki zapłonęły mi pod wpływem tych myśli. Byłam w kościele, na miłość boską.

Przyjrzałam się im po kolei – Austinowi, Morgan, Sutton i Maverickowi. Ha, wygląda na to, że nie wszyscy Wrightowie przyszli. Mogłam się tylko cieszyć, że nie było tu Landona i jego żony. I poczułam się całkiem nieźle, widząc, że jest Jensen.

Kiedy Jensen mijał rząd, w którym siedziałam, całą uwagę skupił na mnie. Pod wpływem uśmiechu w policzkach pojawiły mu się dołeczki, a ja przestałam oddychać. Cholera, całowałam tę twarz.

Potem on i reszta rodziny zajęli miejsca w pierwszym rzędzie. Przypomniało mi się, że po śmierci matki bywali w kościele w każdą niedzielę. W ten sposób czcili jej pamięć, bo była bardzo religijna. To niezwykłe, że wciąż to robili. Nawet rankiem po ślubie Sutton.

Może z powodu Landona oceniałam ich trochę za surowo.

Może fantazjowanie o tych dołeczkach nie było takie najgorsze.

Może… ale nie w kościele.

ROZDZIAŁ DZIEWIĄTY

Emery

Powiedziałabym, że kazanie było interesujące, ale jako okropna osoba nie przysłuchiwałam mu się uważnie. Nie żebym była niereligijna. Nie w tym rzecz. Ale trochę trudno się skoncentrować, kiedy najbardziej pożądany w mieście mężczyzna do wzięcia siedzi trzy rzędy przed tobą i wiesz, że ostatniej nocy niczego bardziej nie pragnął, niż dobrać się do twoich majtek. Zwłaszcza w połowie mszy, gdy wszyscy wstali, aby pozdrowić sąsiadów, a on odwrócił się i spojrzał prosto na mnie. Pewnie powinnam podejść, przeprosić, że wczoraj uciekłam i po prostu, cholera, wyjaśnić, kim jestem. Wciąż nie mogłam uwierzyć, że zwyczajnie mu tego nie powiedziałam.

Czy tak trudno było wyznać, że spotykałam się z jego bratem?

Najwyraźniej naprawdę trudno. Bardzo, bardzo trudno. Zwłaszcza kiedy głęboko w ustach miałam jego język.

Wiedziałam, co Heidi robi, przedstawiając mnie tylko zdrobniale: Em. Emery to nie było popularne imię i natychmiast zapaliłoby mu się światełko. Jednak jej nie poprawiłam i nie wyjaśniłam, dlaczego uciekłam. Bo nie chciałam odejść. Być może jakaś część mnie nadal myślała o tym nieosiągalnym, seksownym facecie, o którym z Heidi marzyłyśmy w szkole.

Teraz był nawet bardziej seksownym miliarderem i prezesem firmy i wyglądało, że jest o całe niebo bardziej osiągalny.

Gdybym tylko nie chodziła z jego bratem.

To matka uratowała mnie przed upokorzeniem się przed Jensenem. Chwyciła mnie za ramię i pociągnęła w stronę Betty, kobiety, dla której pracowałam w muzeum Buddy'ego Holly'ego, kiedy chodziłam do liceum. Mieli wakat, odkąd któryś z ich pracowników zrezygnował, i była zachwycona, że znów może mnie zatrudnić.

Więc przynajmniej coś dobrego wynikło z tej całej sprawy z kościołem.

Po nabożeństwie matka kręciła się tu i tam, gawędząc ze wszystkimi znajomymi. Wiedziałam, że przez jakiś czas się stąd nie ruszymy, chyba że zabiorę się z Noahem. Ale po minie Kimber poznałam, że zaraz objedzie mnie za ten pomysł.

Wstałam i przeciągnęłam się, myśląc, czy nie powinnam po prostu poczekać przed kościołem albo... powiedzieć czegoś Jensenowi.

Zanim zdecydowałam się, co robić, Jensen zostawił swoją rodzinę w pierwszym rzędzie i podszedł do miejsca, w którym stałam, opierając się o kościelną ławkę.

– Cześć. Nie spodziewałem się, że cię tu spotkam – powiedział z czarującym uśmiechem.

Boże, czy on nie ma jakiegoś innego uśmiechu? O Boże, całowałam te usta!

– Cześć. No tak... – odparłam, odwracając wzrok.

Fantastycznie.

Niech będzie jeszcze bardziej niezręcznie.

– Nie wiedziałem, że twoja rodzina chodzi do tego kościoła – rzekł.

Popatrzył na Kimber, Noaha i Lilyanne, a potem na moją matkę.

– Tak. Mama przychodzi tu od... od zawsze.

– Rzeczywiście. Mogłem dodać dwa do dwóch. – Uśmiechnął się. – No więc, tak naprawdę podszedłem, żeby przeprosić cię za wczorajszy wieczór.

Uniosłam brwi i spojrzałam na niego z niedowierzaniem.

– Za co konkretnie mnie przepraszasz?

Z tego, co pamiętam, ten pocałunek był najgorętszy, jakiego w życiu doświadczyłam, więc nie miał za co przepraszać.

– Za wszystko – odparł. – Zdałem sobie sprawę, że moje zaloty musiały być... niepożądane. Myślę, że narzucałem ci się i czułaś się przez to... niekomfortowo, co nie było moją intencją.

Ha! Niekomfortowo to nie było odpowiednie słowo. Czułam się wtedy, jakby w moim ciele znalazł się inny mózg. Taki, który krzyczy „tak", gdy wiedziałam, że właściwa odpowiedź powinna brzmieć „nie".

– Wszystko w porządku. Nie przegiąłeś. – Machnęłam ręką.

Ale tak naprawdę chciałam poprosić: „Pocałuj mnie jeszcze raz. Błagam, pocałuj mnie jeszcze raz. Teraz nie ucieknę".

A jego spojrzenie mówiło mi, że on to wie.

– Zakładam, że domyśliłeś się, kim jestem.

– Emery Robinson – powiedział przeciągle. – Tak, wiem, kim jesteś.

– I proszę, teraz już nie jesteś zainteresowany – odparłam i zaśmiałam się niepewnie.

– Och – rzekł, wpatrując się we mnie intensywnie. – Ależ jestem.

Otworzyłam usta, zaskoczona. Jensen wiedział, że spotykałam się z Landonem, a jednak był mną zainteresowany? Mowy nie ma. Musiał się mylić.

Spojrzał na moje usta i przełknął ślinę. Wydawało się, że oboje mamy te same cholerne myśli.

Postąpił krok, naruszając moją intymną przestrzeń, i wyszeptał:

– Może powinniśmy porozmawiać na zewnątrz. W kościele staram się unikać nieczystych myśli.

Zakrztusiłam się lekko i zakryłam usta dłonią. Odwróciłam wzrok, lustrując wnętrze kościoła, i zostałam przywołana do rzeczywistości.

Jensen Wright miał w kościele brudne myśli na mój temat.

Cholera, tak!

– Okej – odpowiedziałam.

Nawet wydawał się zaskoczony, że się zgodziłam. Wczorajszej nocy uciekłam od niego i próbowałam o wszystkim zapomnieć. Znalazłam Heidi i zniknęłam. Kiedy teraz zaproponował rozmowę, powiedziałam „tak".

– Zatem zgoda.

– Cześć, Kimber. – Odwróciłam się do siostry.

Kiedy na mnie spojrzała, oczy miała okrągłe jak spodki.

– Ja… wyjdę na zewnątrz, dobrze?

– Jasne – odparła.

– Znajdźcie mnie, kiedy mama skończy rozmawiać.

– Tak zrobimy. Ale… jeśli ktoś inny cię odwiezie do domu, to nie ma sprawy – powiedziała śmiało Kimber.

Spojrzałam na nią z irytacją, ale Kimber tylko stłumiła dłonią śmiech. Kimber i Heidi były gotowe zrobić wszystko, żebym przed Bożym Narodzeniem zaczęła się z kimś umawiać. Tak jakbym właśnie nie wyszła z trzyletniego w pewnym sensie związku z Mitchem. Boże, na samą myśl o tym bolało mnie serce. Cóż to był za błąd!

– Z przyjemnością się przejdę – oświadczyłam, sięgając po komórkę.

Mój portfel miała Kimber, bo nie cierpiałam nosić torebki.

– To wszystko? – zapytał Jensen.

– Co? Och, telefon? Tak. Torebki są irytujące.

Roześmiał się i pochylił głowę w bok.

– Ciekawe. Dlaczego tak uważasz? Myślałem, że kobiety kochają torebki.

Ruszyłam za nim.

– Tak, no cóż, nie należę do większości kobiet. Uważam, że torebki są ładne, ale dlaczego miałabym chcieć taszczyć coś pełnego śmieci, które prawdopodobnie nie będą mi potrzebne, tylko po to, żeby się zmęczyć noszeniem ciężarów?

– Racja – przyznał rozbawiony.

Z przedsionka kościoła wyszliśmy na teksaskie słońce. Było około dwudziestu stopni ciepła, więc zdjęłam kardigan. Tutejsza pogoda nigdy nie przestała mnie zadziwiać.

– Trochę to dziwne – powiedziałam.

– Dlaczego?

Przygryzłam wargę i wzruszyłam ramionami.

– Nie wiem... Może dlatego, że spotykałam się z twoim bratem?

Jensen przestąpił z nogi na nogę i spojrzał, jakbym była jego następnym posiłkiem.

– To było dawno temu, prawda?

– Tak – przyznałam. – Masz rację. To było wieki temu.

– A teraz studiujesz daleko stąd?

Zmrużyłam oczy, zastanawiając się, skąd ma tę informację. Nie chciałam mu mówić, że właśnie zrezygnowałam ze zdobycia stopnia naukowego. Tylko moja matka, Kimber i Heidi o tym wiedziały.

– Daleko to niedokładne określenie w przypadku kogoś, kto od prawie dziesięciu lat nie mieszka w Lubbock – stwierdziłam lekceważąco.

– To prawda, jak przypuszczam. Nie można powiedzieć, że wielu ludzi tu wraca, kiedy zobaczą szeroki świat – rzekł z uśmiechem.

– Tak. Mają ku temu powód.

– Co by to mogło być? – zapytał szczerze zaciekawiony.

A przecież musiał to wiedzieć. W Lubbock panowała duszna atmosfera. Miasto było wystarczająco duże, by mieć lotnisko, ale zbyt małe na lotnisko, z którego można polecieć, dokądkolwiek się chce. Od kiedy stąd wyjechałam, pod każdym względem zmieniło się na korzyść. Są lepsze restauracje, sklepy, lepsze obiekty usługowe. Ale to wciąż było Lubbock – suche, zapylone i płaskie jak diabli.

– Ponieważ nie każdy ma prywatny odrzutowiec, którym może latać dokądkolwiek zechce – stwierdziłam i w tej samej chwili przerażona zakryłam usta dłonią. – Mój Boże, wiesz co? To było naprawdę niegrzeczne z mojej strony. Zdecydowanie niegrzeczne. Nawet nie wiem, czy masz prywatny odrzutowiec.

– Mam – odparł ewidentnie rozbawiony, kiedy próbowałam zatuszować moją niezręczność.

– Okej. Nawet jeśli nie miałbyś… to i tak niegrzeczne.

– Chcesz się ze mną spotkać? – zapytał bezceremonialnie.

– Słucham? – Zatkało mnie. – Właśnie byłam w stosunku do ciebie niegrzeczna. Dlaczego chciałbyś się ze mną spotkać?

– Działasz na mnie ożywczo. Nie musisz mnie przepraszać. Spędziłem w twoim towarzystwie piętnaście minut i jestem już pewien, że chcę spędzić z tobą więcej czasu.

Jego wzrok ześlizgnął się na moje usta i niewypowiedziane słowa zawisły między nami.

Pocałuj mnie jeszcze, chociaż raz. Proszę i dziękuję.

– Ale… ale nawet mnie nie znasz – powiedziałam. Nie miałam pojęcia, dlaczego się z nim spieram.

– To prawda. Mimo to bardzo bym chciał cię poznać, jeśli mi pozwolisz, Emery.

Byłam zupełnie pewna, że to sposób, w jaki wypowiedział moje imię, uświadomił mi, że mówi poważnie.

To nie miało sensu. Nie mogłam być jak inne dziewczyny, z którymi się umawiał. Pamiętałam wysoką jasnowłosą dziewczynę, którą miał w college'u. Bywała w ich domu, kiedy spotykałam się z Landonem. Bystra, piękna, z nogami po szyję, mogłaby reklamować bieliznę Victoria's Secret i wybielającą pastę do zębów Crest. To ona była typem dziewczyny, którą mógłby poderwać ktoś taki jak Jensen Wright. Nie ja.

A jednak przedziwnym zrządzeniem losu to właśnie się zdarzyło mnie!

Chciałam go spytać dlaczego. Być może sprawił to mój efektowny wygląd zeszłej nocy, ale dziś nie byłam umalowana. Włosy wciąż miałam zakręcone, więc były w porządku. Mimo wszystko nie rozumiałam tego.

Byłam zwyczajną dziewczyną, a on olśniewającym miliarderem z Teksasu. Mógł mieć kogokolwiek zechciał, ale poderwał mnie.

– Dobrze – powiedziałam wreszcie.

– Świetnie. Podaj mi swój numer.

Wręczył mi komórkę, żebym mogła wpisać numer. Potem wysłałam z niej esemes do siebie.

– Myślałem o jutrzejszym wieczorze. Czy to ci odpowiada?

– Jutrzejszym? – pisnęłam.

– Dobra, przekonałaś mnie – powiedział z uśmiechem. – Co powiesz na dzisiejszy?

– Dzisiejszy?

– Moglibyśmy pójść już teraz – zasugerował. – W ciągu dnia jestem zajęty, ale mogę zmienić plany.

Stałam z ustami otwartymi z niedowierzania.

– Chcesz się ze mną widzieć właśnie teraz?

– Właśnie teraz na ciebie patrzę. I podoba mi się to, co widzę.

Zaśmiałam się z tego komentarza i poczułam, jak rumieniec oblewa mnie od szyi w górę.

– Cóż, myślę, że dzisiejszy wieczór byłby dobry. Gdzie chcesz się wybrać?

– Nie mam pojęcia – odparł, uśmiechając się. – Weź ciepłą kurtkę i włóż coś wygodnego.

Zmarszczyłam brwi.

– Nie wyglądasz mi na kogoś, kto chodzi na randki w stylu „włóż na siebie cokolwiek".

– To jest garnitur, prawda?

– Tak przypuszczam.

– Mam pytanie. Jak bardzo lubisz spać?

– Co to znaczy? – Zaśmiałam się. – Uwielbiam spać. Jak każdy, prawda? Chociaż na studiach doktoranckich nie miałam zbyt wiele snu.

– Okej. Przygotuj się na to, że dziś nie będziesz spała.

– To okropnie bezczelne – powiedziałam cicho, znów odwracając od niego wzrok. Teraz już cała się czerwieniłam.

Położył mi palec pod brodą i uniósł moją twarz tak, abym na niego spojrzała. Jego oczy były ciepłe i kusicielskie. Nagle poczułam, że mogłabym w nich utonąć. Moje ciało odpowiedziało na jego dotyk jak zapałka potarta o draskę i byłam pewna, że to wiedział.

– Ciepła kurtka i coś wygodnego. Zobaczymy, czy dziś będę bezczelny. – Uśmiechnął się i w tym momencie wyglądał, jakby znów chciał mnie pocałować. – Już nie mogę doczekać się wieczoru.

A potem puścił mnie i zniknął na parkingu.

Moje ciało śpiewało. Nie mogłam uwierzyć w to, co się właśnie wydarzyło. Miałam dziś randkę z Jensenem Wrightem. I właśnie obiecał, że nie wrócę na noc do domu. Chociaż mój logiczny umysł mówił, żebym nie straciła serca dla kogoś takiego jak on, ciało krzyczało, żeby stracić całą resztę.

ROZDZIAŁ DZIESIĄTY

Emery

– Powinnam zadzwonić i odwołać to spotkanie – powiedziałam do Heidi kilka godzin później.

Leżała na łóżku w gościnnej sypialni Kimber i patrzyła na mnie z uniesionymi brwiami.

– Dlaczego, u licha, miałabyś to zrobić?

– Bo on jest bratem Landona!

– I co z tego? – zapytała zirytowana. – Jest niesamowicie seksowny! Już go całowałaś. Więc teraz powinnaś go pieprzyć.

Wzniosłam oczy ku górze i rzuciłam jej sweter na głowę.

– Zamknij się! Nie będziemy uprawiać seksu.

– Jasne. To dlaczego to włożyłaś?

Stałam w skąpym biustonoszu z czarnej koronki i stringach, które na szczęście zabrałam z Austin. Bielizna bardzo seksownie podkreślała moją kobiecą figurę.

– O co ci chodzi? – powiedziałam na swoją obronę. – Nie mam w szafie nic innego. Muszę przywieźć z Austin resztę swoich rzeczy.

– Dobra, dobra – odparła uszczypliwie.

Odwróciłam się do niej.

– Czy to nie jest trochę... dziwne?

– To ty robisz z tego coś dziwnego.

– Po prostu myślę, że czułabym się lepiej, gdybym porozmawiała z Landonem.

Heidi prychnęła.

– No tego to już się nie spodziewałam od ciebie usłyszeć.

– Och, zamknij się – powiedziałam i pokazałam jej środkowy palec.

– Od czasu zerwania z Landonem przez ponad dziewięć lat rozmawiałaś z nim dwa razy, z czego ostatnio w ten weekend! Poza smutnymi, ckliwymi wiadomościami, które zostawiałaś mu w poczcie głosowej, kiedy byliście w college'u.

– Przestań – syknęłam. Policzki mi płonęły.

Nienawidziłam myśli o dziewczynie ze złamanym sercem, którą byłam, kiedy Landon mnie rzucił. Ale miałam wtedy osiemnaście lat i on był moim pierwszym prawdziwym chłopakiem. Starałam się wymazać go z pamięci, popełniając długą serię błędów. A teraz wybierałam się na randkę z jego bratem.

– Daj spokój, Em. Będzie fajnie. Zanim zainteresowałaś się Landonem, uważałaś, że Jensen Wright jest seksowny jak cholera. Wyluzuj.

Westchnęłam. Jasne, opanowała mnie niezdrowa obsesja na punkcie Jensena, jak co drugą dziewczynę w moim wieku, ale teraz byłam zupełnie inną osobą niż dziesięć lat temu – fizycznie i emocjonalnie. A do tego miałam za sobą trzy lata studiów doktoranckich. Dam radę spędzić jeden wieczór z Jensenem Wrightem i się nie ośmieszyć. Przynajmniej taką żywiłam nadzieję.

– Dobrze. Nie odwołam spotkania.

– Doskonale. Ja poszłabym w tym. – Podniosła z podłogi czarny sweter z wycięciem w serek i podała mi go.

Włożyłam go przez głowę, a do tego obcisłe czarne dżinsy i krótkie botki. Przerzuciłam włosy na jedno ramię i wyciągnęłam ręce w bok.

– I co myślisz?

– Nadal uważam, że lepsza byłaby mała czarna. Jesteś pewna, że powiedział ciepło i wygodnie?

– Zdecydowanie.

Na dole rozległ się dzwonek do drzwi i zdębiałam.

Usłyszałam, jak Lilyanne krzyczy:

– Ja otworzę. Ja otworzę. Ja otworzę!

– Przyjechał wcześniej – jęknęłam, spojrzawszy na zegarek.

– Dobra, pospiesz się. Idź i zatrzymaj Lily, bo inaczej zabierze ją zamiast ciebie – powiedziała Heidi.

Chwyciłam telefon ze stolika przy łóżku, wsunęłam go do tylnej kieszeni spodni i wypadłam z pokoju. Zobaczyłam, że Noah i Kimber podchodzą do drzwi, a Heidi ruszyła za mną. Przy moim szczęściu to się zamieni w jedno wielkie rodzinne wydarzenie. Fuj!

– A kim ty jesteś? – Usłyszałam, jak Jensen pyta od drzwi.

Zbiegłam ostatnie dwa stopnie schodów i odwróciłam się, by ujrzeć, jak Jensen schyla się, tak by spojrzeć w oczy mojej siostrzenicy. Przykucnąwszy, uśmiechał się szeroko, a w ręce trzymał cudowny bukiet białych, ciemnoczerwonych i fioletowych kwiatów.

– Jestem Lilyanne. A kim ty jesteś? – zapytała.

– A więc miło cię poznać, Lilyanne. Mam na imię Jensen.

– Czy one są dla mnie? – Wyciągnęła ręce po kwiaty.

Zaśmiał się.

– Oczywiście. Masz wazon, żeby je włożyć? Mogę ci pokazać, co zrobić, żeby długo ładnie wyglądały.

Lilyanne pisnęła, kurczowo trzymając bukiet przy piersi.

– Mamusiu! Tatusiu! – krzyknęła. – Dostałam kwiaty!

– Jak to miło – powiedziała Kimber.

– Chyba mam chłopaka!

Wszyscy się na to roześmiali. Ale Lilyanne tylko zakręciła się w kółko i podbiegła do rodziców.

Noah pochwycił ją w ramiona.

– Myślę, że jesteś trochę za młoda, żeby mieć chłopaka. Prawda?

– Tak – potwierdziła Kimber. – O wiele za młoda.

Lilyanne wysunęła dolną wargę i objęła bukiet.

– Chodźmy z mamą znaleźć coś, do czego je wstawimy – powiedział Noah, wyprowadzając ją z holu.

Jensen wyprostował się i jego oczy odnalazły mnie w głębi salonu. Poczułam na sobie jego wzrok palący niczym piętno. Momentalnie się zaczerwieniłam. Widziałam, że badawczo przygląda się temu, co mam na sobie, irytująco przesuwając spojrzenie od moich stóp do twarzy. Policzki zapłonęły mi jak pochodnia, kiedy uśmiech zakwitł mu na twarzy, pogłębiając dołeczki. To mi przypomniało, że nie tylko jest bardzo przystojny, ale ma również fantastyczne podejście do dzieci.

Cholera, w co ja się pakuję?

Heidi popchnęła mnie naprzód, w tę naelektryzowaną przestrzeń, a sama zniknęła w kuchni.

– Cześć – powiedziałam, czując ciężar dzielącej nas odległości, z której przyciągał mnie jak magnes. Jak on to robi, że tak na mnie działa? Czy wszystkie kobiety mają wrażenie, że ich ciała płoną, kiedy spocznie na nich wzrok Jensena Wrighta?

– Cześć, Emery – odparł i postąpił ku mnie kolejny krok, tak że niemal się dotykaliśmy.

Wyciągnął rękę i dotknął mojego ramienia. Ciarki przeszły mi po skórze i musiałam bardzo się pilnować, żeby ukryć emocje.

– Miałem dla ciebie kwiaty.

Odchrząknęłam i uśmiechnęłam się, patrząc w jego ciemne oczy.

– Nie ma sprawy. Uszczęśliwiłeś Lily. Od dziś bez przerwy będzie o tobie mówić.

– Och, to dobrze. Jest rozkoszna. Ile ma lat? Cztery?

Kiwnęłam głową i skorzystałam z okazji, żeby obejrzeć się na Lily, którą właśnie zauważyłam w kuchni.

– Tak.

– To cudowny wiek.

– Jest najwspanialsza – przyznałam. Odwróciłam się do niego i napotkałam miękkie spojrzenie przywracające wszystkie nieczyste myśli, które dziś rano miałam w kościele. Tak, mowy nie było, żebym odwołała dzisiejszą randkę, skoro on tak wygląda.

Ciało opinała mu ciepła czarna kurtka Arc'teryx, pod którą miał T-shirt. Pod ciemnymi dżinsami rysowały się mocne uda. Buty były ewidentnie ukochane i znoszone. Nie miałam szans.

– Wiem, że przyjechałem wcześniej – powiedział. – Ale właśnie zobaczyłem, że wieczorem nadciągnie zimny front. Tego nie było w planie, zwłaszcza przy takim wietrze, jak teraz.

– Tak bywa tylko w Teksasie – odparłam, śmiejąc się. – Pogoda jest zwariowana i nieprzewidywalna. Jak znam swoje szczęście, będziemy dziś mieli burzę piaskową.

– Miejmy nadzieję, że nie.

– Wezmę tylko kurtkę. – Podeszłam do szafy i sięgnąwszy po zimową kurtkę, narzuciłam ją na sweter.

Heidi pomachała do mnie z kuchni, bezgłośnie wymawiając: „Baw się dobrze". Puściłam do niej oko i wróciłam do Jensena.

– Jestem gotowa.

Podniósł rękę, żegnając się z moją rodziną, która gapiła się na nas z kuchni. Zażenowana wyszłam pospiesznie i do stale rosnącej listy rzeczy, które musiałam zrobić, dodałam znalezienie własnego mieszkania. Jensen zamknął za nami drzwi i poprowadził mnie do czarnej terenówki z podniesionym zawieszeniem. Auto było ogromne i męskie i wyglądało na to, że będę musiała się wspiąć. Tak jak na Jensena.

Potrząsnęłam głową, by pozbyć się tych seksualnych skojarzeń, i pozwoliłam, by Jensen otworzył mi drzwi. Wsiadając, otarłam się o niego. Dreszcz przebiegł mi przez ramię i miałam świadomość, że to nie pogoda była temu winna. Usiadłam w fotelu pasażera, a Jensen zatrzasnął za mną drzwi i wspiął się na miejsce kierowcy. Rozejrzałam się po niesamowitym wnętrzu i w związku z tym samochodem zmieniłam wyobrażenie na temat Jensena. Zdecydowanie nie pasował mi do obrazu faceta w terenówce. Z jakiegoś powodu przyjęłam, że ma nieduże, lśniące sportowe auto. Naprawdę powinnam skończyć z przypuszczeniami na jego temat.

Jensen wycofał auto z podjazdu Kimber i ruszyliśmy w stronę miasta.

Rzucił na mnie okiem z zaciekawieniem, jakbym była układanką, której części chciał połączyć.

– A więc co robisz na uczelni?

Okej, zachowajmy spokój. Nie ukrywałam powodów, dla których tu byłam, ale tak naprawdę nie rozmawiałam na ten temat z nikim poza rodziną i Heidi. A przyjaźniłyśmy się dostatecznie długo, żeby wiedziała, jakich pytań mi nie zadawać.

– Hm... doktorat z historii na uniwersytecie w Austin.

Słysząc to, uniósł brwi i zrozumiałam, że go zaskoczyłam.

– Doktorat? To niesamowite.

– Dzięki – odparłam. Chociaż wiedziałam, że rezygnując, podjęłam słuszną decyzję, zdawałam sobie sprawę, że dzięki pracy nad doktoratem wyróżniałam się i budziłam zainteresowanie. Bez niego tak naprawdę nie wiedziałam, kim jestem i co robię.

– Z jakiej historii?

– Och... Postacie europejskich kobiet z uwzględnieniem królewskich faworyt. Pisałam pracę na temat madame de Pompadour, która była słynną faworytą francuskiego króla Ludwika XV.

– Faworyty... – powiedział, kręcąc głową. – Dużo jest do badania na ten temat?

– Szczerze mówiąc, zaskakująco wiele.

– Interesujące. Zawsze chciałem wrócić na studia i zdobyć kolejny stopień naukowy – wyznał.

– Przypuszczam, że to bardzo trudne, jeśli się prowadzi własny biznes.

Pokiwał głową, trzymając dłoń na dźwigni zmiany biegów między nami. Zdekoncentrowały mnie jego długie męskie palce i sposób, w jaki otoczył nimi główkę drążka. A niech to, miał duże dłonie.

Spojrzałam mu w oczy, ale moje myśli znów zaczęły błądzić. Cholera, przecież nie minęło wiele czasu, odkąd uprawiałam seks. Czułam się, jakbym była w rui.

Jensen nie skomentował mojego wyrazu twarzy, ale po ledwie wstrzymywanym uśmiechu i wskazującym na pewność siebie przechyleniu głowy poznałam, iż wiedział, że próbuję go wybadać.

– To byłby główny powód. Jestem zbyt zajęty, żeby wracać na uniwersytet.

– Ale czy nie zarządzasz firmą? Dlaczego miałby ci być potrzebny kolejny stopień naukowy? – zapytałam, trzymając się bezpieczniejszego terytorium.

– Nie jest mi potrzebny. – Na moment jego twarz stała się niepokojąco pusta. Jasne spojrzenie błyszczących oczu straciło wyraz. Uśmiech zniknął.

Było tak, jakby to jedno drobne pytanie wyssało z atmosfery całą radość. A ja nawet nie wiedziałam dlaczego.

Przygryzłam wargę i znów spojrzałam przed siebie. Zjeżdżaliśmy właśnie z głównej drogi na parking. Moje myśli krążyły teraz wokół możliwych powodów, dla których to pytanie go przygnębiło, i nie zastanawiałam się wiele nad tym, dokąd jedziemy na kolację i co będziemy robić na tej randce. Byłam zbyt zaabsorbowana sprawą ciepłego ubrania.

Teraz, kiedy stanęliśmy przed restauracją Torchy's Tacos, wybuchnęłam śmiechem.

– Zabierasz mnie na tacos? – zapytałam, kiedy oboje znaleźliśmy się przy platformie samochodu.

Cała powaga ostatnich minut rozmowy rozwiała się, nie było już po nim widać napięcia.

– Jak to? Nie lubisz tacos? – Przyjrzał mi się z niepokojem. – Tacos to coś, czego nie można ignorować, i ostateczny czynnik przeważający wszelkie atuty, jakie ktoś może posiadać.

Popchnęłam go łagodnie i skierowaliśmy się w stronę wejścia do restauracji.

– Oczywiście, że lubię tacos. Czy są tacy, którzy ich nie lubią?

Wzruszył ramionami.

– Może zdrajcy.

– Jesteś niepoważny – powiedziałam, śmiejąc się. – Po prostu nie spodziewałam się... tacos.

– A czego się spodziewałaś?

Odwrócił się do mnie i znów poczułam między nami wibrację jakiejś potężnej, nieodpartej energii. Coś sprawiało, że przy nim nie wiedziałam, gdzie jestem i co się ze mną dzieje.

– Nie wiem. Chyba właśnie zaczynam zdawać sobie sprawę, że nie jesteś taki, jak myślałam.

– To dobrze. Ty też nie jesteś taka, jak się spodziewałem.

– Ach tak? A czego się spodziewałeś?

– Po tym, jak cię wczoraj spotkałem? Panienki, która lubi makijaże, fryzury i designerskie ciuchy.

Wyobraziłam to sobie i nie mogłam się powstrzymać, by nie wybuchnąć śmiechem.

– No tak, widzę, że nie jesteś taka.

– Ani odrobinę. – Opanowałam się, ale nadal się uśmiechałam.

Pochylił się ku mnie tak, że nasze ciała niemal się dotykały, i odgarnął mi z twarzy kosmyk włosów. Podniosłam głowę i spojrzałam w te ciemne oczy, z zapartym tchem chwytając każde słowo.

– Zatem zawieśmy wszystkie z góry przyjęte wyobrażenia na swój temat. Co o tym myślisz?

Pokiwałam głową.

– Jestem za.

ROZDZIAŁ JEDENASTY

Jensen

Emery nie była taka, jak się spodziewałem.

Wiedziałem, że właśnie zaproponowałem, żebyśmy porzucili wszystkie z góry przyjęte wyobrażenia na swój temat, tymczasem całkowicie zmieniłem o niej zdanie. Myślałem, że była jedynie gorącą laską. Patrick miał rację, mówiąc, że mam coś w oczach, kiedy gonię za kobietami.

Ale Emery nie wydawała się typem dziewczyny, która się puszcza. Okazała się bystra. Nie byłem przyzwyczajony do tej cechy u kobiet, z którymi się spotykałem. Em najwyraźniej dobrze sobie radziła i nie brakowało jej ambicji. To naprawdę było odświeżające.

Wchodząc w to, właściwie nie wiedziałem, czego oczekiwać. Kiedy zobaczyłem ją w kościele, po prostu nie mogłem się powstrzymać. Landon powiedział, że ona tu zostanie tylko kilka dni. Co by mu przeszkadzało, że wybrałem się na randkę z jego byłą? Przecież nie zamierzaliśmy się pobrać ani nic innego. Nie, po Vanessie przysiągłem definitywnie to sobie darować.

Ale jeśli dla niej to był krótki pobyt, to niczym by się nie różniło od sytuacji, kiedy szedłem do łóżka z kimś spotkanym w podróży w interesach. Po prostu wpadliśmy na siebie w Lubbock, a nie w Austin.

Kiedy staliśmy w kolejce w Torchy's, telefon Emery głośno zawibrował. Jej śmiech był swobodny i naturalny, spodobało mi się, jak się potem zarumieniła. Ktokolwiek właśnie przysłał jej esemes, z pewnością sprawił, że tej nocy nie będę miał problemów.

Uniosłem brwi, kiedy wsunęła telefon do tylnej kieszeni dżinsów.

– O co chodziło?

– Heidi – odparła, jakby to wszystko wyjaśniało.

Heidi. No tak. Były razem na ślubie. Lubiłem Heidi. Była autorytarną, ciężko pracującą, energiczną kobietą i koszmarem działu HR. Połowa męskiej części mojej załogi była w niej zadurzona po uszy; ja nie, ponieważ, podkreślam, nie mieszam interesów z przyjemnością.

– Heidi jest świetna. Nie wiem, co byśmy bez niej zrobili. Chociaż nigdy by się tego nie zgadło, rozmawiając z nią na ten temat. Jak długo się znacie?

Przesunęliśmy się szybko w kolejce i Emery stanęła przy mnie bliżej. Byłem zadowolony, że zdecydowałem się na spotkanie w swobodnej atmosferze. Miałem za sobą dość wykwintnych kolacji, żeby wiedzieć, kiedy dziewczyna lubi takie rzeczy. Kiedy tylko powiedziała, że nie nosi torebek, wiedziałem, że befsztyk za pięćdziesiąt dolarów na nią nie podziała. Ponadto, nawet jeśli nic by się nie wydarzyło, naprawdę wolałbym coś takiego. Tacos to moje ulubione jedzenie.

– To właśnie Heidi. Zawsze ciężko pracuje i zachowuje się, jakby to w ogóle nie miało dla niej znaczenia – powiedziała, odrzucając włosy z ramienia. – Byłyśmy najbliższymi przyjaciółkami właściwie od zawsze.

– A więc ma szczęście.

Pokręciła głową i dała mi kuksańca.

– Nie, to ja mam szczęście. Utrzymuje mnie w ryzach. – Uśmiechnęła się do mnie figlarnie. – Hm… na ogół.

W tym momencie uznałem, że podoba mi się ten widok; zrobiłbym wiele, aby wciąż tak na mnie patrzyła.

– Nikt nie chce zbytnio trzymać się w ryzach. – Pochyliłem się i szepnąłem jej do ucha: – Ja naginam zasady.

Wybuchnęła śmiechem akurat w momencie, kiedy dotarliśmy do początku kolejki. Dałem znak, żeby zamówiła pierwsza. Zostawiłem ją, żeby wziąć dla niej coś do picia, i uśmiechnąłem się do kobiety za ladą.

Po chwili nasze tacos były zapakowane do torby. Podniosłem ją, pokazując Emery, i zapytałem:

– Gotowa?

Przechyliła głowę zdezorientowana.

– Tacos na wynos?

– Wybieramy się w parę miejsc – odparłem.

Przeniosła wzrok ze mnie na torbę z tacos. Nie potrafiłem odczytać, co działo się w jej głowie. Czy jej się to podoba, czy przesadziłem? Zaplanowałem na dziś różne rzeczy, ale mogłem to zmienić, gdyby nie była tym zainteresowana. Wyglądała na kogoś, kto lubi przygody, i chciałem się przekonać, czy miałem rację.

– Dobrze – zgodziła się po chwili. – Prowadź.

Wróciliśmy do samochodu i kiedy wspięła się na siedzenie dla pasażera, podałem jej torbę z tacos. Nie zawsze używałem terenówki, ale tam, dokąd się wybieraliśmy, zawsze lepiej było mieć napęd na cztery koła.

Poza miastem przyspieszyłem i Emery podała mi moje tacos. Przyglądała mi się podejrzliwie, kiedy jadłem.

– Gdzie ty mnie, do diabła, zabierasz? – zapytała w połowie swojego drugiego taco.

– Nie zgadłaś?

Wyglądało, że się zastanawia.

– Sądzę... Wiem, dokąd prowadzi ta droga, ale nie mam pojęcia, dlaczego na pierwszej randce miałbyś mnie zabrać w szczere pole.

– Lubbock z definicji jest szczerym polem.

– Słusznie – przyznała.

Uderzała w miejscu nogą o podłogę i widziałem, że jest zaciekawiona, chociaż stara się tego nie okazywać.

– Nie lubisz niespodzianek?

Wzruszyła ramionami i skrzywiła się. A potem pokręciła głową.

– Myślę, że... czasami. Tak jak wtedy, kiedy moja siostra zaszła w ciążę. Takie niespodzianki są super. Ale jestem okropna, jeśli trzeba czekać. Kiedy byłam dzieckiem, zakradałam się do szafy mamy i podglądałam, co dostanę na gwiazdkę. Zadzwoniłam na uniwersytet w Oklahomie, jeszcze zanim ogłosili listy stypendialne, i zmusiłam osobę pracującą w administracji, żeby mi powiedziała, czy mi się udało, czy nie.

Nie mogłem się powstrzymać i roześmiałem się. Brzmiała zupełnie jak ja. Gdyby dla mnie ktoś zaplanował coś takiego, chybabym zwariował, musiałbym się dowiedzieć, co jest grane.

– Nie śmiej się ze mnie – powiedziała i pacnęła mnie po rękawie. – Jestem niecierpliwa.

– Nie krytykuję cię. Sam taki jestem.

– Więc... dokąd jedziemy?

– To niespodzianka.

Oparła się z powrotem w fotelu.

– Hm. Okej. Poczekam.

Na szczęście nie musiała długo czekać. Zanim się zorientowała, wjechaliśmy do niewielkiego miasteczka Ransom Canyon. Leżało tylko jakieś dwadzieścia minut jazdy od Lubbock i powszechnie uważano je za coś w rodzaju jego przedmieść, chociaż Lubbock tak naprawdę ich nie miało. Po prostu było to jedno z najbliższych miasteczek.

– Ransom Canyon? – zapytała Emery, wpatrując się w płytkie jezioro w centrum kanionu.

Mało kto wie, że zachodni Teksas przecina grupa kanionów. Teren wygląda jak dziurawy szwajcarski ser. Kanion Palo Duro, odległy o półtorej godziny jazdy na północ od Lubbock, w pobliżu Amarillo, jest drugim co do wielkości, po Wielkim Kanionie Kolorado, w Stanach Zjednoczonych. To jedna z wielu ciekawych rzeczy, które czynią Teksas interesującym miejscem, jeśli wiesz, na co patrzeć.

– Widziałaś już kiedyś ich bożonarodzeniową iluminację?

– Nie. Bywałam tu miliony razy. Jako dzieci przyjeżdżaliśmy nad jezioro. Wiele letnich weekendów spędziłam tu na łódkach. Ale nie wiedziałam o ich świątecznej iluminacji. Kiedy zaczęli to robić?

– Kilka lat temu. Mają nawet stację radiową, w której można słuchać świątecznej muzyki, krążąc po okolicy i nad jeziorem.

– Cudownie. – Jej ton natychmiast się zmienił. Sceptyczne nastawienie zmieniło się w ekscytację. Wychyliła się w przód w fotelu, zastanawiając się, od czego zaczniemy. – Obejrzymy je wszystkie?

– Oczywiście – odparłem. Chociaż miałem co innego w głowie, nie zamierzałem stracić ani minuty tego uśmiechu.

Zmieniłem stację na radio AM i objechałem Ransom Canyon. Było niewielkie, miało zaledwie około tysiąca mieszkańców, ale ludziom, którzy zdecydowali się wyprowadzić z miasta nad jezioro, na ogół nie brakowało pieniędzy. Domy były obwieszone świątecznymi światełkami, a wszystkie dekoracje prawdopodobnie wykonała ta sama firma. Wyglądało to jak współczesna wersja filmu *Grinch: świąt nie będzie*, kiedy Ktosie rywalizowali o to, kto ma piękniejszą iluminację. Tak wyglądało całe miasteczko.

Jazdę przerywały nam ochy i achy Emery i okazjonalne „Zwolnij, za bardzo się spieszysz".

Muszę przyznać, że czegoś takiego nigdy jeszcze nie słyszałem.

Twarz Emery jaśniała bardziej niż każdy z domów, które mijaliśmy. W połowie drogi najwidoczniej poczuła się przy mnie bardziej rozluźniona, bo zaczęła nucić do świątecznej muzyki z radia. Trochę fałszowała, ale okazało się, że to nie ma żadnego znaczenia. A w końcu oboje na całe gardło śpiewaliśmy chórki piosenki Mariah Carey *All I Want for Christmas Is You*.

Emery śmiała się tak serdecznie, że łzy pociekły jej po twarzy.

– O Boże, gdybym w liceum choć przez sekundę wyobraziła sobie, że będę śpiewać piosenkę Mariah Carey razem z Jensenem Wrightem na prawdziwej randce, chyba padłabym trupem!

– Hej, nie lekceważ Mariah Carey – powiedziałem. – Ona jest ikoną.

– Już nawet śpiewać nie potrafi!

– Będę udawał, że tego nie słyszałem.

Parsknęła i ukryła twarz w dłoniach.

– Boże, co ja mam za życie?

– Wydaje się całkiem fajne – odparłem. – Nawet jeśli nie lubisz Mariah Carey.

– Ależ lubię ją! – wykrzyknęła. – Ej, przestań przekręcać moje słowa!

– Niczego nie przekręcam.

Jej uśmiech był zniewalający i chciałem ją pocałować. To znaczy... chciałem ją całować całą noc. Ale siedząc tam, przed ostatnim rozświetlonym domem, przy świątecznej muzyce i widząc jej promieniejący radością uśmiech, poczułem, że nie chciałbym być nigdzie indziej. Ta myśl uderzyła mnie nagle, że nawet nie wiedziałem, skąd się wzięła.

Zaparkowałem terenówkę, przechyliłem się w stronę Emery i wsunąłem palce w jej ciemne włosy. Zesztywniała, zarysowana na tle świateł, które miała za sobą. Nasze spojrzenia się skrzyżowały, zieleń spotkała się z brązem, oczy Em rozszerzyły się z zaskoczenia. Powoli wypuściła powietrze i poczułem, jak jej puls przyspiesza pod moim dotykiem.

To była ta dziewczyna, która jak magnes przyciągnęła mnie przez całą salę na weselu Sutton. To było to samo napięcie, które poczułem, kiedy pierwszy raz ze sobą rozmawialiśmy. Ta sama żądza, która zmąciła nasze umysły od pierwszego pocałunku.

Moja twarz znalazła się tuż przy jej twarzy. Chciałem wziąć to, co moje. Pragnąłem zdobywać jej usta, a potem ciało właśnie tu, w kabinie samochodu, jakbyśmy byli młodzi, dzicy i beztroscy.

Zamiast tego nie mogłem przestać się w nią wpatrywać.

Zaśmiała się lekko, próbując rozładować napięcie. Ale to było niemożliwe, jej wysiłek nie zdał się na nic.

– Masz zamiar mnie pocałować? – szepnęła śmiało.

Nie potrzebowałem dalszej zachęty. Przywarłem ustami do jej ust – jakby ktoś zapalił zapałkę. Nasze wargi dotykały się, rozpaczliwie pragnąc jeszcze większej bliskości, domagając się więcej. Otworzyła usta i musnąłem językiem jej język. Jęk wydobył się z głębi jej krtani i mój penis drgnął. Nasze języki ocierały się o siebie. Pragnęła jak najwięcej, tak jak i ja.

Usłyszałem kliknięcie klamry pasa bezpieczeństwa i za moment przywarła do mnie bliżej, przesuwając się ponad środkową częścią kabiny. Podparłem rękoma jej pupę, bez wysiłku uniosłem i posadziłem ją na swoim fotelu. Pisnęła zaskoczona, ale nie odsunęła się. Usiadła na mnie okrakiem, wędrując dłońmi po mojej piersi.

Nie puściłem jej pupy, bo ta kobieta, cholera, ją miała. Ocierała się o mnie i na skutek jej zabiegów miałem już pełną erekcję. Musiała się zorientować, co ze mną robi, bo kiedy poruszyła biodrami, jęknęła, czując twardość mojego wacka.

W tym momencie miałem gdzieś to, że zachowujemy się jak nastolatki, parkując pod domem obcych ludzi i napierając na siebie dla odrobiny zaspokojenia. Byłem gotów rozebrać ją do naga i pieprzyć, aż zapomni każde słowo z każdej świątecznej piosenki i będzie pamiętać tylko moje imię.

Tak było do chwili, gdy zakołysała się trochę zbyt mocno do tyłu i nagle rozległ się głośny dźwięk klaksonu.

ROZDZIAŁ DWUNASTY

Emery

Szybko wyłączyłam światła i schyliłam głowę. Wyjrzałam w stronę domu, przed którym zaparkowaliśmy. Wszystkie lampki się na nim paliły i z pewnością każdy, kto był w środku, miał pełny widok na to, co przed chwilą robiliśmy.

– Cholera! Nie chciałam tego zrobić.

– Nie szkodzi. Powinnaś mnie znów pocałować – odparł Jensen.

Nadal trzymał mnie za pupę i nie mogłam zaprzeczyć, że mi się to podobało.

Cholera, właśnie odbyłam najbardziej niesamowitą erotyczną sesję w życiu i zepsułam ją.

Jensen przygryzł moją dolną wargę, w zasadzie decydując za mnie. Z cichym jękiem poddałam się jego pocałunkowi.

Zapomnijmy o zwykłej przyzwoitości. Pragnęłam tylko Jensena Wrighta. Właśnie tu. W tej chwili.

Wtedy usłyszałam odgłos otwieranych energicznie drzwi. Odwróciłam głowę i zobaczyłam, że na werandzie domu pojawiła się staruszka w nocnej koszuli. Miała siwe włosy zakręcone na lokówki, z pewnością przekroczyła osiemdziesiąt-kę. Pospiesznie wyszła w zimną noc, potrząsając pięścią w stro-nę terenówki.

– O cholera. Cholera. Cholera! – Oczy rozszerzyły mi się z przerażenia.

Tym razem żadne słodkie słówka Jensena nie zmieniły-by mojego zdania. Tam szła staruszka, która groziła nam pię-ścią. To było komiczne, nagle poczułam się jak w starym filmie i umierałam z upokorzenia.

Zlazłam z kolan Jensena i z głuchym odgłosem wylądowałam na powrót na siedzeniu pasażera. Rozpaczliwie zamachałam do niego rękami.

– Pospiesz się. Musimy stąd odjechać.

Jensen tylko się roześmiał. Nie widziałam u niego odrobiny wstydu.

– Jensen – warknęłam. – Rusz swój śliczny tyłek.

– Dobra, dobra – odparł z uśmiechem. Leniwym ruchem poprawił spodnie, co w miły sposób oderwało moją uwagę od kobiety, która się do nas zbliżała. – Jeśli tylko uważasz, że mój tyłek jest śliczny.

Ukryłam twarz w dłoniach. Nie tylko ta kobieta przyłapała nas na migdaleniu się, ale właśnie przyznałam, że przygląda-łam się tyłkowi Jensena. Cholera, straciłam rozum. To musiało być jedyne wytłumaczenie.

Jensen uruchomił samochód i bez dalszych słów odjechał. Wydawało się, że cała ta sytuacja go bawiła. Pomyślałam, że nawet moje upokorzenie uważa za zabawniejsze niż kobieta, która na nas wypadła z domu. Takie już moje szczęście.

– Nie mogę uwierzyć w to, co się wydarzyło.

– Nie było tak źle – odpowiedział, przesuwając rękę po siedzeniu i ujmując moją dłoń.

Wydałam z siebie jedynie jęk.

– Co rozumiesz przez „nie było tak źle"?

– Nie znasz tej kobiety i nigdy nie będziesz musiała jej spotykać.

– Nie przy moim szczęściu!

Jensen uspokajającym gestem przeciągnął kciukiem po kostkach mojej dłoni.

– Emery, spójrz na mnie.

Nadal schylona, podniosłam na niego wzrok.

– Co?

– Nie wstydź się. Uważam, że to było seksowne jak cholera.

– Być przyłapaną? – zapytałam.

Przechylił głowę i uniósł brew.

– Sposób, w jaki mnie ujeżdżałaś – odparł niskim, chrapliwym głosem.

Zaczerwieniłam się pod wpływem jego słów, ale usiadłam prosto. Nie powinnam się tak wstydzić. Nie byliśmy już dziećmi. Byłam dorosła... w pewnym sensie. Stawanie się dorosłą nie szło mi najlepiej. Tak naprawdę nawet nie wiedziałam, co było uznawane za dorosłość. Ale jeśli wymagałoby to ujeżdżania Jensena jak mustanga na rodeo, byłabym gotowa spróbować być nawet bardziej niż dorosła.

– Podobało ci się? – zapytałam, odzyskując w końcu głos.

– Miałbym ochotę zrobić coś więcej, niż pozwolić ci ujeżdżać mnie w samochodzie – przyznał.

Skręcił w lewo, a następnie ruszył z powrotem w górę kanionu. Jego oczy spoczęły na mnie w ciemności, a intensywność jego spojrzenia sprawiła, że poczułam gorąco między udami. Zacisnęłam je w oczekiwaniu.

– Chciałbym, żebyś przez całą noc jęczała tak jak wtedy.

Słysząc to, zakrztusiłam się własną śliną. Z wrażenia aż otworzyłam usta.

– Nie miałbym też nic przeciwko temu – powiedział, wyjmując dłoń z mojej, by musnąć kciukiem moją dolną wargę.

– Boże drogi – wyszeptałam.

Wysunęłam język i pieszczotliwie dotknęłam nim jego kciuka. Oboje zadrżeliśmy.

– Czy tego chcesz?

– Żebyś mnie pieprzył?

Uśmiechnął się szeroko, dołeczki w policzkach stały się głębsze i poczułam, że od nowa wprawia mnie w omdlenie.

– Niczego bardziej nie pragnę, niż cię pieprzyć, Emery.

Skinęłam głową na znak zgody, a moje ciało jakby nawet nie zdawało sobie z tego sprawy. Ponieważ, tak, do cholery, chciałam, żeby Jensen Wright mnie pieprzył.

Zazwyczaj nie rozmawiałam o seksie w ten sposób. To Heidi, która wysłała mi esemes, kiedy byliśmy w Torchy's, zapytała, czy już się pieprzymy. Nawet przez ułamek sekundy nie pomyślałam, że możemy być aż tak napaleni. Myślałam, że może mnie pocałuje na progu, kiedy odwiezie mnie do domu.

Nie byłam naiwna. W college'u przeszłam etap przygód na jedną noc. Bezsensownie umawiałam się z chłopakiem, z którym pieprzyłam się codziennie, dopóki nie zdałam sobie sprawy, że nie znoszę tego, że pali. Przez całe trzy lata spotykałam się z opiekunem naukowym swojego doktoratu. Nigdy nie rozmawialiśmy o naszym życiu seksualnym. Prowadziliśmy długie debaty o siedemnastowiecznych monarchach, piliśmy francuskie wino, wygłaszając filozoficzne komentarze, i kochaliśmy się po ciemku pod kołdrą w dni, kiedy nie miał rano zajęć. Ale w żadnym z tych związków czy pseudozwiązków nie było faceta, który chciał rozmawiać o tym, co pragnie ze mną robić. Wyliczać sposobów, w jakie chciał mnie pieprzyć, a potem to wszystko zrobić.

Jensen Wright chciał mnie pieprzyć.

Chciał brać moje usta i ciało przez całą noc.

I nie miałam absolutnie nic przeciwko temu, żeby mu na to pozwolić.

Po kilku minutach podjechaliśmy pod niski dom z drewnianych bali, z którego rozciągał się widok na kanion z jeziorem pośrodku. Budynek nie był tak ogromny, jak niektóre z tych w kanionie, ale też robił wrażenie. Przynajmniej o ile mogłam się zorientować na pierwszy rzut oka.

– Czyj to dom? – zapytałam, kiedy Jensen zatrzymał się na podjeździe.

Wyłączył silnik i spojrzał na mnie niemal przepraszająco.

– Mój.

– Och – powiedziałam, gdy prawda do mnie dotarła.

Zaplanował to. To było zupełnie jasne. Przez cały czas chciał mnie tu przywieźć na seks. Część mnie pragnęła uznać to za pochlebstwo, ale nagle poczułam niesmak i zastygłam w bezruchu na swoim fotelu.

– Od początku chciałem cię tu przywieźć – powiedział. Pokręcił głową, widząc moją zbulwersowaną minę. – To nie tak. Miałem zamiar rozpalić ognisko i upiec s'mores*. Na siedzeniu z tyłu mam do nich składniki. Pomyślałem, że nie będzie

---

* S'more to tradycyjny amerykański smakołyk z ogniska. Składa się z zapieczonej na ogniu pianki marshmallow i kostki czekolady (zwykle firmy Hershey's) umieszczonych między dwoma krakersami typu graham.

bardzo zimno i jeśli pogoda pozwoli, pójdziemy na nocną wycieczkę. Stąd ciepłe ubrania... – Urwał, widząc, że się nie poruszyłam.

Mój mózg próbował nadążyć za tym, co mówił Jensen. Odwróciłam się i zobaczyłam papierową torbę z marketu Sprouts.
Na wierzchu dojrzałam pianki marshmallow. Okej, więc za-
reagowałam przesadnie. Nie przywiózł mnie tu tylko po to, żeby
mnie pieprzyć. Nie wykorzystywał mnie.

Boże, dlaczego automatycznie pomyślałam o nim jak naj-
gorzej? Byłam pewna, że to po prostu ukryte uprzedzenie wobec rodziny Wrightów. Nie wspominając o moim nie tak znów
fantastycznym szczęściu do facetów.

– Wciąż możemy to zrobić – zaproponował. – Chociaż temperatura spadła poniżej zera, a odczuwalna jest jeszcze niższa.
Zatem... możemy zmarznąć.

– Wyłączyłeś silnik, więc już zamarzam – odpowiedziałam. Ręce mi drżały. Jak głupia zapomniałam zabrać ręka-
wiczek.

– Więc chodźmy do środka, żebyś mogła się rozgrzać.

Zeskoczyłam na ziemię i ruszyłam za nim do domu. W jednej ręce trzymał torbę z zakupami, a drugą otworzył drzwi.
Odepchnął je stopą i przepuścił mnie przed sobą. Nadal byłam
ostrożna po tym, jak wróciły tamte moje podejrzenia. Właśnie
spędzałam z Jensenem cudowny czas i nie chciałam myśleć
o takich rzeczach.

Seks z Jensenem na tej pierwszej randce po to, by nasycić
się jego wspaniałym ciałem, byłby najlepszą rzeczą, jaką mogłabym zrobić. To nie miało przyszłości. Teraz nawet nie chciałam się z nikim spotykać. I bez znaczenia było to, jak dobrze
się bawiliśmy, śpiewając kolędy. Jensen Wright to starszy brat

Landona Wrighta. A Landon tak po prostu nie zniknie, jeśli będziemy to kontynuować.

Więc równie dobrze mogłabym zabawić się teraz.

– Brrr – mruknął Jensen. Włączył światło i wnętrze domu się rozjaśniło. – Rozpalę w kominku. Gdybyś chciała zajrzeć do skrzyni, która tam stoi, to są tam koce. Czuj się jak u siebie w domu, a ja tymczasem przyniosę drewno.

Nieśmiało weszłam kilka kroków do środka, a Jensen zabrał się do pracy. Wnętrze domu było jeszcze bardziej efektowne. Dzieliły je ciemne belki na wysokim sklepieniu. Drewniana podłoga błyszczała, a kominek zbudowany z cegieł zajmował połowę ściany salonu. Wyraźnie widać tu było rękę dekoratora i po raz pierwszy tego wieczoru przypomniałam sobie, że Jensen był właścicielem i sprawującym zarząd nad Wright Construction i miał więcej kasy niż sam Bóg.

Drewniana skrzynia stała za kanapą z brązowej skóry. Wyłowiłam z niej pół tuzina koców. Nie miałam pewności, czy dzięki nim będzie mi cieplej, ale na początek musiały wystarczyć.

Otuliłam się kocami, starając rozgrzać ręce i nogi. Pojawił się Jensen z torbą pełną gałęzi i naręczem drewna. Rozpalenie kominka zajęło mu chwilę, ale kiedy już ogień zapłonął, bez problemu dorzucił do niego kolejne polana. Wyłączył górne światło. Płomienie w kominku skąpały w miękkim świetle pomieszczenie, które szybko wypełniło się ciepłem.

– Czemu nie usiądziesz bliżej ognia? – zasugerował.

Przed kominkiem leżała owcza skóra. Trudno mi było stwierdzić, czy była prawdziwa, czy sztuczna, i się wzdrygnęłam.

– Czy to coś kiedyś było żywe?

– Jest syntetyczna – odparł. – Ale równie ciepła.

Odprężyłam się, zgarnęłam koce i przeniosłam je na nią. Jensen zdjął z kanapy dwie czerwone poduszki i rzucił mi je. Potem zniknął w kuchni. Usłyszałam głośny odgłos korka wyciąganego z butelki i po paru minutach pojawił się z tacą w dłoniach.

Z uśmiechem podał mi kieliszek czerwonego wina.

– Mam nadzieję, że lubisz czerwone.

– Czerwone albo szampana. – Upiłam łyk i znów omal nie jęknęłam z rozkoszy. Było naprawdę niezłe.

– A ponieważ nie mogliśmy upiec s'mores – odstawił tacę na bok, wskazując tabliczki czekolady Hershey's, krakersy graham i pianki marshmallow w miseczkach leżące na wierzchu – pomyślałem, że to będzie musiało je zastąpić.

– Lepiej, żeby to było wino deserowe – zażartowałam.

Uśmiechnął się i usiadł obok mnie, zarzucając sobie na kolana koc. Sięgnęłam po marshmallow i wrzuciłam ją sobie do ust. Zobaczyłam, że Jensen patrzy na moje wargi i niemal zapomniałam, że trzymam w ręce pełen kieliszek wina. Pociągnęłam głęboki łyk, żeby opanować nerwy i odstawiłam kieliszek na bok.

– Gdybym nie wiedziała, że jest inaczej, pomyślałabym, że mnie uwodzisz – rzuciłam prowokująco.

– Wydaje mi się, że w samochodzie całkiem jasno przedstawiłem swoje zamiary. – Jego dłoń pod kocem prześlizgnęła się w górę nogawki moich dżinsów, a potem wysoko po udzie.

Zaparło mi dech i po raz pierwszy uświadomiłam sobie, że jestem stremowana. Nie sytuacją. Była magiczna. Ale przez Jensena. Całe życie uważałam, że to nie moja liga, i nawet kiedy zaczęłam gardzić jego rodziną, nigdy nie pomyślałam, że jestem od nich lepsza, ale na pewno nie dorównywałam im pozycją.

– Ale – powiedział, a jego ręka znieruchomiała, a potem przesunęła się na moje kolano – będę również zadowolony, jeśli po prostu zechcesz miło spędzić czas przy kominku, spróbować dobrego wina i tego, z czego miały być s'mores. Mógłbym nawet odwieźć cię do domu o prawie przyzwoitej godzinie.

Stłumiłam w sobie wszystkie dotychczasowe obawy.

Kto powiedział, że nie mogę być z Wrightami w tej samej lidze? To, że mają pieniądze i prestiż, nic nie znaczy. Jensen mnie pragnął, a ja zdecydowanie cholernie pragnęłam jego. Powstrzymywanie się przed najgorętszym w życiu seksem, który pozwoli mi zapomnieć o ostatnim rozczarowaniu, było niedorzeczne.

– Co się stało z „Przygotuj się na to, że dziś nie będziesz spała"? – wyszeptałam ochryple. Pochyliłam się i pociągnęłam jego dłoń w górę po swojej nodze.

Sięgnęłam pod jego T-shirt i przesunęłam dłońmi po nagiej skórze tuż nad brzegiem dżinsów. Mój śmiały gest sprawił, że Jensen głęboko wciągnął powietrze. Jeśli dotychczas miałam jakieś obiekcje, bo nagła zmiana planów wywołała mój dyskomfort, ten dotyk sprawił, że zniknęły.

Jensen wplótł palce w moje włosy i wpił się w usta jak umierający, który chce wyssać ostatni oddech. Nasze ciała były idealnie zsynchronizowane. Jeden ruch następował po drugim w harmonii niezłamanej przez żadną z miliona drobnych myśli, które przedtem przemykały mi przez głowę. Byliśmy tylko ja i Jensen. I niczego innego nie pragnęłam ani nie potrzebowałam.

Rozgrzaliśmy się ciepłem ognia buzującego w kominku i ruchem naszych ocierających się ciał. Miałam wrażenie, jakby Jensen z ustami na moich wyciągnął zawleczkę, a gdy ściągnął mi sweter i zsunął ze mnie dżinsy, napięcie między nami eksplodowało jak granat.

Zapomniałam, że wcześniej dokuczało mi zimno i po prostu zachwycałam się wszystkim, co było Jensenem Wrightem. Centymetr po centymetrze pocałunkami schodziłam w dół po jego sześciopaku. Rozpięłam mu pasek w spodniach i zsunęłam je. Na widok wybrzuszonych bokserek oblizałam usta. Byłam jednym z tych wybryków natury, które kochają robić loda. Lubiłam, gdy mężczyzna wił się doprowadzony do tego moimi zabiegami. A Jensen oczywiście nie miał nic przeciwko temu, żebym zdjęła z niego bokserki i dotknęła ustami główki jego penisa.

Oblizałam najpierw główkę, a potem trzon. Gdy wzięłam go całego w usta, zatopił palce w moich włosach. A jego gwałtowne westchnienie w pełni było tego warte. Przesuwałam usta w górę i w dół, jakbym głęboko w gardło brała loda na patyku. Jego oczy były zamglone i nieprzytomne, kiedy odprawiałam swoje czary. Poczułam, że dochodzi i wtedy stęknął.

– Emery – szepnął, by mnie ostrzec. Dobre maniery i tak dalej.

Ale nie miałam zamiaru przestać.

Ssałam go, aż gorące nasienie wypełniło mi usta, a Jensen zaczął drgać w ekstazie. Odchyliłam się od jego fiuta, zebrałam się w sobie i jak mistrzyni połknęłam spermę. Jego uśmiech był oszałamiający.

– Ja pierdzielę, kobieto – mruknął.

Nawet nie czekał na odpowiedź. Popchnął mnie na futrzany dywanik, rozłożył mi szeroko nogi i zatopił między nie twarz. Krzyknęłam, kiedy polizał mi łechtaczkę, a jego palce wpiły się w wewnętrzną stronę moich ud. Zadrgałam, wyginając plecy nad podłogę. Powoli przesunął dłoń na wargi mojej cipki i delikatnie musnął jej wejście.

– O Boże! – krzyknęłam, kiedy włożył we mnie dwa palce naraz.

Myślałam, że zacznie je wsuwać i wysuwać. Zamiast tego drażnił mnie nimi wewnątrz, jakby grał na gitarze. Moje ciało dostroiło się do niego.

Próbowałam zacisnąć uda, gdy rozkosz ogarnęła mnie od stóp do głowy, ale rozsunął je jeszcze mocnej. Wolną ręką sięgnął mi do piersi i uszczypnął brodawkę. W tym momencie nieomal doszłam. Moje sutki były niewiarygodnie wrażliwe. A ponieważ tak dobrze reagowałam, nie cofnął ręki i bawił się nimi, dopóki nie krzyknęłam, gdy przeszyła mnie fala pełnego orgazmu.

Zdawało mi się, że moje nogi słuchają własnego mózgu, bo drżały, jakbym właśnie przebiegła maraton.

– Cofam to, co powiedziałem – stwierdził, całując mój wstrząsany orgazmem brzuch, a potem sutki. Zwijałam się pod nim, kiedy po kolei drażnił je językiem. – Wolę, kiedy krzyczysz, dochodząc, niż jęki, kiedy mnie ujeżdżałaś. Zastanawiam się, czy nie podobałoby mi się jeszcze bardziej, gdybyś krzyczała, ujeżdżając mnie.

– Chcesz się przekonać? – szepnęłam wymownie.

– Chcę odkryć wszystkie sposoby na to, żebyś krzyczała. – Przygryzł lekko moją brodawkę i znów krzyknęłam. – Cholera, kobieto. Cholera.

Poczułam między nogami jego twardy członek. Powoli przesunęłam po nim dłonią i Jensen zadrżał.

– Proszę – jęknęłam błagalnie.

– Och, naprawdę podoba mi się, kiedy ładnie prosisz – odparł z uśmiechem.

– To pozwól, że spróbuję jeszcze raz – powiedziałam, przyciągając jego usta do swoich. – Proszę, och, proszę, Jensenie Wright, pieprz mnie. Pieprz mnie natychmiast.

Odszukał kondom w kieszeni kurtki i założył go, a potem zajął pozycję, by móc we mnie wejść. Oparł się na przedramionach i znów mnie pocałował. Trzymałam ręce na jego bicepsach.

Boże, pragnę tego. Pragnę jego.

– Chcę pani dać to, czego pani pragnie, panno Robinson – powiedział Jensen, drażniąc członkiem moją cipkę. – Chyba muszę jeszcze raz usłyszeć, jak mnie prosisz.

Objęłam nogami jego plecy i spróbowałam pociągnąć go na siebie. Nawet uniosłam biodra, ale utrzymał odległość.

– Chcę mieć cię w sobie. Ciebie całego. Aż zacznę krzyczeć, kiedy zrobisz to fiutem, a nie tylko ustami.

– O cholera – wyszeptał i płynnie wszedł we mnie.

Odrzuciłam głowę w tył i jęknęłam, czując, jak mnie rozciąga i wypełnia. To było idealne. Absolutna rozkosz. Było nawet lepiej, niż przypuszczałam. Zaczął się we mnie poruszać, a ja wychodziłam naprzeciw jego wprawnym pchnięciom. Był opanowany i metodyczny, ale boleśnie pragnęłam więcej.

Patrzył na mnie z szerokim uśmiechem, najwyraźniej wiedząc, jak bardzo chciałam, żeby pieprzył mnie do utraty zmysłów. Ale kiedy doprowadził mnie do takiego szaleństwa, że przestałam się kontrolować, powstrzymał się, dopóki nie znalazłam się na granicy najsilniejszego orgazmu w życiu. W tym momencie byłam gotowa błagać go, by pozwolił mi dojść.

– Jensen, o Boże, proszę. Mocniej.

Podniósł mnie z podłogi i nasze nagie sylwetki zarysowały się na tle ognia w kominku. Objął mnie, podpierając rękami

moje biodra. Potem poruszał mną w górę i w dół na swoim fiucie, który był tak twardy i tak brutalny, jak prosiłam. Moje piersi podskakiwały Jensenowi przed twarzą, gdy się we mnie wbi-
jał. I kiedy nasze śliskie od potu ciała dochodziły już do szczytu,
w tę mroźną zimową noc wykrzyczałam jego imię. Z gardła
Jensena wydobył się charkot i po kilku kolejnych pchnięciach
doszedł we mnie.

Przez moment zamarliśmy bez słowa, a potem opadliśmy na
siebie.

– Wow – szepnęłam. – Pieprzone wow.

– Możesz powiedzieć to jeszcze raz.

– Musimy… musimy to powtórzyć.

– Kilka razy.

Jensen miał rację. Resztę nocy spędziliśmy w swoich ramionach i odkrył, że mój krzyk podoba mu się najbardziej, kiedy go
ujeżdżam.

ROZDZIAŁ TRZYNASTY

Jensen

Ocknąłem się nagle, trzymając w ramionach piękną, nagą kobietę. Otworzyłem oczy, nie mogąc uwierzyć w obrót wydarzeń. Nie dlatego, że miałem za sobą najcudowniejszy seks mojego życia. Ani że osoba, z którą go miałem, to Emery Robinson. Ani nawet dlatego, że cieszyłem się, że rano trzymam ją w ramionach.

To dlatego, że spałem.

Naprawdę spałem.

Spojrzałem na czerwony budzik, który stał na stoliku przy łóżku, do którego przenieśliśmy się w nocy o jakiejś bezbożnej godzinie. Ale teraz pokazywał dziewiątą rano.

Dziewiąta rano.

Spałem przez siedem błogich godzin. Nawet mnie nie obchodziło, że pierwszy raz w życiu spóźnię się do pracy ani że prawdopodobnie czeka na mnie tysiąc e-maili i dokładnie tyle samo esemesów i telefonów sprawdzających, czy żyję. Od kiedy ojciec zmarł blisko dziesięć lat temu, ani razu nie przespałem pełnych siedmiu godzin.

– Mmmm – zamruczała Emery, przewracając się do mnie na łóżku.

W świetle dnia wyglądała nawet bardziej olśniewająco niż przy świecach, a nie sądziłem, że to możliwe. Byłem głupcem, sądząc, że jest piękna, kiedy ma na twarzy makijaż i jest uczesana. Teraz leżała przy mnie ze śladami wczorajszego tuszu na rzęsach i włosami w nieładzie po niedawnym seksie i byłem załatwiony. Miałem... kompletnie przejebane.

– Która godzina? – zapytała.

– Dziewiąta.

– Tak wcześnie? – Wyciągnęła rękę.

– Mhmm – odparłem, nagle zdając sobie sprawę, jak totalnie miałem przejebane. Musiałem stąd wyjść i zatrzymać to od razu.

Nie mogłem mieć niewiarygodnego jak cholera seksu i przespać całej nocy z tak bardzo nieodpowiednią dla mnie kobietą. Przywiązanie i sentyment były przereklamowane i szczyciłem się tym, że jestem emocjonalnie niedostępny. Teraz musiałem to w sobie odnaleźć.

Emery Robinson należała do Landona. Mieszkała w Austin. Wychowała się tutaj. I mógłbym podać sto innych argumentów przeciwko niej.

Odrzuciłem kołdrę z nagiego ciała, by wstać z łóżka. Emery dotknęła mnie delikatnymi palcami, ale się uchyliłem. Unikałem jej wzroku. Nie chciałem widzieć, czy ją zraniłem. Nie byłem dupkiem. Po prostu... nie mogłem tego zrobić. Nie powinienem nic do niej poczuć.

Poszukałem w szafie czystych ubrań. Nasze wczorajsze nadal leżały rozrzucone na podłodze w salonie.

– Wezmę... twoje rzeczy, żebyśmy mogli jechać – powiedziałem, wychodząc z pokoju, zanim zdążyła się odezwać.

Najpierw znalazłem komórkę i spojrzałem na wiadomości. Napisałem esemes do Margaret, swojej sekretarki, żeby ją zawiadomić, że się spóźnię. Coś mi niespodziewanie wypadło.

Telefon zabrzęczał, gdy przyszedł esemes od Vanessy i o mało nie rzuciłem nim przez pokój. Tego mi tylko było trzeba, żeby po dzisiejszej nocy i kiedy właśnie sobie przypomniałem, dlaczego to wszystko było takim złym pomysłem, mieć do czynienia z byłą żoną. Odpisałem jej, bo wiedziałem, że będzie mnie nękać, jeśli tego nie zrobię, ale wyraźnie dałem do zrozumienia, że jestem zniecierpliwiony.

Pominąwszy pozostałe wiadomości, zgarnąłem z podłogi rzeczy Emery.

Siedziała owinięta w ciemnoszare prześcieradło. Wydawała się oszołomiona, jakby ostatnia noc to był sen, a ona właśnie się budziła, by stwierdzić, że to się nie wydarzyło. W nocy tak swobodnie czuła się w swoim ciele i cholernie szkoda, że je teraz zakrywała.

– Jestem już spóźniony do pracy – wyjaśniłem jej. – Musimy jechać.

– Tak. Oczywiście – odparła.

Wzięła ode mnie swoje ubrania i zostawiłem ją samą, by mogła się ubrać. To było absurdalne, ale jeśli wziąć pod uwagę, że byłem spóźniony do pracy, że tak dobrze się czułem, kiedy się obudziłem, i esemes od tej suki, mojej byłej, cały ten ranek był absurdalny.

Emery pojawiła się za minutę ubrana tak jak wczorajszego wieczoru. Włosy związała w koński ogon.

– Jestem gotowa.

– Świetnie.

Pospiesznie wsiedliśmy do samochodu. Jechaliśmy przez miasto w milczeniu przerywanym jedynie przez świąteczne piosenki, które wciąż nadawano przez radio. Nie byłem zdolny ich wyłączyć, chociaż przypominały mi naszą wspólną noc. Dwadzieścia minut później zatrzymałem się pod domem jej siostry.

Uśmiechnęła się do mnie słabo.

– Baw się dobrze w pracy – wykrztusiła.

Chciałem kopnąć sam siebie. Ale wiedziałem, że to nie był dobry pomysł. Nie umawiam się z dziewczynami w tym mieście – nawet jeśli przyjechały tu tylko na weekend – z cholernie dobrego powodu. To… komplikowało sprawy. A komplikacje to nie było coś, na co mogłem sobie pozwolić poza salą posiedzeń mojej firmy.

– Dzięki. Baw się dobrze z siostrą.

– Z siostrą – powtórzyła beznamiętnie. – Okej. Cóż, hm… cześć.

Wyskoczyła z auta, lekko machnęła mi dłonią i ruszyła w stronę domu. Zniknęła we wnętrzu, nie obejrzawszy się, a ja miałem wyraźne wrażenie, iż właśnie sprawiłem, że poczuła się tania.

– Cholera – wyszeptałem w nadal mroźne powietrze.

Wróciłem szybko do domu, wziąłem prysznic i włożyłem szyty na zamówienie garnitur od Toma Forda z salonu Malouf's w mieście. Ta rodzinna firma była dla Lubbock niczym luksusowa sieć Nordstrom. Salon oferował ubrania od najlepszych projektantów oraz szyte na miarę tylko po wcześniejszym umówieniu. Wyglądałem jak milion dolarów. Po dzisiejszej nocy też powinienem czuć się jak milion dolarów. Zamiast tego czułem, że coś poszło strasznie źle, podczas gdy powinno być znacznie prostsze.

Godzinę później dotarłem do biura i byłem gotów zjeść lunch, bo w pośpiechu, żeby zająć się pracą, zrezygnowałem ze śniadania. W chwili gdy wszedłem do Wright Construction, dopadła mnie Margaret i nie odstąpiła na krok.

– Dzień dobry, panie Wright. – Przyczłapała z notesem, iPadem i karteczkami samoprzylepnymi. – Pan McCoy dzwonił dziś rano i powiedział, że to ważna sprawa dotycząca fuzji, proszę pana. Miał pan również telefon od Vanessy. Hm, dwa telefony, ale pozwoliłam, by jeden z nich nagrał się w poczcie głosowej. Nick Brown zostawił wiadomość, że odwołuje spotkanie, bo wyjeżdża z miasta. Alex Langley zadzwonił, że jest chory. Wyglądało mi na to, że wrócił późno do domu i ma kaca. Elizabeth Copeland miała ważne nowiny dotyczące kompleksu Lakeridge, proszę pana. To też wyglądało na pilne.

– Margaret – przerwałem jej z westchnieniem, chwytając za klamkę drzwi gabinetu.

– Tak, proszę pana? – Rano o tej godzinie była pełna energii i optymizmu.

– Trochę kiepsko się czuję. Odwołaj wszystkie moje dzisiejsze spotkania i zawiadom pana McCoya, że rano zajmę się sprawą fuzji.

– Ale, proszę pana... – zaczęła znów.

– Margaret, pozwól mi zarządzać moją firmą.

– Oczywiście – odparła oszołomiona, wręczając mi iPada z moimi zadaniami na dziś. – I jeszcze Morgan czeka w pańskim gabinecie.

Westchnąłem ciężko.

– Dziękuję, Margaret. To wszystko.

Kiedy wszedłem do gabinetu, Morgan siedziała na moim biurku, bezwiednie bawiąc się wahadłem Newtona, którego kulki odbijały się w przód i w tył. Jej ciemne oczy spojrzały na mnie z głębi pokoju.

– Długa noc? – zapytała ironicznie.

– W rzeczy samej.

Położyłem iPada na biurku, usiadłem i przejrzałem listę zajęć, które miałem na dziś zaplanowane. Margaret może odwołać wszystkie nieistotne sprawy, ale miałem dużo zaległości do nadrobienia.

– Czemu jesteś dziś tak późno, brachu? – Zeskoczyła z biurka, stając na swoich niebotycznych obcasach, i uśmiechnęła się do mnie z góry.

– Zaspałem.

Morgan otworzyła oczy szeroko z niedowierzania.

– Akurat! Ty nie sypiasz. Jesteś wampirem.

Wzruszyłem ramionami. Nie mogłem nic na to odpowiedzieć, bo aż do dzisiejszej nocy to była prawda.

– Nie wiem, co ci powiedzieć.

– Może coś o tym, kogo pieprzyłeś, kiedy zaspałeś dziś rano? – zapytała z figlarnym błyskiem w oku.

Spojrzałem na nią z pustym wyrazem twarzy i pochyliłem głowę nad iPadem.

– Czekaj… czy chociaż chciałabym to wiedzieć?

– Prawdopodobnie nie – odparłem.

To było kłamstwo. Morgan kochała pikantne szczegóły. Uwielbiała plotki. Czytała plotkarskie magazyny tylko po to, by naśmiewać się z absurdalności tego wszystkiego.

– Okej, nieważne. Rano dzwonił Landon – powiedziała.

Podniosłem głowę i spojrzałem na nią.

– O co chodziło?

Przechyliła głowę.

– O Mirandę, oczywiście. A co? Dlaczego wyglądasz, jakbyś się przestraszył?

Przybrałem z powrotem maskę obojętności.

– Co znów zrobiła Miranda?

– Chce go na święta zatrzymać w Tampie – odparła Morgan, machając ręką.

– Chyba nie bierze tego pod uwagę, prawda? – zapytałem. Morgan westchnęła.

– Sądzę, że bierze.

Sięgnąłem na biurko po telefon.

– Zadzwonię od razu i to z nim wyjaśnię. Nie może tam zostać z powodu Mirandy. To Boże Narodzenie, na miłość boską.

– Wiem, Jensenie. Miranda wbiła sobie do głowy, że Emery Robinson przyjechała tu, żeby odzyskać Landona – oznajmiła Morgan, przewracając oczami.

– To brzmi mało prawdopodobnie – odparłem. Upewniłem się, że w moim głosie nie słychać zdenerwowania. – Za kilka dni wyjeżdża.

– Co? – zapytała Morgan. – Nie, nie wyjeżdża. Landon powiedział, że zostanie tu jakiś czas.

– Powiedział... co? – spytałem, czując, że zasycha mi w ustach.

– Próbował wytłumaczyć Mirandzie, że Emery wkrótce wyjedzie. Chciał, żeby Miranda przestała się go czepiać, ale mu nie uwierzyła. Okazało się, że miała powód. Na weselu Sutton Emery powiedziała Landonowi, że tu zostaje. Ale sądzę... Nie wiem, dlaczego Emery wróciła, ale z pewnością nie dla Landona. On nawet tu nie mieszka. Mirandzie kompletnie odbiło.

Zaniemówiłem. W głowie mi się kręciło. Landon powiedział, że Emery wyjeżdża, tylko po to, żeby uspokoić Mirandę. Nie podjąłem tego tematu z Emery, bo myślałem, że wszystko jest jasne. Za kilka dni miała wrócić do Austin, żeby dokończyć doktorat. Nie powinna zostać w mieście po tym, jak pieprzyliśmy się całą noc.

– Cholera – syknąłem.

– Prawda? Więc musisz zadzwonić i przekonać Landona, żeby przywiózł tu Mirandę na święta. Zrób co trzeba, dobrze? To znaczy... mogłabym nawet zadzwonić do Emery i poprosić, żeby trzymała się z dala od Landona, jeśli to miałoby pomóc... – Morgan zamilkła, widząc, że nic nie mówię. – Dlaczego zbladłeś?

– Morg – powiedziałem, patrząc w jej zatroskane oczy. – Spieprzyłem to.

ROZDZIAŁ CZTERNASTY

Emery

– I po prostu rzucił mi ubranie, a potem odwiózł mnie do domu! – opowiadałam Heidi przy lunchu.

– Drań! – stwierdziła na zakończenie. – Co za drań!

– Prawda? To znaczy... w nocy godzinami uprawialiśmy seks, a potem rano było tak, jakby ktoś przekręcił wyłącznik światła. Wchodząc w to, wiedziałam, że to zły pomysł. Totalnie mnie wykorzystał.

– A wykorzystywanie jego było do bani, tak? – zapytała Heidi, dłubiąc w swoim pad thai, naszej ulubionej potrawie, w restauracji Thai Pepper, w śródmieściu.

– Kochana! Seks był fenomenalny – powtórzyłam jej setny już raz. – To, że rano zmienił się w palanta i porzucił mnie pod domem Kimber jak panienkę po jednorazowej przygodzie, już nie tak bardzo.

Nawinęłam na widelec superostry makaron pad thai i zabrałam się do jedzenia. Byłam głodna po nocnych eskapadach. W ciągu ostatnich osiemnastu godzin zjadłam tylko dwa tacos, pół torebki pianek marshmallow, do tego trochę czekolady, i umierałam z głodu.

– No tak, cóż, przynajmniej miałaś trochę zabawy – stwierdziła Heidi. – To ci dobrze zrobiło po Profesorze McDupku.

Parsknęłam w talerz, a potem zakasłałam, by oczyścić drogi oddechowe.

– Profesor McDupek?

Heidi wzruszyła ramionami i mrugnęła do mnie.

– Mniej więcej.

– Tak, to była dobra zabawa. Ale wiesz... to było coś więcej. – W zamyśleniu odłożyłam widelec i wypiłam trochę wody. – Właściwie go lubię.

– Wrighta? – Heidi zrobiła okrągłe oczy. – Czy nie jesteś Przewodniczącą Fanklubu Anty-Wrightów?

– Poniekąd – przyznałam. – Ale on był inny.

– O rany! Zaczyna się.

– Co? – zapytała.

– Robisz to.

– Co robię?

– Sama wiesz – odparła Heidi. – To całe gadanie: facet jest palantem, ale przy mnie jest inny. Wiadomość z ostatniej chwili, Robinson: on nie jest inny. Po prostu chciał cię pieprzyć.

Wzdrygnęłam się.

– Dziękuję za radosną wiadomość.

– Ech, przepraszam. Po prostu mam za sobą dziwną noc, no i martwię się o ciebie. Już wystarczająco złe było to, co wydarzyło się z Landonem.

– To ty pchałaś mnie w ramiona Jensena.

– Tak, ale to było, zanim stałaś się bezkrytyczna i naiwnie stwierdziłaś, że jest inny. Lubię Jensena, jest w porządku. To świetny szef. Dba o pracowników. Wie, co robi i zarabia dla nas kupę forsy. Ale nie mogę udawać, że jest idealny. Słyszałam, że kiedy wyjeżdża z miasta na spotkania w interesach, sypia z kobietami na prawo i lewo.

– Ech! Nie chcę o tym myśleć. Wszyscy popełniamy błędy. Nie chcę go osądzać. Może jest po prostu męską dziwką i właśnie o to chodziło ostatniej nocy. Ale powinnaś była mnie ostrzec!

– Em, myślałam, że będziesz się z nim pieprzyć, żeby w przyjemny sposób zapomnieć o ostatniej historii. Nie sądziłam, że to będzie cokolwiek innego.

– I nie jest – odparłam natychmiast. – Zdecydowanie nie jest. Pamiętasz, że wyrzucił mnie pod domem Kim, jakby wynosił śmieci? Bo jestem zupełnie pewna, że bez względu na to, jak inny był ze mną, tak naprawdę przebija z niego dupek.

– Dobrze. Tak trzymaj. Nie chcę widzieć, że ktoś cię znów rani.

– Nie zamierzam pozwolić się zranić. A o co chodzi z tą dziwną nocą? – zapytałam.

Machnęła lekko dłonią przed twarzą i zaśmiała się.

– Nic takiego. Po prostu miałam dziwny telefon i rozmawiałam z tą osobą przez całą noc. To było niespodziewane.

Zaciekawiona uniosłam brwi, ale Heidi już zmieniała temat.

– Chcesz pójść na zakupy ze mną i z Julią któregoś dnia w tym tygodniu?

– Dwa tygodnie przed świętami. Twój ulubiony czas zakupów.

– Cały ten tłum i wyprzedaże, i krzyki to będzie jeden wielki horror.

– Jasne, że w to wchodzę. Nigdy nie mogłam się oprzeć solidnej porcji horroru.

W tym momencie moja komórka głośno piknęła.

– Cholera – mruknęłam, wyciągając ją z kieszeni.

Rano zapomniałam wyłączyć w niej dźwięk. Kiedy wróciłam do domu, wzięłam długi prysznic i ucięłam sobie jeszcze dłuższą drzemkę, ale dźwięk zostawiłam włączony, aby móc odebrać esemes od Heidi, kiedy wyjdzie z porannego zebrania.

Nacisnęłam przycisk i ekran się włączył. Miałam esemes od Jensena. Poczułam ucisk w żołądku i podniosłam oczy na Heidi.

– Pozwól, że zgadnę… twój kochaś?

– Tak.

Przesunęłam palcem po ekranie, żeby odczytać wiadomość.

Emery, jesteś wolna po południu? Odwołałem dzisiejsze spotkania i chciałem się dowiedzieć, czy miałabyś ochotę na kawę. Znam to małe miejsce w pobliżu kampusu, to moje ulubione – Death by Chocolate. Nie wiem, czy już tam kiedyś byłaś, jest od niedawna. Moglibyśmy się tam spotkać. Na przykład o drugiej?

– Co on ma do powiedzenia?

Podałam telefon Heidi.

– Teraz jeszcze mniej z tego rozumiem.

– Chce się z tobą spotkać w cukierni Kimber? – zapytała Heidi, chichocząc.

– Jestem pewna, że nie wie, że ona jest właścicielką.

– To prawda, ale zastanawiam się, co, u diabła, dzieje się w jego głowie. Poza tym, że odwoływanie spotkań jest do niego tak bardzo niepodobne. Nigdy nie słyszałam, żeby rozmyślnie którąś odwołał. Musiał zdać sobie sprawę, jak bardzo to spieprzył.

– Być może.

– Albo ma ochotę na drugą rundę.

Wyrwałam telefon z ręki Heidi.

– Mowy nie ma.

– Więc jak, masz zamiar się z nim spotkać?

– Czy ciekawość to pierwszy stopień do piekła? – zapytałam.

– Tak, ale diabli złego nie biorą.

* * *

Death by Chocolate to ukochane dziecko mojej siostry. Stworzyła ją po dyplomie z gastronomii i dzięki osiągnięciom w szkole kulinarnej. Z Kimber zawsze kojarzył mi się zapach słodyczy. Kiedy byłyśmy młodsze, żartem śpiewałam jej piosenkę z reklamy firmy Bigel Bites ze słowami, które ułożyłam o jej wypiekach.

„Rano babeczki, wieczorem ciasteczka, czekolada na kolację. Kiedy Kimber jest w kuchni, o każdej porze jemy słodkości" – nuciłam, uruchamiając gong nad drzwiami.

To była urokliwa, absolutnie zachwycająca kafejka i cukiernia. Podłogę miała wyłożoną czarnymi i białymi płytkami, a ściany pomalowane farbą w miętowym odcieniu. Blaty były z białego granitu, jakby posypanego cukrem pudrem, a jasnożółte szafki przypominały ciasto cytrynowe. Stoliki miały kształt francuskich makaroników, każdy w innym kolorze, a na siedzeniach krzeseł leżały poduszki, które wyglądały jak tarty owocowe. Pomieszczenie dekorowały kunsztowne torty weselne w szklanych gablotach. Najlepszy był bufet wypełniony rzędami ukrytych za szkłem słodyczy, które tylko czekały, by je smakować.

– Czym mogę służyć? – zapytała mnie kelnerka. Miała na sobie fartuszek z napisem Death by Chocolate i wyglądała na studentkę Tech.

– Poproszę ciasteczko cynamonowe i dwa truskawkowe makaroniki.

– I kawałek firmowego ciasta czekoladowego – usłyszałam za sobą głos Jensena.

Aż podskoczyłam i odwróciłam się do niego.

– Jezu, przestraszyłeś mnie.

– Nie zamierzałem się do ciebie podkradać. Myślałem, że usłyszałaś dzwoneczek przy drzwiach – odparł.

Przyglądałam mu się od góry do dołu, ciesząc się tą chwilą, jakbym patrzyła na ostatni wschód słońca w życiu. Jensen miał na sobie czarny garnitur, który musiał być uszyty na zamówienie. Pod nim białą koszulę z tkaniny o moim ulubionym splocie w jodełkę i czerwony krawat futbolowej drużyny Red Raiders uniwersytetu Texas Tech. Wyglądał jak zwykle eleganckо, ale najbardziej interesowały mnie jego oczy – ciemne niczym słynne czekoladowe ciasto Kimber. Patrzył na mnie jak klienci cukierni, gdy im to ciasto pokazywano.

– Nie ma sprawy – skwitowałam, odwracając się do niego plecami.

Bo bez względu na to, jak seksownie wyglądał i jak bardzo znów mnie pragnął, jego widok aż za dobrze przypomniał mi, dlaczego nie chciałam mieć nic wspólnego z rodziną Wrightów.

– Coś jeszcze państwu podać? – zapytała kelnerka. Postawiła na ladzie nasze smakołyki.

– Poproszę filiżankę kawy – powiedziałam.

– Niech będą dwie.

Wyjęłam portfel, żeby zapłacić. Nie chciałam, żeby myślał, że to randka.

Odsunął mnie.

– Ja to zrobię.

– Mogę zapłacić za siebie – odparłam z irytacją.

– Wiem, że możesz, ale to ja cię tu zaprosiłem. Więc zapłacę. – Jego twarz przybrała surowy wyraz i zorientowałam się, że przestawił się w tryb biznesowy czy coś w tym rodzaju. Ponieważ nie zamierzał w tej sprawie negocjować.

Podniosłam ręce na znak, że się poddaję i zabrałam swój talerzyk ze słodyczami.

– Zajmę dla nas stolik.

W rogu, w głębi cukierni był wolny stolik. Opadłam na krzesło, mając przed sobą widok na wnętrze. Szalałam z ciekawości, o czym Jensen chciał ze mną mówić zaledwie parę godzin po tym, jak się mnie pozbył. Chciałam wiedzieć, jak zareagować na to, cokolwiek ma mi do powiedzenia, ale czułam, że jestem do tej rozmowy żałośnie nieprzygotowana.

Jensen postawił na stoliku talerzyk ze swoim ciastem i nasze kawy. Unikając jego wzroku, dodałam do swojej śmietankę i cukier.

– Emery – zaczął. – Ja…

Zerknęłam na niego znad brzegu filiżanki. Podmuchałam kawę i upiłam łyk.

– Co?

– Myślę, że popełniłem straszliwy błąd.

– A co by to było mianowicie?

– Pójście z tobą na randkę – odparł.

Zerwałam się z krzesła, jeszcze zanim dotarło do mnie to, co powiedział.

– No cóż, to po prostu… to cudownie, Jensen.

– Emery, usiądź. Daj spokój, po prostu usiądź.

– A dlaczego miałabym to zrobić? – Odstawiłam filiżankę, ale nadal stałam. – Spędziliśmy razem fantastyczną noc i nagle puf!, zmieniłeś się w dupka. A potem zaprosiłeś mnie tu tylko po to, żeby powiedzieć, że żałujesz, że to zrobiliśmy?

– Emery, proszę – powiedział. Siedział nieruchomo, doskonale panując nad ciałem. Nawet nie spojrzał na ludzi, którzy przyglądali mi się podejrzliwie. – Pozwól mi wyjaśnić.

Opadłam z powrotem na krzesło.

– Co wyjaśnić?

– Myślałem, że robisz doktorat. Wydawało mi się, że powiedziałaś, że nadal jesteś na uniwersytecie w Austin, zajmujesz się historią i królewskimi metresami. Właśnie tak mówiłaś. Tak zrozumiałem. Ale tego nie robisz – powiedział oskarżycielsko.

Krew zlodowaciała mi w żyłach.

– Co przez to rozumiesz?

– Zostajesz w mieście, prawda? – zapytał. Ta myśl najwyraźniej go niepokoiła.

– Jak to możliwe, że się tego dowiedziałeś? Powiedziałam o tym zaledwie paru osobom i nawet mama mi nie wierzy.

– Bo powiedziałaś Landonowi – rzekł, unosząc brwi.

– Rozmawiałeś z Landonem? – wykrztusiłam. – O mnie?

– Niezupełnie...

– Chyba mu nie powiedziałeś, co się stało? – zapytałam, patrząc na niego dzikim wzrokiem.

– Posłuchaj, nie rozmawiałem z nim. Morgan to zrobiła. Jego żona nadal jest wściekła, że tu jesteś. Morgan nie wiedziała, co zdarzyło się między nami. Więc, nie, Landon o tym nie wie. I chciałbym, żeby tak zostało.

– Powiedziałeś: nie wiedziała. Morgan nie wiedziała, ale teraz już wie?

Jensen poruszył się niespokojnie.

– To był przypadek.

– Och, na miłość…! – krzyknęłam i urwałam. – Nie chcesz, żeby Landon odkrył twój wielki błąd, ale zwierzyłeś się Morgan? Odbiło ci?

– Zaczynam tak się czuć – burknął.

– Wspaniale. Ściągnąłeś mnie tutaj tylko po to, żeby mi powiedzieć, jak wielkim byłam błędem i że Landon prawdopodobnie się o tym dowie. – Sięgnęłam po ciasteczko cynamonowe i ugryzłam potężny kęs. Potem uniosłam kciuk na znak aprobaty i kpiąco skłoniłam głowę.

– To nie tak, Emery. To bardziej sprawa zasad. Wspaniale się wczoraj bawiłem, ale nie spotykam się z dziewczynami w tym mieście. I gdybym wiedział, że tu zostajesz, nigdy bym się z tobą nie umówił.

Słysząc to, zdusiłam w sobie słowa, które mi się wyrywały. Myliłam się. Jensen Wright nie był inny. Był dokładnie taki sam, jak wszyscy faceci na świecie. Wykorzystał mnie, a potem się pozbył. I, co gorsza, dołożył starań, żeby poinformować mnie o tym osobiście.

– Domyśliłam się tego, kiedy odwiozłeś mnie dziś rano. Nie musiałeś tu przychodzić, by powiedzieć mi to w twarz – oświadczyłam kąśliwie. Przesunęłam w jego stronę talerzyk z makaronikami. – Poczęstuj się. To ulubione słodycze mojej siostry. Jest właścicielką tej cukierni. Chciałaby, żebyś ich spróbował.

Wstałam i odeszłam.

– Emery! – zawołał za mną.

A potem usłyszałam, jak głośno zaklął. Pobiegł, żeby mnie dogonić, kiedy wracałam do mojego forestera zaparkowanego na ulicy.

Chwycił mnie za łokieć, próbując zatrzymać.

– Emery. Hej, stój.

– Po co? – zapytałam. – Spędziliśmy razem jedną noc. Czym dla ciebie jestem?

– Nie wiem! – odparł. Wyglądało, że jest wykończony. – Nie wiem, w porządku? To jest tak, jakby włączył mi się jakiś przeklęty instynkt samozachowawczy i musiałem to przerwać, zanim wymknie mi się spod kontroli.

– Jak to w ogóle może wymknąć się spod kontroli?

– Bo bycie z tobą łamie wszelkie zasady!

– Zasady są po to, żeby je łamać.

– Nie te zasady.

Wzruszyłam ramionami.

– Ja też mam zasady. Przysięgałam, że nigdy więcej nie spojrzę na nikogo z rodziny Wrightów. Zdecydowałam, że Wright to nie jest dobry wybór – powiedziałam, parafrazując motto Wright Construction*. – A jednak tu jesteśmy.

Wtem palce Jensena znalazły się w moich włosach, a dłonie objęły policzki. Jego ciemne oczy wpatrywały się w moje i nawet nie drgnęłam, by go powstrzymać. Prąd przebiegł między nami w rozgrzanym nagle powietrzu i stałam jak zahipnotyzowana. Obłoki pary naszych oddechów mieszały się ze sobą w mroźnym powietrzu. Wargi Jensena, miękkie i delikatne, dotknęły moich, badając, czy im to wolno. Zamarłam na sekundę, zanim oddałam pocałunek. Przyciągnął mnie do siebie i przycisnął usta do moich. I nie miało znaczenia, że właśnie stoimy w środku dnia na jednej z najbardziej ruchliwych ulic Lubbock.

Nie mogłam się nacieszyć jego ustami, ciałem. Jego dotykiem poprzez warstwy ubrania. Jego smakiem. Czułam go wszędzie.

---

* Nieprzetłumaczalna gra słów: nazwisko Wright brzmi tak samo jak słowo *right* – dobry, właściwy, odpowiedni.

Z wolna zaczęłam odzyskiwać świadomość i odepchnęłam Jensena od siebie.

– Jak śmiesz! – rzuciłam. – Nie możesz wysyłać mi sprzecznych sygnałów, Jensen. Albo chcesz więcej, albo nie. Nie będę uprawiać z tobą gierek. Zmęczyło mnie marnowanie czasu przez mężczyzn, którym się wydaje, że mogą robić, co tylko chcą.

– Emery, to nie jest…

– Daruj sobie – powiedziałam, podnosząc rękę, żeby go uciszyć. – Dość już usłyszałam.

ROZDZIAŁ PIĘTNASTY

Emery

Oparłam się o ogromną rzeźbę przedstawiającą okulary, która stoi przed muzeum Buddy'ego Holly'ego. Były znakiem firmowym legendy rock and rolla, muzyka, który urodził się w Lubbock i zdobył taką sławę. Pracowałam tu od czasu do czasu, kiedy byłam w liceum, i powrót w to miejsce wydawał mi się tak surrealistyczny, jak wszystko, co poza tym działo się w moim życiu. Czułam się, jakbym ponowne przeżywała szkolne czasy, tyle że z innym z braci Wrightów.

Betty uderzyła w krawężnik swoim czerwonym buickiem lacrosse, a potem zaparkowała przed muzeum. Pomachała do mnie z miejsca dla kierowcy. Mogłam się tylko roześmiać. Zawsze była zwariowana.

– Cześć, Emery, kochanie. Jak się masz? – zapytała. Podeszła szybko do miejsca, w którym stałam, i gestem pokazała mi, żebym ruszyła za nią.

– Mam się nieźle. A co u ciebie?

Betty zabrzęczała kluczami, po czym popchnęła drzwi biodrem, żebyśmy mogły wejść do środka.

– Całkiem dobrze. Tędy. Och, przecież znasz drogę.

Znałam, ale nic nie powiedziałam.

– Okropnie mi przykro, że mamy dziś zamknięte. Musieliśmy zrobić mały remont i zdecydowaliśmy, że po prostu zamkniemy muzeum na ferie.

– Remont? – zapytałam.

– Wymianę podłóg, nowy dach, takie rzeczy. Wright Construction zaoferowała wszystko to zrobić ze zniżką, bo jesteśmy muzeum historycznym. Czyż to nie cudowne? – zapytała. Dotarła wreszcie do biura i wpuściła mnie do środka.

– Po prostu cudowne – przyznałam, nie mogąc uwolnić się od Wrightów nawet na jeden dzień.

– Ten Jensen Wright przyszedł tu, żeby powiedzieć mi to osobiście.

– To miło z jego strony – odparłam przez zaciśnięte zęby.

– Jesteśmy na miejscu – oznajmiła Betty. – Dziękuję, że mogłaś spotkać się dziś ze mną. Jadę na Florydę zobaczyć się z moimi wnukami na święta i nie wrócę przed Nowym Rokiem. To by wszystko dla ciebie opóźniło.

– To świetnie. Jestem ci bardzo wdzięczna, że przyjechałaś teraz dla mnie. Kto tu będzie, żeby wpuszczać pracowników budowlanych? – Wzięłam od Betty plik papierów i pośpiesznie wypełniłam rubryki niezbędne, by się zatrudnić i znaleźć na liście płac.

– Mamy kilka osób, które tu będą w czasie ferii. Dostaną klucze i mogą przychodzić na zmianę. Ale na czas od Bożego Narodzenia do Nowego Roku muzeum zostanie zamknięte.

– Jeśli będziesz kogoś potrzebować, po prostu daj mi znać. Jestem w pobliżu.

– Jestem pewna, że z przyjemnością wprowadzą cię w obowiązki. Pozwól, że dam ci klucze do muzeum, skoro o tym mówimy – powiedziała.

Po paru minutach wypełniłam do końca formularze, wręczono mi klucze do muzeum i zapoznałam się z planem prac ekipy budowlanej. To również oznaczało, że zarobię trochę pieniędzy na święta.

Zostawiłam Betty, czując, że udało mi się czegoś dokonać. Chociaż nie była to moja wymarzona praca, ale przynajmniej jakaś praca. Coś konkretnego, co trzymało mnie w Lubbock, a nie było tylko rodziną i starymi wspomnieniami.

Kiedy z powrotem wsiadłam do forestera, zdałam sobie sprawę, że to trwało dłużej, niż myślałam. Miałam wrażenie, że byłam w muzeum zaledwie pięć minut, a wyszło na to, że spóźnię się na zakupy z Heidi i Julią. Koniecznie chciały mnie zabrać, a ja bardzo potrzebowałam czegoś, co poprawi mi samopoczucie.

Próbowałam nie myśleć o Jensenie i o tym, co się stało. Ale miałam straszny mętlik w głowie i byłam przygnębiona, czego tak naprawdę nie chciałam przyznać. Nie mogłam znieść, że to, co zrobiliśmy, uważa za błąd. Pragnęłam, by dalej mnie całował. Pragnęłam więcej faceta, który bez zażenowania śpiewał ze mną piosenkę Mariah Carey. I co gorsza, wiedziałam, że ma rację. Z początku nie sądziłam, że to coś poważnego. Chciałam wziąć go sobie na chwilę, nie zastanawiając się nad tym, co może być dalej. Przekonywałam siebie, że tak będzie lepiej, ale się pomyliłam. Miałam nadzieję, że terapia zakupami mi pomoże.

Przed świętami salon Malouf's miał mnóstwo klientów i nie byłby to mój pierwszy wybór. Przede wszystkim dlatego, że na nic mnie tu nie było stać. Wszystko wyszło spod ręki projektantów. Kate Spade, Kendra Scott, Tom Ford. Rany boskie! Ale zarówno Heidi, jak i Julia dobrze zarabiały w Wright Construction, a ja uznałam, że coś jednak sobie znajdę. Może na wyprzedaży.

Pognałam przez parking, uciekając przed lodowatym wiatrem. Pieprzyć Lubbock z jego mrozem, nazajutrz po tym, jak było dwadzieścia stopni Celsjusza. Wpadłam do Malouf's przez główne drzwi i zobaczyłam, jak Heidi z ożywieniem rozmawia z Julią, która trzyma czarną sukienkę z głębokim dekoltem.

– Jestem. Udało mi się. Przepraszam, że się spóźniłam – powiedziałam do dziewczyn.

– Em! W samą porę – odparła Heidi. – Powiedz Julii, że w tej sukience wygląda niesamowicie seksownie.

– Jest czarna. Podoba mi się. – To było moje motto od czasów gimnazjum. Szafę miałam pełną czarnych dżinsów, czarnych swetrów, topów i czarnych sportowych butów. Wszystko było czarne.

– Wiedziałam, że to powiesz – Heidi stwierdziła z uśmiechem.

Julia w zamyśleniu uniosła sukienkę na wysokość ramienia. Czerń to był dobry wybór przy jej włosach rozświetlonych refleksami w odcieniu czerwonego wina. Ponadto wyszczupla, a to dobrze robi każdemu z wyjątkiem Heidi, która jest zbudowana jak lalka Barbie. I podczas gdy Heidi ma godny pozazdroszczenia wygląd królowej balu, Julia ma w sobie to coś. Mahoniowe włosy, kolczyki w uszach, tatuaże widoczne pod modną, ozdobioną skórzanymi wstawkami sukienką – oto tajemnicza dziewczyna, której nie przyprowadziłbyś do domu, żeby przedstawić ją mamie. Polubiłam ją za to. Tak jakbym czuła, że ona i ja mogłybyśmy połączyć siły przeciwko Heidi... i być może nawet z nią wygrać. Ale pewnie nie.

– To tak bardzo nie w moim stylu, ale przymierzę.

– W tym sklepie nie ma też niczego dla mnie – powiedziałam Julii. – Ale jeśli nie przymierzysz wszystkiego, co zdaniem Heidi powinnaś nosić, nie wyjdziesz z tego cało.

– Rzeczywiście – potwierdziła Heidi, kiwnąwszy głową. – A teraz zabawmy się w przebieranie!

Krążyłyśmy po sklepie z Heidi, która rzucała nam w ręce wybrane przypadkowo rzeczy. Wymieniłyśmy z Julią spojrzenia pełne współczucia dla siebie nawzajem. W stosie swoich rzeczy miałam coś w kolorze ostrego różu. Julia coś pastelowego. Sama Heidi wzięła wszystkie najlepsze rzeczy, które pasowały tylko na kogoś, kto ma wzrost od metra osiemdziesiąt wzwyż.

Pojawiła się kierowniczka sklepu i przygotowała przymierzalnie dla każdej z nas, proponując pomoc, gdybyśmy chciały poprosić o inny rozmiar. Najpierw włożyłam różową sukienkę, żeby mieć ją już za sobą, a Heidi patrząc na mnie, zaśmiewała się do łez, dopóki nie weszłam do przymierzalni po następną rzecz.

– Okej, wiem, że to drażliwy temat – zawołała do mnie Heidi ponad ścianką przymierzalni – ale czy możemy porozmawiać o Jensenie?!

Wyszłam z przymierzalni i skrzyżowawszy ręce na piersi, czekałam, aż ona wyjdzie ze swojej.

– Nie.

– O co chodzi z Jensenem? – zapytała Julia.

Pojawiła się we wspaniałej oliwkowej sukience, która idealnie podkreślała jej styl. Byłam pewna, że właśnie ta zwycięży.

– Czy mogę jej powiedzieć? – zapytała Heidi.

– Dobrze, ale nie przymierzę tej dziwacznej wzorzystej rzeczy, którą mi dałaś – powiedziałam.

– Ech! Niech ci będzie! Po prostu próbuję rozjaśnić twoją garderobę.

– Próbowałaś to robić przez dwadzieścia lat. To się nie uda.

Zaśmiała się i pokazała mi środkowy palec.

– W każdym razie Emery była na randce z Jensenem.

– Och, wow! Było gorąco? – zapytała Julia.

– Bardzo gorąco – odparła Heidi.

– Heidi, mogłabyś przestać? – zażądałam.

– Przepraszam! – pisnęła. – Tak czy owak, później zachował się wobec niej jak totalny dupek, a następnie jak jeszcze większy dupek, kiedy zaprosił ją na kawę, żeby powiedzieć, że to wszystko było błędem.

– To fatalnie. Przykro mi, Emery – powiedziała Julia.

– Wszystko w porządku – zapewniłam. – Naprawdę, to była jedna randka. A potem... kolejny pocałunek, który nic nie znaczył. Pocałował mnie po tym, jak mi oznajmił, że nasza randka była wielkim błędem, ponieważ nie umawia się z dziewczynami z tego miasta i że to się nigdy nie powinno wydarzyć, skoro wróciłam do domu. Och! I powiedział, cholera, o tym Morgan. Teraz Landon się dowie.

– A Landon nie wie, że umówiłaś się z jego bratem? – zapytała Julia.

Pokręciłam głową.

– I chciałabym, żeby tak zostało.

Okej, no więc nie było w porządku. Wciąż czułam się przygnębiona i zdenerwowana. Nawet bardziej przez to, że Jensen nie zostawił mnie w spokoju. Bez przerwy wysyłał do mnie esemesy, chcąc ze mną porozmawiać. Nie mogłam zrozumieć, dlaczego mu się wydawało, że mogłabym jeszcze raz się z nim

zobaczyć. Po naszej ostatniej rozmowie i po tym, jak się zakoń-
czyła, nie uważałam tego za dobry pomysł.

– No tak, ale ciągle do ciebie pisze – zauważyła Heidi.

– Zatem musisz mu się podobać – dodała Julia. – Może po
prostu ma… trudności z komunikacją.

– Tego właśnie szukam u faceta. Żeby nie umiał się komuni-
kować.

– Nie to miałam na myśli – powiedziała Julia. – A co, jeśli on
się boi tego, co do ciebie czuje? Powiedziałaś, że nie umawiał
się z dziewczynami stąd. Może po prostu wystraszył się, kiedy
zdał sobie sprawę, że będziesz tu mieszkać, i powiedział nie to,
co trzeba.

Spojrzałam na Julię.

– Jensen Wright nie mówi niewłaściwych rzeczy. Jest biznesmenem. Mówi to, co myśli, i bierze to, co chce. Czuję, że
nie powinnam doszukiwać się w nim niczego innego.

– Chyba słusznie – stwierdziła Julia. – Chodzi jednak o to,
czy warto, żebyś potem myśląc o nim, zawsze zadawała sobie
pytanie, a co by było, jeśli…?

Wzruszyłam ramionami. Tego nie wiedziałam. To zbyt wiele,
by o tym myśleć.

– Po prostu wejdź w to i miej oczy szeroko otwarte – poradziła Heidi. – Wiesz, że ma za sobą gówniany bagaż doświadczeń. To Wright. Jest obrzydliwie bogaty, sypia z supermodelka-
mi i tak dalej. Wiesz, jak z nim jest. Jeśli nie przeszkadza ci, że
we wszystkie wolne dni lata do Nowego Jorku, to kim bym była,
żeby cię powstrzymywać? Miej trochę zabawy. Chcę tylko, żebyś
była szczęśliwa.

– A ta sukienka jest cholernie seksowna – zmieniła temat
Julia.

Przyjrzałam się sobie w potrójnym lustrze i uśmiechnęłam się. Moja sukienka wyglądała cholernie seksownie. Tak naprawdę była idealna. Opięta, czarna, z ozdobionym koronką dekoltem z przodu, który sięgał mi niemal do pępka, i odkrytymi plecami. Jeśli włożyłabym do niej któreś szpilki z szafy Kimber, mogłabym nawet uchodzić za typ kobietki.

– Musisz ją wziąć – stwierdziła Heidi od razu. – Naprawdę, uważam, że naprawdę musisz.

Spojrzałam na metkę z ceną i zbaraniałam.

– Kosztuje trzysta dolarów. Nie potrzebuję jej aż tak bardzo.

– Och, ależ potrzebujesz! I... nie kupiłam ci jeszcze gwiazdkowego prezentu. Więc to może być mój prezent! – oznajmiła Heidi.

– Zwariowałaś? Nie pozwalam ci kupić mi na gwiazdkę sukienki za trzysta dolarów.

– Dlaczego nie?

– Bo nigdy nie zrewanżuję ci się podobnym prezentem. Swoją drogą, gdzie bym ją nosiła? Chodzę w dżinsach i T-shirtach. Nie miałabym z niej żadnego pożytku.

– Szczerze mówiąc... – Oczy Heidi przybrały niewinny wyraz.

– O nie – westchnęłam. – Zaraz mi powiesz, jaki jest prawdziwy powód naszych zakupów, prawda?

– W piątek wieczorem jest gwiazdkowe przyjęcie i chciałabym, żebyś na nie poszła ze mną i z Julią. I pomyślałam, że właśnie tutaj wszystkie mogłybyśmy wybrać sobie sukienki na tę okazję!

Przeniosłam wzrok na Julię.

– Gdzie jest to przyjęcie? Wiem, że ona mi nie powie.

– Hm...

– Daj spokój, Em. To tylko jedno przyjęcie.

– Tak, i to był tylko jeden ślub. Zobacz, jak dobrze na tym wyszłam.

– Uważam, że wyszłaś na tym całkiem dobrze. Nie myślisz już o Profesorze McDupku i miałaś dużo seksu.

Julia parsknęła śmiechem i natychmiast zasłoniła usta.

– Profesor McDupek?

– To długa historia – odparłam.

– Okej, wyobraź to sobie – powiedziała Heidi. – Wkładasz tę sukienkę. Robisz sobie fryzurę i makijaż. Pożyczasz od Kimber szpilki, te najbardziej wymyślne louboutiny, które będą cię uwierać w paluszki. Ale jak tu się oprzeć czerwonym lakierowanym podeszwom? – Jakby czytała mi w myślach. – Wchodzisz na przyjęcie. Wszystkie oczy odwracają się w twoją stronę. W tym momencie jesteś jak pieprzony Kopciuszek. I wtedy, puf!, pojawia się twój książę z bajki, i voilà, ta noc ma nieograniczone możliwości.

– O Boże, mówisz o gwiazdkowym przyjęciu w firmie.

Heidi przygryzła dolną wargę.

– Hm... tak.

– A kiedy mówisz o nieskończonych możliwościach, masz na myśli to, że potknę się o własne nogi przed Jensenem, który okaże się takim samym dupkiem jak przedtem i będzie się ze mnie śmiał czy coś w tym rodzaju.

– Nie bądź śmieszna.

– Naprawdę, Emery, nie sądzę, żeby Jensen kiedykolwiek śmiał się z kogoś w takiej sytuacji – dodała Julia. – A poza tym nie będzie źle, bo tam jest otwarty bar i będziemy mogły upić się szampanem.

– Och, uwielbiam was – odparłam.

– No widzisz, Em?! Proszę cię, proszę, proszę – powtarzała Heidi.

– Przemyślę to.

– Tak! – zawołała Heidi, jakbym już dała się ubłagać.

– A skoro o tym mówimy – przerwała Julia, rumieniąc się lekko – znajdziecie dla mnie coś równie seksownego? Gdybym włożyła coś takiego, nie miałabym nic przeciwko temu, żeby pewien Wright spojrzał na mnie więcej niż raz.

– Landon? – zapytała Heidi.

– Austin? – powiedziałam w tym samym momencie.

Spojrzałam na Heidi, unosząc brew.

– Landon nawet nie pracuje dla Wright Construction.

– Proces eliminacji – odparła szybko. – A więc Austin?

– Podejrzewam, że się boi, bo pracuję w dziale HR. Ale formalnie rzecz biorąc, nie jest moim szefem, Jensen nim jest. Nie sądzę, żebyśmy z tego powodu mogli mieć kłopoty. I bądź co bądź jestem dyrektorem działu.

– Och, zaraz ci coś znajdę – powiedziała Heidi. – Moim noworocznym postanowieniem będzie: każda z moich dziewczyn z jednym z braci Wrightów.

– Zabij mnie – oświadczyłam, kręcąc głową – ale nie pozwolę ci kupić mi tej sukienki.

Zdjęłam ją i zaczęłam mierzyć pozostałe. Jednak żadna z nich nie umywała się do tamtej. Odwiesiłam sukienkę, ale Heidi z powrotem ją chwyciła. Wieszałyśmy ją i zdejmowały, aż wreszcie się poddałam. W końcu wzięłam sukienkę. Po cichu... nie mogłam się doczekać, by ujrzeć wyraz twarzy Jensena, kiedy mnie w niej zobaczy.

ROZDZIAŁ SZESNASTY

Jensen

Patrick nie przestawał śmiać się ze mnie przez dobre dziesięć minut. Gdybym był człowiekiem gwałtownym, już dawno wpakowałbym mu w gębę pięść. Tymczasem po prostu cierpliwie czekałem, aż się, kurwa, uspokoi. Za dwadzieścia minut przyjdzie tu Austin i do tego czasu Patrick powinien wziąć się w garść.

Było już wystarczająco źle, że Morgan wiedziała, co wydarzyło się z Emery. Nie chciałem, żeby Austin czegoś się dowiedział. Morgan i ja przynajmniej myśleliśmy podobnie. Zawsze tak było, mimo że jest ode mnie młodsza o siedem lat. Bardzo długo ludzie myśleli, że są z Landonem bliźniętami, ale pod względem osobowości nie mogliby różnić się bardziej. I czasami przychodziło mi do głowy, że to niesamowite, jak bardzo ona i ja nadawaliśmy na tej samej długości fali.

Więc przynajmniej wiedziałem, że nie pobiegnie do Landona, żeby naprawić sytuację. Musiałem tylko zdecydować, co mam zrobić. Bo wysyłanie przez cały tydzień esemesów do

Emery, na które nie było odpowiedzi, wyraźnie nie wychodziło mi na dobre.

I powinienem po prostu zostawić ją w spokoju. Powiedziałem, że tego właśnie chcę, chociaż to było kłamstwo. Nie byłoby mądrze obarczać ją bagażem moich problemów. Jednak nie potrafiłem przestać o niej myśleć. I do niej pisać. I rozważałem, czy nie pojawić się pod domem jej siostry z przenośnym radioodtwarzaczem i czekać, aż Emery do mnie wyjdzie.

Nie, tego chybabym nie zrobił. To działało tylko w filmach.

– Powiedz jeszcze raz, że dziewczyna z wesela jest byłą dziewczyną Landona – poprosił Patrick. – Za każdym razem, kiedy to mówisz, jest zabawniej.

W odpowiedzi jedynie spojrzałem na niego wzrokiem, który wyrażał głęboki brak zainteresowania.

– Co ty na to, żebyśmy już sobie darowali?

– Okej, okej – rzekł Patrick. Wyprostował się i otarł łzę z oka. – Po prostu wyobrażam sobie, jak teraz przegrywasz. Widziałem, jak podrywałeś więcej dziewczyn niż najsłynniejsi sportowcy.

– Nie przegrałem – warknąłem przez zaciśnięte zęby.

– Tak, akurat, jesteś kompletnie udupiony, a ona równo zamąciła ci w głowie. Co ty sobie myślałeś, człowieku?

– Myślałem, że sprawa z Emery jest zbyt skomplikowana – odparłem szczerze. Ze znużeniem oparłem się o drzwi gabinetu. Sprawy naprawdę były zbyt skomplikowane. A jednak nie mogłem zapomnieć o tym, że spędziliśmy razem cudowną noc, a potem spałem do rana. Obie te rzeczy graniczyły z cudem.

– Skomplikowane? – zapytał Patrick. Napełnił dwie szklanki wyśmienitym bourbonem. Alkohol, gulgocząc, wypłynął z kryształowej karafki. – Ni cholery nie jest skomplikowane, Jensen. Ona ci się podoba. To dlatego wariujesz.

– To byłby problem – powiedziałem.

Patrick pokręcił głową i podał mi szklankę. Uniósł swoją.

– Problem jest z twoją głową, stary. Bierz to, co dobre, dopóki możesz. Nie masz pewności, czy sprawy ułożą się źle, a stresując się tym, możesz je tylko popsuć. Ciesz się sytuacją, dopóki trwa.

Wychyliliśmy bourbona i Patrick wstał zza biurka. Uśmiechnął się chłopięco. Nigdy zbyt mocno ani zbyt długo nie zastanawiał się nad własnymi problemami. To dlatego obaj z Austinem nadal nie byli żonaci i od czasów college'u nie związali się na serio z żadnymi dziewczynami.

Nie mogłem mu powiedzieć, że dobrze wiem, że sprawy ułożyłyby się źle. To gwarantowane, jeśli weźmie się pod uwagę moją przeszłość. Nie mogłem znieść myśli, że czuję coś do Emery, ponieważ nie chciałem jej zranić. A jeśli naprawdę mnie pozna, to będzie nieuniknione.

– Jesteście gotowi? – zapytała Morgan, wchodząc do gabinetu.

Była ubrana w lśniącą czerwoną koktajlową sukienkę, ciemne, długie niemal do pasa włosy miała zakręcone w loki. Rzuciła spojrzenie na Patricka. Obaj mieliśmy na sobie smokingi. Jej wzrok powiedział mi jedno i tylko jedno. Chciałbym, aby ona i Patrick skończyli z tym w cholerę albo wreszcie posunęli się dalej.

Chociaż akurat teraz byłem ostatnią osobą, która miała prawo dawać takie rady.

– Tak. A Austin? – zapytałem.

Austin wszedł do gabinetu chwilę potem, niosąc kolejną butelkę bourbona. Była w połowie opróżniona i po jego oczach poznałem, że jest już pijany. Aż za dobrze znany widok. Dokuczałem mu mocno w związku z piciem, bo cholernie się martwiłem, że zostanie alkoholikiem jak nasz ojciec.

– Trzeba by już iść, brachu – powiedział Austin. Uniósł butelkę, jakby wznosił toast.

– Więc chodźmy na górę – zwróciłem się do nich.

Wyszliśmy wszyscy z gabinetu i ruszyliśmy korytarzem do windy, by wjechać na ostatnie piętro budynku Wright Construction. Był to masywny wysokościowiec w śródmieściu, z widokiem na kampus uniwersytetu Texas Tech. Z restauracji na górze rozpościerała się panorama Lubbock i podawano tu najlepsze w mieście jedzenie. Urządzaliśmy tu biznesowe kolacje i bankiety, a co roku w tym miejscu organizowaliśmy tradycyjne firmowe przyjęcie bożonarodzeniowe.

Pomieszczenie zdążyli już wypełnić członkowie personelu naszej korporacji, którzy na co dzień pracowali na piętrach poniżej. Zamiast biznesowych ubrań mieli na sobie najelegantsze koktajlowe stroje. Miałem wrażenie, że raz w roku biuro budzi się do życia. Nawet Mick z księgowości ubrał się elegancko i wyglądało na to, że dobrze się bawi. To najbardziej zrzędliwy stary facet, jakiego w życiu spotkałem.

Ludzie gromadzili się w kolejce przy barze, czekając na otwarcie bufetu. Przyjęcie było naszym podziękowaniem dla pracowników, którzy na koniec roku dostawali również premie.

Ściskałem dłonie i witałem się z ludźmi, kiedy przemieszczaliśmy się wśród tłumu, kierując się w stronę didżeja, który teraz puszczał świąteczne piosenki. Uważałem, że moją powinnością jest znać każdego z pracowników. Odkąd zmarł ojciec i przejąłem po nim firmę, moje życie niemal w całości wypełniła praca.

Pewne wyjątki od niej nadal mieszkały w Nowym Jorku i niezupełnie było tak, jak tego oczekiwałem. Ale na pracy zawsze
mogłem polegać.

Kiedy witałem się z ludźmi, wzrokiem szukałem jednej osoby. Heidi. Była najbliższą przyjaciółką Emery. Powinna wiedzieć, co zrobić w tej sytuacji. I chociaż nigdy nie rozmawiałem
z nią o niczym innym niż praca, zważywszy na procesję facetów padających u jej stóp, pomyślałem, że może ona zrozumie
powody, dla których tak się zachowałem.

Ale nie mogłem jej znaleźć.

Szybko zostałem zaprowadzony do stanowiska didżeja i prze-
kazano mi mikrofon.

Nic z tego nie będzie.

– Panie i panowie, czy mogę prosić o uwagę? – zagaiłem.

Rozmowy powoli cichły i twarze odwróciły się w moją stronę. Rozejrzałem się po sali, próbując dostrzec w tłumie Heidi.

– Nie chcę zabierać wam dużo czasu. Chciałbym tylko serdecznie podziękować za wszystko, co robicie dla tej firmy. Każda z obecnych tu osób przyczynia się do wzrostu i ciągłego roz-
woju Wright Construction.

Grupka osób w głębi sali zaczęła bić brawo, po czym
dołączyli do nich pozostali, przyklaskując swoim osiągnięciom.

– Ponadto chciałbym was wszystkich poinformować, że od
następnego tygodnia Wright Construction łączy się z Tarman
Corporation, która ma siedzibę w Austin.

Wokół rozległy się głośne szepty. Wszyscy próbowali zrozumieć, co to dla nich oznacza.

– Wright Construction kupuje tę firmę, aby rozwijać się na
terenie Teksasu i poza nim.

Miałem jeszcze coś dodać, kiedy w głębi sali pojawiła się postać. Miałem wrażenie, jakby reflektor został skierowany na Emery, ukazując mi ją. Wyglądała zachwycająco w obcisłej czarnej sukience. Przez moment stałem kompletnie znieruchomiały. Wszystkie myśli o tym, żeby ją zostawić dla jej własnego dobra, zniknęły. Nie miałem najmniejszego zamiaru pozwolić tej kobiecie odejść.

Poczułem na sobie jej wzrok. Uśmiechnęła się lekko, jakby cholernie dobrze wiedziała, co ze mną robi. To sprawiło, że zapragnąłem jej jeszcze bardziej.

– Jensenie – mruknęła Morgan, szturchając mnie.

– Hm… tak. No dobrze. Więcej szczegółów w tej sprawie będzie później – powiedziałem do mikrofonu. Zupełnie zgubiłem wątek. – A teraz pijcie dalej! I cieszcie się!

Oddałem mikrofon didżejowi i ruszyłem, by odnaleźć Emery, ale Morgan zastąpiła mi drogę.

– Pijcie dalej? Cieszcie się? – zapytała z niepokojem. – Co się z tobą, do cholery, dzieje?

– Myślę teraz o czymś innym.

– Jensenie, nawet im nie powiedziałeś, że nie będzie redukcji zatrudnienia. Nie powiedziałeś im, co ta fuzja oznacza, ani że będziemy mieli nowych pracowników z Tarmana.

– Więc ty im to powiedz, Morgan – odparłem.

Błądziłem wzrokiem ponad jej głową, by znów odnaleźć Emery, ale już jej nie dostrzegłem. Tak jakby była tylko złudzeniem.

– Co? – zapytała zaszokowana Morgan. – Chcesz, żebym to ja przemówiła do ludzi?

– Nazywasz się Wright, czyż nie? O fuzji wiesz tyle samo, co ja.

– Ale Jensenie… – szepnęła.

Uśmiechnąłem się i klepnąłem ją w ramię.

– Wierzę w ciebie.

– Zaczekaj, dokąd idziesz? – zapytała, kiedy się od niej odsunąłem.

– Popełnić kolejny błąd – odparłem, po czym wmieszałem się w tłum.

ROZDZIAŁ SIEDEMNASTY

Emery

Okej, a więc zrobiłam wielkie wejście.

Czułam się jak Drew Barrymore w filmie *Długo i szczęśliwie*, kiedy wchodząc do sali, szeptałam do siebie: oddychaj równo. Pochwyciłam wzrok Jensena. Przez moment wpatrywał się we mnie zaszokowany. Pławiłam się w blasku jego uwagi. A potem natychmiast i kompletnie straciłam odwagę i ukryłam się z Heidi w tłumie przy barze.

Co ja tu jeszcze robię?

Odtrącił mnie. Dwa razy.

Nieważne, że przez cały tydzień pisał do mnie esemesy. Były pozbawione sensu. W połowie z nich próbował mnie przekonać, że zostawił mnie dla mojego dobra, a w połowie, żebym dała mu jeszcze jedną szansę. Nie wiedziałam, do której połowy chciał mnie przekonać. Więc po prostu nie odpowiedziałam. Wciąż czułam ból po rozmowie, którą odbyliśmy w Death by Chocolate. Trzeba było po prostu zostać w domu. Właściwie chyba należało już wyjść.

Co ja próbuję udowodnić, przychodząc tutaj? Że potrafię przyciągnąć jego uwagę? Załatwione.

Wiedziałam, że nie będę mogła go zignorować, jeśli do mnie podejdzie, dlatego zniknęłam mu z oczu tak szybko, jak się dało. Powinnam była mieć dość siły, by go odtrącić tamtego dnia po naszej randce, ale teraz, po tygodniu jego esemesów, byłam zbyt zaciekawiona, by się cofnąć. Chciałam się dowiedzieć, dlaczego zachował się w ten sposób, czy ten facet, z którym byłam na pierwszej randce, wciąż gdzieś tam jest.

Podskoczyłam, czując na łokciu czyjąś dłoń. Obróciłam się i stanęłam twarzą w twarz z Jensenem Wrightem we własnej osobie.

– O – wyrwało mi się i poczułam się jak idiotka.

– O? – zapytał.

I wtedy zaczęłam się na niego gapić, bo widząc go wcześniej z daleka, nie mogłam oddać mu sprawiedliwości. Nie przypuszczałam, że będę należeć do tych dziewczyn, które omdlewają na widok faceta w smokingu, ale... niech to cholera, Jensen Wright nosił smoking jak drugą skórę. Długie proste linie podkreślały jego sylwetkę w taki sposób, w jaki nie mogłoby tego uczynić żadne inne ubranie. Ale może byłam nieobiektywna.

– To ty – wydusiłam w końcu.

– Zdajesz sobie sprawę, że to firmowe przyjęcie, prawda? – zapytał. Uniósł brew, jakby pytał: „Co tu, u diabła, robisz?".

– Być może gdzieś o tym słyszałam. – Wygięłam biodro, pozwalając mu dobrze przyjrzeć się czarnej sukience, którą dostałam kilka dni temu.

– Kiedy ostatnio sprawdzałem, nie pracowała pani dla mnie, panno Robinson.

– To prawda – przyznałam, trzepocząc rzęsami. – Czy ma pan zamiar mnie stąd wyrzucić?

– Mógłbym pozwolić pani zostać... jeśli powie mi pani, co tutaj robi.

Przełknęłam ślinę. Nie miałam na to odpowiedzi. Przyszłam, bo zaprosiła mnie Heidi, ale wiedziałam, że to nie była odpowiedź, jakiej oczekiwał, i nie był to nawet w połowie prawdziwy powód.

– Przyszłam posłuchać pańskiego błyskotliwego przemówienia, panie Wright. „A teraz pijcie!". Bardzo motywujące.

Roześmiał się niezmieszany. Głęboko, po męsku i szczerze.

– Dziękuję. To prawdopodobnie nie było moje najlepsze przemówienie, ale trochę mnie zdekoncentrowano.

– Ach tak? – spytałam niewinnie. – Co pana zdekoncentrowało?

– Piękna kobieta stanęła w drzwiach.

– Och – powiedziałam, wzruszając ramionami. – W takim razie musiała pana mocno zdekoncentrować.

Jensen przesunął dłoń po moim nagim ramieniu i stanowczo pokręcił głową.

– Nigdy.

Zdawało mi się, że z miejsca na ramieniu, którego dotknął, bije żar. W rzeczywistości całe moje ciało gorąco pragnęło zbliżyć się do niego. Pozwolić, by jego ręce znów po nim błądziły. Noc z nim miała być niezobowiązującą zabawą. Nie zakładałam niczego więcej. Sądziłam, że umiałabym się od niego uwolnić. A jednak byłam tu, na jego firmowym przyjęciu gwiazdkowym. Teraz stało się jasne jak słońce, że nie uwolnię się od Jensena Wrighta jednorazowym występem. Ale byłam pewna, że nie mam nic przeciwko temu, by próbować wciąż i wciąż od nowa, aż do skutku.

– Myślę, że powinienem cię stąd wyprowadzić, Emery – powiedział Jensen, przyciągając mnie bliżej do siebie.

– Teraz? – zapytałam zmieszana.

– Tak. Czy po drodze do wyjścia chciałabyś zobaczyć mój gabinet?

Otworzyłam lekko usta i patrzyłam, jak przywiera do nich wzrokiem.

Czy myślał o tym, jak go ssałam? Czy miał na myśli o wiele więcej?

To wszystko widziałam w jego oczach i byłam pewna, że odbijało się też w moich.

– Z przyjemnością.

Ruszyliśmy, nie oglądając się za siebie. Myślałam, że ktoś na pewno nas zatrzyma, kiedy będziemy wychodzić z restauracji. Ale wyglądało na to, że wszyscy są zbyt pochłonięci słuchaniem końcówki przemówienia Morgan, korzystaniem z otwartego baru i bufetu. Nikt nie zwrócił uwagi na to, że zniknęliśmy w windzie, zjeżdżając na nieoświetlony parter.

Drzwi windy rozsunęły się i Jensen wziął mnie za rękę, prowadząc do swojego biura. Doszliśmy do końca korytarza, Jensen włączył światło. To był ogromny narożny gabinet z wielkim mahoniowym biurkiem zajmującym środek pomieszczenia. Przez ścianę ze szkła było widać kampus. Nowoczesny i elegancki, gabinet bez wątpienia stwarzał wrażenie potęgi. Czułam płynącą z niego energię. To była ta sama siła i władza, którą emanował Jensen.

Stał za mną, przesuwając dłonie po moich rękach. Ustami dotknął mojego ramienia, składając na nim słodki, zaborczy pocałunek.

– Ignorowałaś mnie – wyszeptał.

Zadrżałam pod jego dotykiem. To było niesamowite, że przejście z tłumnego przyjęcia do jego gabinetu nadało mu tak wielką władzę. Tutaj byliśmy na jego terytorium. To było jego królestwo. A on to wiedział.

– Powiedziałeś mi, że popełniłeś straszny błąd – szepnęłam.

– Emery. – Jego dłonie powędrowały do mojej talii i przesunęły się po krągłościach mojego ciała.

Sukienka była bez pleców i czułam ciepło bijące z jego ciała poprzez smoking.

– Masz zasady, Jensen – zadrwiłam.

To właśnie powiedział. Chociaż wciąż nie miałam pojęcia, co to znaczyło. Postanowienie, żeby nie umawiać się z dziewczynami z tego miasta wydawało się dziwaczne.

Obrócił mnie ku sobie tak gwałtownie, że niemal się na niego zatoczyłam. Nie byłam przyzwyczajona do pożyczonych od Kimber wysokich szpilek od Louboutina i Jensen sprawił, że straciłam poczucie równowagi. Miałam wrażenie, że chwieję się, balansując między fantazją a rzeczywistością.

– Pieprzyć zasady – powiedział.

Pospiesznie ukryłam szok.

– Dlaczego? Dlaczego tak mówisz o zasadach, przez które mnie odtrąciłeś?

Jensen uniósł mi podbródek i zmusił, abym na niego spojrzała. Nawet nie zdawałam sobie sprawy, że wpatruję się w jego muszkę, próbując ukryć emocje. Ale wyraźnie malowały się na mojej twarzy. Oszołomienie, żądza, nadzieja, niedowierzanie.

Uniosłam ramiona, jakby w obronie przed zbliżającym się rozczarowaniem. Już widziałam, jak nadchodzi.

– Bo spędziłem z tobą najlepszą noc, miałem najlepszy seks – dodał, popychając mnie na biurko, a w wyobraźni ujrzałam, co moglibyśmy na nim robić – i przespałem pełne siedem godzin z tobą w ramionach. Cierpię na bezsenność i nie pamiętam, kiedy ostatni raz spałem tak długo. Powiedziałem ci tamto, bo cię lubię i nie wiedziałem, jak na to zareagować.

– Więc mnie odtrąciłeś?

– Tak, i nie jestem z tego dumny. – Jego wargi niemal dotykały moich, kiedy wyznał: – Ale nie mogę wyrzucić cię z głowy. Zawładnęłaś moimi myślami, marzeniami, moimi najgłębszymi pragnieniami i od tamtej nocy już nie mogłem zasnąć.

– Skąd mam wiedzieć, czy znów po prostu nie zmienisz zdania? – szepnęłam. Jednak byłam pewna, że mój głos zdradzał, że już podjęłam decyzję. Bez zastanowienia zrobiłabym z nim nieopisane rzeczy.

– Nie możesz tego wiedzieć, ale jestem gotów się o tym przekonać, jeśli i ty tego chcesz.

Kiwnęłam głową.

– Tak.

– To dobrze. Jedno pytanie, jak bardzo lubisz tę sukienkę? – zapytał, przyglądając jej się badawczo.

– Szczerze mówiąc, to prezent gwiazdkowy.

– Niech Bóg błogosławi tego, kto ci ją dał – odparł, uśmiechając się szeroko – ale chciałbym, żeby znalazła się na podłodze.

Z głębokim gardłowym śmiechem sięgnęłam do zamka błyskawicznego z boku. Sukienka ześlizgnęła się na biodra, a potem opadła na podłogę. Ponieważ była bez pleców, nie miałam na sobie biustonosza. Teraz stałam naga, poza czarnymi koronkowymi stringami i szpilkami od Louboutina.

Powoli uwolniłam nogi z sukienki i kopnęłam ją w bok. Dziękuję ci za prezent, Heidi!

– Tak lepiej – powiedział Jensen.

Pisnęłam przestraszona, kiedy gwałtownym ruchem posadził mnie na krawędzi biurka. Przesunął dłonią po blacie, z łoskotem zrzucając na podłogę połowę leżących tam rzeczy i robiąc mi miejsce. Położył mnie na plecach i uniósł mi nogi.

Próbowałam zrzucić buty, ale mnie powstrzymał.

– O nie. Jeśli nosisz przy mnie designerskie szpilki, szkoda byłoby cię w nich nie pieprzyć.

Sposób, w jaki na mnie patrzył, sprawił, że czułam ucisk w dole brzucha, moje ciało reagowało na niego… a nawet jeszcze mnie nie pocałował.

Całkiem zapomniałam o cholernych butach, kiedy boleśnie powoli i czule zaczął wędrować pocałunkami w górę po mojej prawej nodze. Dotarł na sam koniec wewnętrznej strony uda, a ja wiłam się pod nim, błagając o więcej. Ale nie dał mi tego, czego pragnęłam. Sięgnął do lewej nogi i zaczął ją całować w ten sam sposób. To była najcudowniejsza tortura. I inna niż to, co robiliśmy poprzednim razem.

Mimo że to był jego dom, tam byliśmy na równej stopie. Tutaj miał władzę i to on mnie prowadził. I wtedy, po raz pierwszy w życiu, pozwoliłam sobie na to, by można mnie było zniszczyć. Nie obchodziło mnie, co stanie się potem, co dalej będzie z nami. Pozwoliłam mu się drażnić tak długo, aż nie mogłam znieść już więcej. Rozłożył mi nogi mocniej i na wilgotnych stringach poczułam jego gorący oddech.

– Błagam – zakwiliłam.

Zaczepił palcami o stringi i zsunął je ze mnie. Byłam teraz kompletnie naga, z wyjątkiem wysokich szpilek.

Oparł moją stopę na biurku i spojrzał na mnie, jakby robił zdjęcie, które chciał zachować.

Potem sięgnął do guzika spodni. Rozsunął zamek błyskawiczny i opuścił spodnie. Jego nabrzmiały penis wystawał z bokserek i pragnęłam go dotknąć, wziąć w usta i słuchać, jak Jensen wciąż od nowa wydaje te zachwycające odgłosy. Ale w jego oczach widziałam, że ma na myśli coś innego.

Wziął członek w rękę, odnalazł kondom i założył go. Potem zbliżył się znów do mnie. Przez cały ten czas nawet nie drgnęłam. Oddychałam płytko, wyobrażając sobie, co teraz nastąpi. Ale nie mogłam się przygotować.

Bez słowa wszedł we mnie cały jednym pchnięciem. Byłam tak mokra, że niemal kapało ze mnie na biurko, a jednak z ledwością złapałam oddech, kiedy wypełnił mnie do końca.

Moje ciało czuło, że żyje.

Było pełne życia i euforii.

Trzymał moje biodra tak mocno, że pozostawiał ślady na skórze i sądziłam, że jutro będzie na niej widać sińce. Ale nic mnie to nie obchodziło. To taki cholernie seksowny ślad świadczący o tym, że mnie zdobył. I rzeczywiście mnie zdobywał.

Wysunął się ze mnie, a potem wbił się jeszcze mocniej. Zarzuciło mnie aż na kraniec biurka, ale nie przestawał się we mnie poruszać. Utrzymywał nierówne, erotycznie intensywne tempo, do którego nie byłam w stanie się dopasować, więc pozwoliłam mu przejąć całkowitą kontrolę, starając się nie krzyczeć aż tak głośno, żeby ludzie piętro wyżej mnie słyszeli.

To trwało krócej niż poprzednim razem. Nie mieliśmy szansy. Czas oddalenia sprawił, że oboje byliśmy napaleni i rozpaczliwie spragnieni kolejnego razu. Nie próbowałam tego przedłużać, a on nie zamierzał na to pozwolić. W tych warunkach możliwy był jedynie dziki, ostry i szybki seks.

Mózg odłączył mi się od reszty ciała i doszłam z błogą gwałtownością. Odpłynęłam w otchłań rozkoszy. Czułam jedynie pierwotne emocje. Czerpałam radość z tego, jak idealny był każdy moment. Doznałam tak nieprawdopodobnego, tak świadomego i silnego przeżycia, że wszystko inne straciło znaczenie.

Zdałam sobie sprawę, że Jensen wyczerpany opadł na mnie i doszłam do siebie. Nogi drżały mi jak u jagnięcia, które właśnie się urodziło, a na skórze lśniła warstewka potu. W oczach Jensena migotały iskry namiętności i radosnego uniesienia. Widziałam, że za chwilę znów byłby gotowy, ale w tym momencie było jedynie bezgraniczne poczucie spełnienia.

Wyślizgnął się ze mnie i zaprosił do łazienki przy swoim biurze. Kiedy się umyłam i wróciłam do niego, znów wyglądał nienagannie. Włożył smoking i gdybym przedtem nie widziała pod nim gwałtownego, dzikiego mężczyzny, nigdy bym nie pomyślała, że przed chwilą pieprzył mnie do utraty przytomności.

– Musisz wracać na przyjęcie? – zapytałam ostrożnie. Sięgnęłam po sukienkę i włożyłam ją, zapinając zamek błyskawiczny.

– Zdaje się, że jestem zajęty czymś innym – odparł.

Przyciągnął mnie do siebie i po raz pierwszy tego wieczoru namiętnie pocałował. Poddałam się jego ustom, nie pragnąc niczego poza tysiącem dalszych pocałunków.

– To mi się podoba – stwierdziłam.

– Myślę, że teraz będę musiał cię stąd zabrać.

– O? Na tacos? – zapytałam półżartem.

– Prawdopodobnie coś przyjemniejszego niż tacos po tym, czego przeze mnie doświadczyłaś przez ten tydzień.

– Nie musisz. Nie potrzebuję wykwintnej kolacji na przeprosiny. Podobała mi się nasza pierwsza randka – powiedziałam zgodnie z prawdą. – Czułam, że jest… prawdziwa.

Uśmiechnął się i znów mnie pocałował.

– Była prawdziwa.

ROZDZIAŁ OSIEMNASTY

Emery

– Emery! – krzyknęła Kimber.

– Chwileczkę! – zawołałam w odpowiedzi. Kończyłam się czesać, próbując zrobić z włosami to, co wcześniej Heidi, ale efekt był żałosny. Odłożyłam lokówkę i wzruszyłam ramionami. Lepiej, żebym pozostała sobą, niż próbowała stać się kimś, kim nie jestem. A zdecydowanie nie byłam dziewczyną, która stale układa fryzurę.

– Emery, natychmiast! – krzyczała Kimber przenikliwie.

Zmarszczyłam czoło i wypadłam z łazienki.

– O co chodzi? Co się dzieje?

Zastałam ją skuloną w pozycji embrionalnej na podłodze łazienki. Oddychała głęboko i krzywiła się z bólu.

– O Boże! – zawołałam. – Masz skurcze? Zaczynasz rodzić?

– Nie… – wykrztusiła, zginając się, jakby się obejmowała – …wiem. To mogą być tylko skurcze Braxtona-Hicksa.

– Mówisz do mnie w obcym języku – odparłam. Podbiegłam do niej i pomogłam położyć się na łóżku. – Nie wiem, co to znaczy. Co mogę zrobić? Gdzie jest Lily?

– Nic. Po prostu... o Boże! – powiedziała, zginając się znów z bólu. – Po prostu zostań tu przez chwilę. Lily bawi się w swoim pokoju.

– Okej. Mam sprawdzić, co z nią? Czy zostać tutaj?

– Em, to naprawdę nie ten czas. Po prostu potrzymaj mnie – gwałtownie ścisnęła mi dłoń – za rękę.

– Rozumiem. Mam cię trzymać za rękę.

– Skurcze Braxtona-Hicksa to tylko przygotowanie do właściwego porodu. Zwykle same mijają, ale jeśli tak się nie stanie, będę musiała jechać do szpitala.

– Powinnam zadzwonić do Noaha? – zapytałam.

Kiwnęła głową.

– Raczej tak, na wszelki wypadek. Wiem, że wolałby tu być.

Wybrałam numer Noaha i poinformowałam go, co się dzieje. Obiecał, że za parę minut będzie w drodze. Kiedy się rozłączyłam, Kimber miała kolejny skurcz. Nic nie wiedziałam o skurczach Braxtona-Hicksa, ale wyglądała, jakby bardzo cierpiała. Nawet jeśli nie zaczynał się poród, chciałam, żeby obejrzał ją lekarz. Noah powinien móc stwierdzić, czy coś nie jest w porządku, ale byłabym szczęśliwsza, gdybyśmy zawieźli ją do szpitala.

Noah przyjechał z centrum medycznego w rekordowym czasie. Szybko obejrzał żonę.

– Wygląda na to, że sprawy szybko posuwają się do przodu. Lepiej dmuchać na zimne, kochanie.

– Weź torbę – powiedziała Kimber z westchnieniem. – Miałam nadzieję, że ona poczeka, aż miną święta. Jeszcze jest wcześnie.

– Jest uparta jak jej matka. Przychodzi i wychodzi, kiedy chce, w ogóle się z nikim nie konsultując – zażartowałam.

Kimber posłała mi smętny uśmiech.

– Możesz zaopiekować się Lilyanne pod naszą nieobecność? Niechętnie cię proszę. Wiem, że masz dzisiaj randkę.

– Oczywiście, że mogę zaopiekować się Lily. Nawet się nad tym nie zastanawiaj. Przede wszystkim upewnij się, że wszystko jest z tobą w porządku. Możesz być pewna, że ja tu wszystkiego dopilnuję.

Kimber pocałowała mnie w policzek.

– Ratujesz mi życie.

– Przyślij mi esemes, jeśli będziesz mnie potrzebować! – zawołałam, gdy wychodzili.

Powlokłam się z powrotem do swego pokoju i wybrałam numer Jensena. Wiedziałam, że od kilku dni planował naszą oficjalną randkę. Miał do załatwienia wiele zaległych spraw i nie widziałam się z nim ani razu z wyjątkiem spotkania w kościele w niedzielę rano. Ale rozmawialiśmy ze sobą co wieczór i uważałam, że robimy postęp na drodze do czegoś normalnego.

– Cześć, Emery – powiedział, odbierając telefon. – Właśnie miałem wychodzić.

– Tak naprawdę…

– O nie, odwołujesz?

– Nie miałam zamiaru – zapewniłam go. – U mojej siostry zaczęły się bóle porodowe, czy pseudoporodowe, i pojechali do szpitala. Obiecałam jej, że zaopiekuję się siostrzenicą. Więc chyba będziemy musieli odwołać spotkanie.

– Hmm… Co powiesz na to, żebym wpadł i pomógł ci pilnować dziecka?

– Ty… co? Chcesz mi pomóc opiekować się Lily? – zapytałam zbita z tropu.

– Nadal chciałbym się z tobą zobaczyć. I lubię dzieci.

– Ale to nie nasza elegancka kolacja…

– Nie. Ale nie widziałem cię od wielu dni i nie zamierzam zrezygnować z okazji. Chyba że nie chcesz, żebym kręcił się koło twojej siostrzenicy?

– Nie, nie o to chodzi. Bardzo bym chciała, żebyś wpadł. Założę się, że Lilyanne też.

– Świetnie. Więc to będzie randka.

Włożyłam komórkę do kieszeni i pobiegłam do pokoju Lily. Kiedy weszłam, nadal spokojnie się bawiła. Kimber nie chciała, żeby jej mówić, że coś jest nie tak, dopóki nie będą pewni, że zaczyna się poród. Nie miała wątpliwości, że Lily nie zasnęłaby przez całą noc. Więc do mnie należało zabawianie kochanego malucha, dopóki nie dowiem się czegoś konkretnego.

– Jak tam, robaczku? – zapytałam. – Co porabiasz?

– Bawię się z Barbie. – Miała na podłodze kolekcję lalek w różnych strojach.

– Chciałam ci tylko powiedzieć, że mamusia i tatuś pojechali do doktora na badania i dzisiaj ja będę się tobą opiekować.

– Czy moja siostrzyczka już przychodzi? – zapytała, a jej oczy rozszerzyły się z podniecenia.

– Jeszcze nie. To tylko badania, ale to znaczy, że dziś wieczór posiedzisz z ciocią Em. Wiesz, co to oznacza?

Lily podskoczyła.

– Lody z posypką i filmy Disneya!

– Właśnie tak, panienko!

Wzięłam ją na ręce i zaniosłam po schodach na dół. Zajrzałyśmy do zamrażarki. Wiedziałam, gdzie Noah próbuje schować lody o najlepszych smakach. Wyjęłyśmy wszystkie, żeby zdecydować, na które mamy ochotę. Lubiłam dawać jej miskę lodów tak wielką jak w filmie *Kevin sam w domu*, a potem przekazywałam ją siostrze. Dzisiaj będę musiała sama położyć ją spać, więc góra lodów raczej nie była najlepszym pomysłem.

Włożyłam jej do miseczki kilka łyżek lodów czekoladowych, a do swojej trochę truskawkowych, waniliowych i sernikowych z sosem truskawkowym. Dodałyśmy do nich polewę czekoladową i posypkę, wzięłyśmy miseczki i poszłyśmy do salonu.

Lily była zajęta wybieraniem filmów, kiedy rozległ się dzwonek do drzwi.

– Ja otworzę! – krzyknęła. – Mamusiu, tatku, czy jest już moja siostra?

Roześmiałam się i poszłam za nią.

– Wiesz, że jeszcze nie pora. Za to mam dla ciebie inną niespodziankę.

Nacisnęłam klamkę i otworzyłam drzwi. Jensen stał na progu. Miał na sobie dżinsy i koszulę i na jego widok zaparło mi dech. Minęło zaledwie kilka dni, a już tęskniłam za tym uśmiechem.

– Mój chłopak! – zawołała Lily.

Jensen się roześmiał.

– Cześć, Lilyanne. Słyszałem, że masz całkiem fajną opiekunkę i pomyślałem, że tu zajrzę, żeby z wami posiedzieć. Co ty na to?

– Tak! Gdzie są moje kwiaty? – zapytała.

– O rany! – żachnęłam się.

– Chyba mogłem się tego spodziewać – odparł Jensen.

Cofnęłam się, by nie stał na zimnie i wszedł do domu. Lilyanne chwyciła go za rękę i poprowadziła do salonu. Cały czas paplała o lodach i zapytała go, jaki film chce obejrzeć oraz czy może pomalować mu paznokcie. Dusiłam się ze śmiechu, który bezskutecznie starałam się powstrzymywać. Jednak Jensen w najmniejszym stopniu nie wydawał się zirytowany tymi pytaniami.

– Chyba też chciałbym dostać lody, zanim zaczniemy oglądać film – powiedział jej.

– Ja pomogę! – krzyknęła Lilyanne. – Bardzo dobrze robię posypkę.

– Na pewno! – Podniósł ją i posadziwszy sobie na ramionach, zaniósł do kuchni.

Siedząc tak wysoko, Lilyanne piszczała z radości, a ja poszłam za nimi, przyglądając się temu z podziwem.

Jensen nałożył sobie lody i pozwolił Lily dodać posypkę. Wziął miseczkę i z Lily na ramionach poszedł do salonu. Posadził ją przed półką z filmami Disneya, a potem pochylił się i przyciągnął mnie do siebie.

– Tęskniłem za tobą – powiedział. Pocałował mnie mocno, ale szybko.

– Ja też za tobą tęskniłam. Jesteś pewien, że nie masz nic przeciwko temu?

– Czy wyglądam, jakbym miał?

Pokręciłam głową. Zdecydowanie tak nie było.

– Kto by przepuścił wielką miskę lodów i filmy Disneya? – zapytał.

– Jestem pewna, że nikt.

– Znalazłam! – zawołała Lilyanne.

– Pozwól, że zgadnę – powiedziałam.

– Nie! To niespodzianka.

– Okej. Nie będę patrzeć – zgodziłam się. Wzięłam od niej Blu-ray i włożyłam do odtwarzacza.

Lilyanne zajęła miejsce obok Jensena, a mnie kazała usiąść po swojej drugiej stronie. Ponieważ Lily była pośrodku, Jensen przerzucił ramię przez oparcie kanapy i położył mi dłoń na ramieniu. Uśmiechnęłam się do niego, kiedy na ekranie pojawiła się czołówka filmu *Kraina lodu*. Już po paru minutach wspólnie śpiewaliśmy. Gdy zaczęła się piosenka *Mam tę moc*, kołysaliśmy z Jensenem Lily między nami i śpiewaliśmy razem refren.

Skończyliśmy oglądać *Krainę lodu* i byliśmy w połowie *Zaplątanych*, kiedy Lily zaczęła przysypiać. Ku mojemu zdumieniu już dawno minęła godzina, o której chodziła spać. Mała leżała pomiędzy nami z głową na poduszce na moich kolanach. Zamknięte powieki drgały jak przy hipoglikemii. Poczekałam, aż w pełni zaśnie, i wysunęłam się spod niej.

Sięgnęłam po telefon i zobaczyłam, że przyszedł esemes od Kimber.

Wszystko jest w porządku. To były skurcze Braxtona-Hicksa, ale trwały bardzo długo, więc doktor chciał mnie dokładnie zbadać. Powiedziano mi, że muszę odpoczywać, ale chybabym umarła, bo nawet nie dokończyłam świątecznych zakupów! Niedługo będę w domu!

Dopóki z dzieckiem jest dobrze, tylko to się liczy. Możemy zrobić zakupy w Amazonie i wszystkie prezenty nam przywiozą!

– U Kimber wszystko jest w porządku. Niedługo przyjadą ze szpitala.

– To dobrze. Cieszę się, że dziecko nie urodziło się przedwcześnie – powiedział Jensen. – Chcesz, żebym zaniósł Lily do jej pokoju?

– Nie miałbyś nic przeciwko temu?

Jensen nawet nie odpowiedział. Po prostu wziął Lilyanne na ręce jak lalkę i bez wysiłku zaczął wchodzić z nią po schodach na górę. Poszłam za nim. Delikatnie położył ją na łóżku i otulił kołdrą. Uśmiechnął się, kiedy westchnęła zadowolona.

Przymknął za nami drzwi. Wziął mnie za rękę i zeszliśmy na dół. Kiedy zwinęłam się przy nim na kanapie, film nadal trwał.

– Naprawdę świetnie sobie z nią radziłeś – powiedziałam.

– Lubię dzieci.

– Ja lubię dzieci dobrze wychowane. Lilyanne to aniołek w porównaniu z niektórymi dzieciakami w jej wieku.

– To prawda – przyznał. Spojrzał na mnie i uśmiechnął się. – Jest w niej mnóstwo możliwości. Kocham to w niej. Jest taka radosna i pełna życia. Myślę, że uzmysławia nam wszystkim, że powinniśmy więcej z niego czerpać. Być bardziej beztroscy.

Pokiwałam głową.

– To właśnie cała Lily.

Westchnęłam i pomyślałam o tym wszystkim w moim życiu, co nie było pełne radości. O tym, co spowodowało, że teraz się tu znalazłam.

– Po części dlatego zrezygnowałam z przewodu doktorskiego.

– Co masz na myśli? Przestałaś się czuć beztrosko?

– Nie dawało mi to żadnej radości. Żałuję, że nie zrozumiałam tego wcześniej. Szkoda, że musiałam dostać po głowie, by do mnie dotarło, że ten program nie był odpowiedni. To znaczy… Zdałam już wszystkie egzaminy. Musiałam tylko dokończyć dysertację i obronić ją przed komisją.

– Jak mogłaś zrezygnować, skoro tak niewiele ci zostało? – zapytał zaskoczony.

Zagryzłam wargę i odwróciłam wzrok.

– Tak naprawdę wcale tego nie kochałam. Myślę, że po prostu robiłam to, bo jedna rzecz mnie tam trzymała. Przestałam radzić sobie ze stresem. Po prostu nie potrafiłam go kontrolować i musiałam sięgnąć po leki przeciwlękowe. Do tego, no cóż, odkryłam, że mój promotor sypia ze studentką.

– Jezu – powiedział. – Co za kutas. Wylali go?

– Nie doniosłam na niego. Po prostu z nim zerwałam i opuściłam uniwersytet.

Nie byłam pewna, czy mogłabym go bardziej zaszokować. Dosłownie szczęka mu opadła.

– Spotykałaś się ze swoim profesorem? – zapytał.

– Tak, prawie trzy lata. Witaj w moim życiu. – Zaśmiałam się z trudem.

– Jak dawno temu zorientowałaś się, że cię zdradza?

Kłykcie mu zbielały, kiedy zacisnął pięści, i zauważyłam, że jest wkurzony. Nie, wściekły. Gdyby mógł, zamordowałby Mitcha za to, że mnie zranił. Czasami sama chciałam go zamordować za to, co mi zrobił. Kiedy indziej wydawało mi się, że cała ta sprawa to jeden wielki żart. Beztroski, niekłopotliwy żart. Ale już nie myślałam, że to była miłość czy choćby pożądanie.

– Nie wiem. Dwa tygodnie? – Obojętnie wzruszyłam ramionami.

– Kurwa. Przykro mi z tego powodu. I zaledwie dwa tygodnie temu? Nic dziwnego, że nie chciałaś umówić się na randkę. – Rozluźnił zaciśnięte w pięści dłonie i znów spojrzał na mnie. – To wszystko jest za wcześnie?

– Nie – odparłam natychmiast. Wyciągnęłam rękę i przesunęłam dłonią w dół po jego koszuli. Nie chciałam, by myślał, że wciąż jestem zakochana w Mitchu albo że usycham za nim

z tęsknoty. – Skończyłam z Mitchem na długo przedtem, zanim z nim zerwałam. Po prostu nie zdobyłam się na odwagę, by
uświadomić sobie, czego naprawdę chcę.

– A czego naprawdę chcesz? – zapytał, obejmując mnie
i przyciągając do siebie.

– Czegoś, co jest moją prawdziwą pasją.

– A co to jest?

– Naprawdę nie jestem pewna. Myślę, że potrzebuję czasu,
żeby zdecydować.

– Masz nieskończenie dużo czasu.

Musnął ustami moje usta. Przylgnęłam do niego z westchnieniem. Podobało mi się, że mam mnóstwo czasu, by prze-
myśleć, czego naprawdę chcę w życiu poza tym, żeby Jensen
mnie teraz całował.

– Co robisz w przyszłym tygodniu? – zapytał, wciąż dotykając moich warg.

– Spotykam się z tobą, mam nadzieję.

– Muszę jechać do Austin na kilka dni, żeby podpisać pewne
dokumenty. Co ty na to, żeby pokazać mi miasto?

Przechyliłam głowę i spojrzałam na niego zaskoczona.

– Naprawdę? Ale tylko kilka dni zostało do Bożego Narodzenia.

– Interesy wzywają – stwierdził cynicznie. – Ale bardzo bym
chciał, żebyś ze mną pojechała, jeśli możesz.

– Muszę sprawdzić, co mam do zrobienia w muzeum
Buddy'ego Holly'ego, ale chyba będę mogła. Poza tym byłoby bardzo fajnie tam pojechać, bo muszę zabrać z mieszkania resztę swoich rzeczy, zanim w styczniu ktoś przyjedzie je
wynająć.

Jensen uśmiechnął się przebiegle.

czywiście będąc tam, możemy się zatrzymać i zabrać
je rzeczy, ale, Emery…

Zatopił palce w moje włosy, a ja zatraciłam się w jego dotyku,
gdy delikatnie całował moją szyję.

– Hmm?

– Nie pojedziemy samochodem, kochanie.

ROZDZIAŁ DZIEWIĘTNASTY

Emery

Nie, zdecydowanie nie jechaliśmy samochodem.

Patrzyłam na prywatny odrzutowiec Wrightów z mieszaniną szoku i podziwu. Była to wspaniała, lśniąca maszyna, którą mieliśmy dolecieć do Austin w nieco ponad godzinę. I mieliśmy ją całą dla siebie. Zaledwie parę tygodni temu żartowałam, że ma prywatny samolot, i oto właśnie miałam wsiąść do tego cholerstwa. Czułam się, jakbym się znalazła w nierzeczywistym świecie.

– Proszę pozwolić mi wziąć pani bagaż, panno Robinson – powiedział mężczyzna. Wystrojony w garnitur, wyglądał stosownie jak cholera.

– Och, hm… okej – odparłam, wypuszczając torby z rąk.

– Dziękuję, Robbie – powiedział Jensen. Wziął mnie za rękę i uśmiechnął się, widząc osłupiały wyraz mojej twarzy. – Dlaczego wydajesz się taka zaskoczona? Wiedziałaś, że polecimy samolotem.

– Jasne. Po prostu… to niezwykłe. – Zamilkłam i włożyłam wolną rękę do kieszeni, żeby ukryć skrępowanie na widok takiego bogactwa. – Czy na wszystkich dziewczynach próbujesz robić wrażenie w ten sposób?

– Nie. – Przyciągnął mnie do siebie za rękę i przyjrzał mi się uważnie. – Tylko na tobie.

Nie wierzyłam mu, ale to nie miało znaczenia. Byłam pewna, że wykorzystywał prywatny samolot do uwodzenia wielu dziewczyn. Ale teraz należał do mnie i nie zamierzałam pozwolić, by takie myśli położyły się cieniem na nasz wspólny czas. Chciałam po prostu cieszyć się przygodą, jaka zdarza się tylko raz w życiu. W Teksasie odległości mierzy się w godzinach, nie w milach. Skrócenie czasu podróży, do którego się tak przyzwyczaiłam, było luksusem.

Weszliśmy po schodkach do luksusowej kabiny. Zobaczyłam siedzenia pokryte skórą kremowej barwy, w pełni wyposażony barek i telewizory z płaskimi ekranami. Drzwi w głębi były zamknięte i mogłam sobie tylko wyobrazić, co się za nimi znajdowało. Założyłabym się, że królewskich rozmiarów łoże albo jacuzzi. Zaśmiałam się do myśli, które błądziły mi po głowie.

Jensen stanął obok i objął mnie w talii.

– Co cię tak śmieszy?

– Nic.

– Na pewno? – zapytał, całując mnie w ucho.

– Po prostu podejrzewam, że tam z tyłu masz ukryte jacuzzi albo coś – odparłam, wzruszając ramionami.

Znów mnie pocałował i zaśmiał się cicho.

– Niezupełnie. Tam się pracuje.

– To o wiele nudniejsze.

Przytulił mnie i usiedliśmy na kanapie. Wrócił Robbie i zaproponował nam drinki przed wylotem. Mnie przyniósł mimozę, a Jensenowi krwawą mary.

Uniosłam kieliszek.

– Na zdrowie.

– Gdzieś na świecie już jest wieczór, więc możemy sobie pozwolić na drinka* – powiedział Jensen.

Zderzyliśmy się kieliszkami i Jensen pociągnął długi łyk, kładąc rękę na oparciu kanapy. Samolot zaczął kołować po pasie startowym.

– A więc co to za wielki plan w sprawie tych twoich dokumentów? – zapytałam.

– Po południu oficjalnie podpisuję umowę fuzji z Tarman Corporation. Czyli będziemy mieli dla siebie dzisiejszy ranek i cały jutrzejszy dzień.

– Świetnie. To mi się podoba. Jest coś, co chciałbyś zobaczyć, kiedy będziemy w mieście?

– Cokolwiek zechcesz mi pokazać. Przecież to ty tam mieszkałaś.

– Fakt. Mam parę pomysłów.

– Doskonale. Ja też – powiedział, zbliżając usta do moich.

Pieściliśmy się niemal przez całą drogę. Rozczarowałam się trochę, gdy Jensen pokazał mi tył samolotu, który rzeczywiście okazał się przeznaczony do pracy. Byłam jednak wystarczająco podekscytowana tym, że jestem tu z nim, piję drinki i jem wykwintne kanapki na milę wysoko w powietrzu. Wkrótce Robbie ogłosił, że będziemy lądować i zapięliśmy pasy.

---

* W oryginale: *It's five o'clock somewhere*. Popularne powiedzenie, którym usprawiedliwia się picie alkoholu o dowolnej porze dnia. Znaczy, że niezależnie od tego, która jest godzina, gdzieś na świecie jest piąta, czyli czas, kiedy już wypada to robić.

Samolot wylądował gładko na międzynarodowym lotnisku Austin-Bergstrom. Robbie wyjął nasze torby i umieścił je w bagażniku czekającego na nas samochodu.

W głowie mi się nie mieściło, że to jest Jensen, z którym się spotykałam. Kiedy byliśmy razem, nie był prezesem Wright Construction. Jeździł terenówką, jadł tacos i nosił dżinsy. Zapominałam przez to o jego pieniądzach i ceniłam to. Nie widziałam, by kiedykolwiek demonstrował swoje bogactwo, ale byłam pewna, że w kontaktach biznesowych czasami musiał to robić. Najważniejszy jest wizerunek.

– Najpierw do mieszkania? – zapytał, otwierając przede mną drzwi samochodu.

– Chyba tak. – Wślizgnęłam się na tylne siedzenie, a Jensen zajął miejsce obok mnie.

Patrzyłam na przesuwający się przez okno obraz miasta, w którym przeżyłam ostatnie trzy lata. Chociaż studiowałam w college'u w Oklahomie, uwielbiałam Austin. Może nie jego drużynę futbolową, ale z pewnością samo miasto. Miało szczególną energię, jaką trudno znaleźć gdziekolwiek indziej. Z foodtruckami, hipsterskim stylem życia i ogólną dziwacznością było to wymarzone miejsce do zamieszkania, o ile nie zwracało się uwagi na nieustające korki na ulicach.

Moje mieszkanie było w takim stanie, w jakim je zostawiłam. W nieładzie.

Zawstydziłam się, otwierając drzwi. Bez wątpienia przeszło tędy tornado. To było jedyne wytłumaczenie jego wyglądu – poza tym, że nie dbałam o nie prawie trzy lata, a potem wyjeżdżając, opuściłam je w pośpiechu.

– Hm... Może powinieneś zaczekać w samochodzie – zasugerowałam, nie pozwalając mu wejść do pokoju.

– Co? Dlaczego?

– No bo tu jest straszliwy bałagan. I potrzebuję paru minut... albo godzin, żeby zrobić porządek.

Jensen uniósł brew.

– Nie będziemy tu tracić czasu. Czemu po prostu nie zabierzemy rzeczy, których potrzebujesz? Potem przyślę tu ekipę sprzątającą, która zapakuje ci resztę.

– Mowy nie ma! Nie mogę pozwolić ci zapłacić za sprzątanie mojego mieszkania!

– Dobrze. To pozwól mi wejść – odparł.

Spojrzałam na niego. Nie powinnam próbować negocjować z kimś, kto zarabia tym na życie.

– W porządku. Tylko mnie nie oceniaj.

– Będę cię oceniał jako niesamowitą kobietę, którą jesteś. Za nic innego.

Jego słowa mnie oszołomiły i zaprosiłam go do środka.

– Ostrzegałam cię.

Wszedł i roześmiał się.

– Zbyt pochopnie to powiedziałem.

Klepnęłam go w pierś.

– Palant.

– Żartowałem. Żartowałem. Chodź, zacznijmy już.

Spędziliśmy jakieś czterdzieści pięć minut, przekopując się przez sypialnię, zanim w końcu ustąpiłam. Miał rację. Jak na jeden poranek było tu za dużo pracy. Potrzebowałabym kilku dni, żeby uporządkować swoje rzeczy. Będzie lepiej, jeśli po prostu wszystko spakuję i odeślę do domu, gdzie później będę mogła się z tym uporać. Na szczęście meble zostaną na ten semestr dla osoby, która wynajmie mieszkanie.

Zabraliśmy pudła do auta, a potem zameldowaliśmy się w apartamencie, który Jensen zarezerwował. Nawet nie zauważyłam, kiedy zatelefonował do kogoś, żeby przyjechał do mojego mieszkania, ale po drodze na kampus powiedział mi, że ekipa będzie tam jutro.

Nawet jeśli w liceum spotykałam się z Wrightem, nie miałam tego, co teraz. Ich ojciec był bogaty, ale wtedy nie rozumiałam, czym są pieniądze. Nie uświadamiałam sobie, co oznaczały, tak jak wiedziałam to teraz, kiedy ich nie miałam. Przy Jensenie było wyraźnie widać, że z takim bogactwem przychodzą władza i prestiż. Sprawa została załatwiona, a on nawet nie zdążył mrugnąć.

Dojechaliśmy przed kampus, po którym chciałam go oprowadzić, ale zaczynałam już być śpiąca. Nie nadawałam się do wczesnego wstawania.

– Zaczniemy od kawy? – zaproponowałam.

– Zdecydowanie.

Przeszliśmy przez ulicę do mojej ulubionej kafejki. Przychodziłam tu miliony razy, ponieważ z Garrison Hall, w którym mieścił się Wydział Historii, miałam do niej tylko krótki spacer. Drugą najbliższą kawiarnią był Starbucks, ale w Austin należało bywać w miejscowych lokalach. Zwłaszcza gdy chodziło o kawę... i tacos.

Serce mi zabiło, kiedy zbliżyliśmy się do budynku, przed którym wystawiono błyszczące czarne stoliki, w połowie puste. Trwały ferie, więc siedziało przy nich tylko kilka osób. Weszliśmy do środka i wciągnęłam nosem aromat parzonej kawy. Niemal poczułam na języku smak ulubionej latte.

Wtedy wszystko się zawaliło.

Stanęłam jak wryta.

Jensen był już dwa kroki przede mną, gdy się zorientował, że nie idę za nim.

Ale nie mogłam oderwać wzroku od tego, co miałam przed sobą.

W ogóle nie przyszło mi do głowy, że Mitch może być tutaj.

– Co się stało? – zapytał Jensen. Zawrócił i stanął przede mną. – Ej, powiedz, co się dzieje.

– Emery – odezwał się Mitch zza ramienia Jensena.

Jensen obrócił się gwałtownie i zmierzył wzrokiem stojącego przed nim mężczyznę. Mitch był średniego wzrostu, długie jasne włosy nosił zaczesane do tyłu. Miał na sobie czarną marynarkę i dżinsy. Zawsze mi się wydawało, że wygląda bardzo elegancko, a inteligencja czyniła go jeszcze bardziej pociągającym. Jednak widząc go teraz obok Jensena, zdałam sobie sprawę, że Mitch wygląda tanio i niechlujnie.

Być może był fajnym profesorem.

Na pewno nie był seksownym prezesem firmy z listy najbogatszych według magazynu „Fortune".

Wyglądało na to, że Jensen błyskawicznie dodał dwa do dwóch. Z ledwie skrywanym gniewem zasłonił mnie przed Mitchem.

– Pójdźmy gdzie indziej.

– W porządku – powiedziałam, odzyskując głos. Dotknęłam jego ramienia. – To moja ulubiona kafejka.

– Jesteś pewna? – zapytał.

Kiwnęłam głową i Jensen ustąpił. Ale nadal był spięty i wyglądał, jakby szykował się, by uderzyć Mitcha, gdyby ten podszedł bliżej.

– Tak się cieszę, że wróciłaś. Wiedziałem, że to zrobisz – powiedział Mitch z zadufanym uśmiechem.

Podszedł i wyciągnął rękę, by mnie objąć. Zaszokowana cofnęłam się z odrazą.

Jak mógł pomyśleć, że zechcę go dotknąć po tym, co zrobił?

Zanim zdążyłam się odezwać, Jensen ciężko położył rękę na ramieniu Mitcha, nie pozwalając mu znów zbliżyć się do mnie. Widziałam, że w nim wrze.

– Nie dotykaj jej! – warknął. Pchnął go lekko i puścił rękę.

Mitch potraktował go jak powietrze. Jensen wyprężył się i wyglądał, jakby stał się jeszcze wyższy i potężniej zbudowany. Był teraz czystym testosteronem i agresją. Mitch miał na ustach swój typowy chytry uśmieszek. Oceniał sytuację, mierząc Jensena wzrokiem wyraźnie po to, by okazać mu lekceważenie.

– Zawsze miło poznać przyjaciela Emery – powiedział, przeciągając dłonią po włosach. – Jestem jej promotorem. Doktor Mitch Campbell. – Wyciągnął rękę, tak jakby Jensen przed chwilą nie odepchnął go ode mnie.

Jensen spojrzał na nią zimno.

– Wiem, kim pan jest.

– I nie jesteś moim promotorem – wtrąciłam. – Zrezygnowałam z programu.

Mitch roześmiał się i machnął ręką, jakby trzymał w niej magiczną różdżkę, która mogła wszystko naprawić.

– Tamtego dnia po prostu byłaś przygnębiona. Poinformowałem wydział, by wycofano twoją rezygnację, i przywróciłem cię do programu. Wiedziałem, że zechcesz dokończyć doktorat. Został ci tylko rok.

Na te słowa szczęka opadła mi niemal do podłogi.

– Co zrobiłeś?!

– Władze wydziału były zaskoczone na wieść, że ni z tego, ni z owego zrezygnowałaś tuż przed końcem. Tak jak i ja,

Emery – powiedział Mitch. – Nie wiem, co się według ciebie wydarzyło, ani czemu miała służyć twoja rezygnacja, ale już po wszystkim. Nie musisz podchodzić do tego tak irracjonalnie. Załatwiłem dla ciebie tę sprawę.

– A co się, według mnie, wydarzyło? – zadrwiłam.

– To manipulacja – mruknął Jensen pod nosem. – Zabawne.

– Nawet nie mam czasu tego wysłuchiwać – powiedziałam z wściekłością. – Wiem, co się wydarzyło. Wiem, co mi zrobiłeś. I rezygnuję z doktoratu. Nie mogę uwierzyć, że poszedłeś i za moimi plecami wycofałeś papiery, które wypełniłam.

– Emery – rzekł, robiąc krok w moją stronę.

– Nie podchodź.

– Słyszałeś ją – ostrzegł Jensen. Stanął między nami. – Ostatnia rzecz, jaką chciałbyś teraz zrobić, to urządzić scenę. I ostatnia rzecz, jakiej sobie życzysz, to żebym poruszył tę sprawę z rektorem albo dyrektorem administracyjnym uczelni. Tak się składa, że z oboma jestem po imieniu.

– Grozisz mi? – zapytał Mitch.

– To zależy od tego, czy w tej chwili wyjdziesz stąd, czy nie.

– Kim jest ten facet, Emery?

– Jest moim... – zaczęłam i zamilkłam.

Kim był Jensen?

– Chłopakiem – wszedł mi w słowo.

Otworzyłam szeroko oczy. Chłopakiem? Zaraz, zaraz! Jak mam to rozumieć? Stałam z otwartymi ustami, nie bardzo wiedząc, co powiedzieć. Nie żeby mi się nie podobało to wyznanie, ale nie wiedziałam, co tak naprawdę jest między nami. Dokąd zmierzamy.

Tymczasem on otwarcie się do mnie przyznawał.

Jensen Wright ogłaszał, że jestem jego dziewczyną.

– Chłopak – powiedział Mitch. Wydawało się, że rozważa potencjalne możliwości. Spojrzał na mnie, ale tylko ostrzegawczo zmrużyłam oczy. – Hm, szybko ci poszło.

– Niedostatecznie szybko – mruknęłam.

– Dlaczego nie jestem zaskoczony? – odparł Mitch, sięgając po swoją modną skórzaną torbę. – Zawsze lubiłaś być utrzymanką.

Wzdrygnęłam się, słysząc to stwierdzenie, a Mitch ominął Jensena i wyszedł z kawiarni. Dołożył mi, a ja pozwoliłam mu mieć ostatnie słowo. Kretynka.

– Emery...

– Napijmy się kawy – szepnęłam. W głowie mi się kręciło. Po konfrontacji z Mitchem i po tym, jak Jensen powiedział, że jest moim chłopakiem, musiałam chwilę ochłonąć.

– Nie zamierzałem cię zaskoczyć. – W jego głosie usłyszałam niepewność.

Spojrzałam na niego i zobaczyłam, że wygląda, jakby naprawdę był zmieszany.

– Chciałem, żeby to się odbyło romantycznie. Miałem zamiar zabrać cię na kolację przy świecach i zapytać, czy zechcesz zostać moją dziewczyną. Ale to mi się trochę wymknęło.

– Och – odparłam cicho. – Wow.

– Wiem, że to dzieje się szybko i że mam ci wiele do opowiedzenia, ale po prostu chcę, żebyś była moja. – Wyciągnął rękę i odsunął mi z twarzy pasmo włosów. – Nie potrafię usunąć cię z myśli i nie chcę tego zrobić. Więc czy zechcesz być moją dziewczyną?

Roześmiałam się i wtedy nagle emocje ze mnie opadły. To było takie oficjalne. Takie kontrolowane. Takie zdecydowane.

– Co? – zapytał Jensen. Przybrał obronną pozycję, jakby przygotowywał się do upadku.

– Rzeczywiście nie jesteś taki jak inni faceci, prawda?

Pytająco uniósł brew.

– Większość z nich stara się utrzymywać dziewczyny w niepewności, a ty prosto z mostu mówisz, że chcesz związku.

– Jestem biznesmenem. Mówię, czego chcę, negocjuję, a potem to biorę. Nie chcę cię zwodzić.

– To mi się podoba.

Rozpromienił się.

– I podoba mi się, że powiedziałeś, że jesteś moim chłopakiem.

– To dobrze – odparł. Przyciągnął mnie do siebie i pocałował.

– Czy to znaczy, że jesteś moją dziewczyną?

– Myślę, że tak.

ROZDZIAŁ DWUDZIESTY

Jensen

Zostawiłem Emery na uniwersytecie, żeby załatwiła tam resztę swoich spraw. Nie chciałem jej opuszczać, kiedy ten kutas był w pobliżu, ale obiecała, że da sobie radę. Twierdziła, że Mitch więcej szczeka, niż gryzie. Po tym, jak mu się przyjrzałem, musiałem się z tym zgodzić. Co nie znaczy, że dzięki temu czułem się lepiej.

Wciąż powtarzałem, że nie jestem gwałtowny. Dwa razy zostałem poddany próbie pod tym względem.

Raz zawiodłem.

Raz mi się udało.

Tym razem byłem bardzo bliski utraty kontroli i przyjebania równo temu obślizgłemu, przebiegłemu skurwysynowi. Zaciskałem pięści, serdecznie pragnąc podbić mu oko i przefasonować gębę.

Ale wiedziałem, że Emery tego nie chce. Poza tym musiałem myśleć o swojej firmie, a oskarżenie o napaść nigdy dobrze nie wygląda w mediach. Jednak w końcu postraszenie go interwencją u władz uczelni wystarczyło, aby się wyniósł. Nawet nie potrafił mi się postawić jak mężczyzna. Zresztą nie znając mnie, wiedział, że gdybym się postarał, mógłbym spowodować, że wyrzucono by go z pracy za to, co zrobił Emery i innym dziewczynom, które uwiódł, będąc profesorem. Krew tak we mnie wrzała, że byłem gotów zatelefonować do odpowiednich osób.

Na szczęście dla niego musiałem jechać na spotkanie w interesach. Jego sprawą trzeba będzie zająć się później.

Do siedziby Tarman Corporation wpadłem jak chmura gradowa.

Recepcjonistki pospiesznie usunęły mi się z drogi z nerwowym „Dzień dobry, panie Wright".

Musiałem tu jedynie uścisnąć dłonie, podpisać kilka dokumentów, a potem rozmontować przedsiębiorstwo z Austin, które od lat starałem się dostać w swoje ręce. Byli największym konkurentem Wright Corporation i teraz przyszedł moment, aby to wszystko sfinalizować. Nasze motto brzmiało: What's Wright Is Right*.

– Panowie i pani – powiedziałem, lekko skłaniając głowę w kierunku Abigail Tarman, jedynej kobiety w tym gronie. – Zaczynajmy.

Byłem przygotowany na długą walkę. Wiedziałem, że łatwo nie sprzedadzą mi firmy. Właścicielem był syn największego przeciwnika mojego ojca. Byliśmy w podobnym wieku i w tym samym czasie studiowaliśmy na uniwersytecie Texas Tech. Wtedy obaj uważaliśmy, że ambicjami przerośniemy ojców. Zostaniemy architektami i zmienimy oblicze tej branży. Ale wyszło inaczej. I spieprzyło się znacznie więcej niż to.

---

* Nieprzetłumaczalna gra słów, może oznaczać: Wright to dobry wybór, ale także: dobre jest to, co należy do Wrightów.

– Marc – powiedziałem, wyciągając rękę do Tarmana, obecnego właściciela firmy.

– Jensenie – odparł beznamiętnie.

Uścisnęliśmy sobie dłonie mocniej, niż musieliśmy.

– Możemy? – zapytał Marc, wskazując długi prostokątny stół pośrodku sali.

– Sądzę, że tak.

Wkroczyłem tam i zająłem miejsce naprzeciw Marca. Negocjacje zakończyły się kilka tygodni wcześniej, ale wiedziałem, że on nie odpuści mi tak łatwo. Przez ostatnie pięć lat powoli niszczyłem jego firmę. Bardzo chciałbym zobaczyć ją już doszczętnie spaloną, ale to było lepsze. Słodsze.

* * *

Minęły godziny, zanim oficjalnie podpisałem dokumenty. Spodziewałem się, że Marc zechce dać mi niezły wycisk i nie zawiodłem się. Ale w końcu z rozmachem podpisałem ostatni papier. Widzieć, jak Marc oddaje mi firmę, było szczytem doskonałości. Przekazałem dokumenty swojemu prawnikowi, by przejrzał je po raz ostatni, a potem złożył je do akt.

– Dobrze robić z tobą interesy – powiedziałem, uśmiechając się złośliwie.

– Szkoda, że nie mogę powiedzieć tego samego – odparł z ledwie skrywaną nienawiścią.

– No już, uspokój się, Marcusie – wtrąciła jego młodsza siostra Abigail. – Jensenie, zechcesz zjeść z nami obiad?

– Muszę odmówić. Ale dziękuję ci, Abby.

– Daj spokój, Jensenie. Nalegam. Znamy się zbyt długo, żeby zakończyć to w ten sposób.

Przeszyłem wzrokiem Marca.

– Jestem tu… z moją dziewczyną.

Marc wydawał się jednocześnie zaszokowany i skonsternowany tą wiadomością.

– Z dziewczyną? To coś nowego.

– Marcusie – wtrąciła ostro Abigail. – Twoja dziewczyna będzie mile widziana, Jensenie. Nie mogę się doczekać, by ją poznać.

– Dobrze. Pozwólcie, że ją uprzedzę. Jest teraz w hotelu.

– Dlaczego po prostu nie zabierzesz jej po drodze? – zaproponowała Abigail.

Marc wyglądał, jakby to była ostatnia rzecz, której sobie życzył. W pełni się z nim zgadzałem. Ale jeśli dzięki temu miałby poczuć się niekomfortowo, byłem gotów to znieść.

Wyjąłem telefon i otworzyłem wiadomości. Okazało się, że mam dwa esemesy, które przyszły w czasie negocjacji. Zacisnąłem zęby.

Vanessa. Przeklęta kobieta miała najgorsze, cholera, wyczucie czasu.

Nie rób tego.
Nie musisz dziś podpisywać dokumentów. Twój ojciec nie chciałby tego.

Ścisnąłem szczęki, starając się nie okazać przed Tarmanami najmniejszych emocji. Sycili się tym. Powołanie się na mojego ojca było ciosem poniżej pasa ze strony Vanessy i ona to wiedziała.

Odpowiedziałem krótko:

Umowa sfinalizowana.

Potem usunąłem jej wiadomości i wybrałem numer Emery, żeby ją zawiadomić, że po drodze zabiorę ją z hotelu na obiad z Tarmanami.

Idziemy na obiad z właścicielami firmy, którą właśnie kupiłeś? W co powinnam się ubrać?

W coś cholernie seksownego. Widzimy się o trzeciej.

Wróciłem do holu z Markiem i Abigail. Marc był pogrążony w rozmowie przez telefon z kimś, kto prawdopodobnie niewiele go obchodził. Każdy pretekst był dobry, żeby ze mną nie rozmawiać. I byłem za to wdzięczny.

Abigail umiała zwiększyć napięcie niczym profesjonalista.

– Kim jest ta nowa dziewczyna, Jensenie? – zapytała.

– Niedawno przeprowadziła się do miasta. Zanim wróciła do Lubbock, robiła doktorat na uniwersytecie w Austin.

Oczy Abigail się rozszerzyły. Tak jak wszyscy znała moje zasady.

– Dziewczyna z twojego miasta? Coś takiego! Nigdy nie przestajesz mnie zaskakiwać.

Wzruszyłem ramionami.

– Jest tego warta.

– A czy ona wie?

Spojrzałem w jej piwne oczy. Patrzyły na mnie badawczo i z zaciekawieniem. Abigail wiedziała zbyt dużo o mnie i mojej rodzinie. Nagle zacząłem mieć złe przeczucia w związku z tym, że zabieram Emery na ten obiad.

– Nie wie – stwierdziła Abigail. – Niech ci Bóg pomoże przy Marcu.

Nie zważając na jej komentarz, wsiadłem do limuzyny, która czekała na Tarmanów. Była trochę zbyt ostentacyjna jak na te okoliczności, ale właśnie zapłaciłem im za firmę małą fortunę. Jak na razie mogli sobie na to pozwolić.

Po chwili podjechaliśmy pod hotel. Czekała tam Emery ubrana zabójczo. Nie wiedziałem, jak zdołała to zrobić w tak krótkim czasie, ale włożyła zachwycającą czerwoną sukienkę koktajlową i szpilki. Włosy uczesała do tyłu, a na ustach miała wiśniową szminkę. W kolorze, który natychmiast wzbudził we mnie milion nieczystych myśli. Na przykład jaki smak miałby ten kolor. I jak ładnie wyglądałby na moim wacku.

Wysiadłem, żeby otworzyć przed nią drzwi, a kiedy mnie zobaczyła, rozpromieniła się.

– Limuzyna?

– Trochę zbyt luksusowo?

– Albo w sam raz – odparła.

– Wygląda na to, że nastrój ci się poprawił od czasu, kiedy cię zostawiłem.

– Mam już za sobą całą tę okropną sprawę i teraz znów jestem z tobą.

Otoczyłem ramieniem jej talię i złożyłem na ustach Em głęboki pocałunek. Przywarła do mnie i oboje całkiem zapomnieliśmy o czerwonej szmince. Po chwili Emery odsunęła się i roześmiała, ścierając plamę z moich warg.

– Chodź, Jensenie! – zawołała Abigail od drzwi.

– Musimy porozmawiać – szepnąłem do ucha Em, kiedy miała wsiąść do limuzyny. Spojrzała na mnie zaskoczona. – Muszę po prostu... o czymś ci powiedzieć. Nie zwracaj uwagi na Marca.

– Nie rozumiem.

– Wiem. Przepraszam. Wytłumaczę ci to.

Emery wsiadła, a ja zakłąłem, żałując, że nie mam więcej czasu, by jej wszystko wyjaśnić. Miałem jedynie nadzieję, że Marc będzie umiał panować nad złością w czasie obiadu, nie psując go.

Emery już witała się z Abigail i Markiem, kiedy wskoczyłem do limuzyny i odjechaliśmy.

– Och – odezwał się Marc, lustrując Emery wzrokiem od góry do dołu. – Nie wyglądasz na ten typ.

Emery zacisnęła usta.

– Co masz na myśli?

– Nic – wtrąciła Abigail. – Nie zwracaj uwagi na mojego brata. Jest w paskudnym nastroju.

Widziałem, że Emery jest zdenerwowana, kiedy na mnie spojrzała. Nie podobał mi się ten widok. Stała się nieufna i znów miała się na baczności. Nie chciałem jej niemile zaskoczyć, powinienem był powiedzieć coś o Marcu.

– Mam na myśli po prostu to, że jesteś dziewczyną na weekend, prawda? – zapytał Marc. W jego wzroku była ponura radość. Cieszył się, docinając jej, jeszcze zanim dojechaliśmy do restauracji.

– Marc! – krzyknęła Abigail.

– Zostaw to, Marc! – warknąłem.

– Co to właściwie znaczy? – zapytała Emery.

Postanowił zwrócić się tylko do niej.

– No wiesz... przygodę, jakie miewa, kiedy wyjeżdża z miasta. Musisz zdawać sobie sprawę, że nią jesteś.

– Trzeba ci wiedzieć – rzuciła wściekle – że dobrze znam jego reputację i nie odpowiadają mi twoje insynuacje, że jestem tego rodzaju dziewczyną. Jensen i ja jesteśmy razem. To nie jest jednorazowa sprawa. I kimże ty, do cholery, jesteś, żeby powiedzieć do mnie coś takiego?!

Niemal zakrztusiłem się ze śmiechu, widząc konsternację na twarzy Marca.

– Po prostu starym przyjacielem rodziny – odparł Marc. – Opowiedz mi wszystko o sobie. Jak ci się udało zwrócić na siebie uwagę Jensena i utrzymać ją? Myślałem, że tylko jedna osoba to potrafiła.

Emery zmarszczyła brwi, zastanawiając się nad tym, co powiedział, i zdałem sobie sprawę, że zabranie jej tu było zdecydowanie fatalnym pomysłem. Marc był wężem, a ja właśnie wpuściłem ją do jego gniazda.

– Robiąc loda – odparła całkiem spokojnie.

Marc się zakrztusił, a potem zaczął się śmiać.

– Zaskakujesz mnie.

Nie mogłem się powstrzymać, roześmiałem się razem z nim. O rany, co za dziewczyna! Jest... doskonała.

– Poza tym kompletnie nie można mi się oprzeć – kontynuowała Emery.

– Nie mam co do tego wątpliwości – powiedział Marc. Powędrował wzrokiem do jej nagich nóg, a potem wrócił do twarzy. – Absolutnie żadnych wątpliwości.

Zaborczym gestem objąłem jej napięte ramiona i przytuliłem do siebie. Jak najdalej od Marca. Rzucił mi spojrzenie pełne znaków zapytania. Byłem aż nadto świadomy, co chce wiedzieć. Chciałem po prostu cieszyć się dzisiejszym wieczorem, a wyszło tak, że znalazłem się w tej sytuacji.

Limuzyna zatrzymała się przed wejściem do restauracji i wysiedliśmy z niej. Abigail zabrała Marca do środka, by znaleźć nasz stolik, ale Emery odciągnęła mnie na bok.

– Co się tu, do cholery, dzieje? – zapytała stanowczo.

Westchnąłem i przeczesałem palcami włosy.

– Mnóstwo.

– Właśnie widzę, Jensenie. Kim są ci ludzie? Dlaczego mi powiedziałeś, że mam nie zwracać uwagi na Marca?

– Marc to stary przyjaciel rodziny. W pewnym sensie. On i Abigail to Tarmanowie, którzy, aż do dziś po południu, byli największymi rywalami Wrightów.

– Przyjaźniłeś się ze swoimi rywalami?

– Pieniądz rozmawia z pieniądzem – wyjaśniłem.

– Okej – odparła nieprzekonana. – Ale to wszystko poza tym?

– Mam pewną reputację.

– Wiem.

Nie mogłem znieść tego, że wiedziała. Że obawia się mojej opinii. Widziałem to w jej oczach. W sposobie, w jaki trzymała ramiona, w sztywności ciała. Chciałem to zmienić.

– Ale już nigdy nie będę tak postępował. Właśnie dlatego cię ze sobą zabrałem. Dlatego poprosiłem, żebyś została moją dziewczyną.

– A więc… nie będzie cię kusić, żeby rozglądać się za innymi? – zapytała cichutko jak myszka. – Boże, przepraszam. Nie powinnam o to pytać.

Uniosłem rękę.

– To uzasadnione pytanie, jeśli wziąć pod uwagę moją przeszłość, ale nie – powiedziałem przez zaciśnięte zęby. – Nigdy bym tego nie zrobił. Należę do mężczyzn, dla których istnieje tylko jedna kobieta.

– Jedna kobieta, którą jestem ja… albo ta druga dziewczyna, o której wspomniał Marc?

Zamknąłem oczy i wypuściłem powietrze nosem. Szlag by to trafił, Marc.

– Kobieta, o której mówił, to moja była żona Vanessa.

Emery wzdrygnęła się, słysząc to imię, i nie mogłem jej za to winić.

– Ach tak.

– Jednak to nie jest kobieta dla mnie. Gdyby nią była, nigdy bym się z nią nie rozwiódł.

– Okej.

Ująłem w dłonie jej twarz. Nienawidziłem tego pełnego rezerwy, nieobecnego wyrazu twarzy. Tego, który przybierała, kiedy przygotowywała się na coś nieprzyjemnego. Ostatnią rzeczą, jakiej chciałem, było to, żeby się mnie bała. Bała się tego, co mogę jej zrobić. Nigdy nie będę Mitchem. Tym pieprzonym skurwielem. Nigdy bym jej tak nie zranił.

– Emery, chcę ciebie i tylko ciebie. Nigdy bym cię nie zdradził. Przenigdy.

– Skąd mogę to wiedzieć?

Nie mogłem znieść tego, jak bardzo jest zraniona i bezbronna. Widziałem, co zrobił jej Mitch. Ale jednocześnie cieszyłem się, że pokazuje mi tę swoją bezbronność i mogłem jej udowodnić, co czuję.

– Ponieważ Vanessa mnie zdradziła i dlatego się z nią rozwiodłem.

Ale to nie była nawet połowa powodów.

Emery leciutko, niemal niedostrzegalnie westchnęła.

– O Boże.

– To było paskudne i żadnemu człowiekowi nie życzyłbym, żeby przechodził przez coś takiego.

– Wydaje się, że nie można sobie z tym poradzić.

– Tak było – przyznałem. – I pod żadnym względem nie jestem idealny, Emery. Mam problem z zaufaniem. Po tym, co zrobiła Vanessa, nigdy nie pomyślałem, że znów otworzę się na drugą osobę, ale ty jesteś inna. Chcę się otworzyć na ciebie. To wszystko wymaga czasu.

– Nie – powiedziała, machnąwszy ręką. – Zdradzono mnie. To ja mam wielki problem z zaufaniem. Po prostu się zdenerwowałam, a teraz Marc...

– Marc jest dupkiem.

– Zauważyłam.

– Posłuchaj, nie chcę, żebyś mi nie ufała. To dlatego tak zareagowałem pierwszej nocy, kiedy byliśmy razem. Już i tak mam za sobą wystarczający ciężar doświadczeń. Być może nie doszedłem jeszcze do siebie w stu procentach po rozwodzie, ale wiem, że przy tobie jestem lepszy. Sprawiasz, że staję się lepszym człowiekiem.

Twarz jej pojaśniała. Napięcie i pomieszanie wywołane tą krótką rozmową z Markiem Tarmanem wyparowało. W jednej chwili znów była moją Emery. I w tym momencie już wiedziałem, że... jestem stracony.

ROZDZIAŁ DWUDZIESTY PIERWSZY

Emery

Przygotowałam się na uderzenie i weszłam za Jensenem do restauracji.

To, co właśnie odkrył przede mną na temat swojej przeszłości, w znacznym stopniu wyjaśniło mi jego zachowanie. Jakbym odłupywała kawałki lodu, by w końcu odnaleźć mężczyznę, który był pod nim. Kiedy dawno temu postanowiłam, że będę nienawidzić wszystkich Wrightów, nigdy nie wyobrażałam sobie, że Jensen będzie o wiele bardziej wielowymiarową postacią albo że zraniono go tak jak mnie. Okazał się tak czarujący i boski, i w ogóle.

Jak ktoś mógł zrobić mu coś takiego?

I dlaczego w ogóle zaprzątał sobie głowę Markiem? Po co idzie na obiad z kimś, kogo uważa za dupka, i to po tym, jak kupił jego firmę?

To mi się wydawało nienormalne, ale nie zostawiłabym Jensena, żeby sam zajmował się Markiem.

– Przepraszam, że czekaliście – powiedziałam, siadając na krześle.

– Nic nie szkodzi – odparł Marc, przyglądając mi się bacznie, jakby wiedział o mnie wszystko. – Pozwoliłem sobie zamówić ci wódkę z tonikiem. Lubisz wódkę z tonikiem, prawda?

Spojrzał na Jensena, który lekko napiął mięśnie szczęki. Zanosiło się na kłopoty.

– Wolę raczej szampana. – Wzruszyłam ramionami. – Albo tequilę. Cokolwiek zamówisz.

– A nie wódkę z tonikiem? Jestem zaszokowany. Taka dziewczyna jak ty? – Marc oparł się na krześle. – Pewnie zaraz mi powiesz, że z tą śliczną buzią nigdy nie byłaś modelką.

– Marc! – Abigail i Jensen odezwali się jednocześnie.

Podniosłam dłoń.

– Posłuchaj, nie ma sprawy. Cokolwiek robisz, nie ma sprawy. Możesz mnie atakować, ile tylko zechcesz. Rozumiem, że przez Jensena musisz być wytrącony z równowagi i jesteś tak małostkowy, że próbujesz odegrać się na mnie, ale nie jestem modelką ze śliczną buzią, która popija wódkę z tonikiem. Nie jestem osobą, za jaką mnie uważasz. Więc dalej mnie znieważaj i wbijaj mi szpile. Zniosę to. Nie ma to dla mnie żadnego cholernego znaczenia.

Marc zamknął się i postanowił powstrzymać się przed dalszymi uwagami. Abigail rzuciła mi wymowne spojrzenie, jakbym właśnie zdała jakiś ukryty test, podczas gdy Jensen wyglądał, jakby chciał mnie pocałować. Tymczasem we mnie wszystko drżało, bo moje zachowanie było bardzo odważne. Nie mogłam jednak nie zauważyć, że przyniosło efekt.

Zatrzymałam kelnerkę.

– Czy może pani zmienić zamówienie z wódki z tonikiem na kieliszek szampana? Najlepiej wytrawnego Veuve Clicquot.

– Oczywiście.

Osiągnęłam już swój cel i reszta obiadu przebiegła znacznie spokojniej. Marc najwyraźniej schował pazury i stwierdziłam, że naprawdę lubię Abigail. Wydawała się szczerą osobą. Przypuszczam, że to rzadkość w tej branży.

Kiedy Marc przestał już drażnić Jensena, ich rozmowa w trakcie obiadu stała się w jakiś sposób zwyczajna. Było widać, że znają się bardzo długo. Zgadywałam, że kiedyś nawet się przyjaźnili. Z doświadczenia wiedziałam, że tylko bliscy przyjaciele potrafią porozumiewać się bez słów i śmiać się z ukrytych żartów. Pod całą dzielącą ich niechęcią kryło się coś beztroskiego.

Chociaż reszta wieczoru była udana, cieszyłam się, kiedy obiad się skończył. Pożegnaliśmy się z Markiem i Abigail i wróciliśmy do hotelu. Czekał na nas ekskluzywny apartament – coś, w czym czułam się bardzo dziwnie. Mieszkałam w tym mieście przez trzy lata w malutkim mieszkaniu. Pomimo panującego w nim bałaganu mogliśmy zostać u mnie, ale Jensen nalegał na hotel. A mnie podobał się ten luksus. Kto by nie chciał jacuzzi, w którym zmieściłoby się dziesięć osób, i ogromnego salonu z balkonem? Ale to było również... dziwne.

– Cieszę się, że zabrałam ze swojego mieszkania tę sukienkę, bo inaczej ominęłaby mnie tak dobra zabawa – powiedziałam z ironią, kładąc żakiet na kanapie.

Jensen przesunął dłońmi po moich nagich rękach i pocałował mnie w ramię.

– Przepraszam cię za to. Powinienem zdawać sobie sprawę, że to będzie błąd.

– Błąd – powtórzyłam cicho. Całował mnie w szyję i trudno mi było się skupić. – Powiesz mi, co ugryzło Marca?

Jensen zaśmiał się i znów poczułam dotknięcie jego warg.

– Poza tym, że właśnie kupiłem jego firmę?

Obróciłam się, by na niego spojrzeć.

– To było coś więcej. Nie jestem ślepa.

Pokiwał głową z westchnieniem.

– Masz rację. To długa historia. Poznałaś już jej część.

– Mamy przed sobą całą noc – przypomniałam mu.

– Rzeczywiście, mamy – odparł, a jego ręce znalazły się na moich biodrach i powędrowały do pośladków.

– Opowiedz mi o tym. Chcę cię poznać. Chcę zrozumieć.

– Dobrze. – Odstąpił krok w tył i zdołał się opanować.

Dał mi ręką znak, żebym usiadła. Podwinąwszy nogi pod siebie, zajęłam miejsce na kanapie, a Jensen obok mnie.

– Znamy się z Markiem od bardzo dawna. Zawsze dzieliła nas ledwie skrywana wrogość, ale mieliśmy nadzieję, że się zaprzyjaźnimy. Wbrew pragnieniom ojca zaczął studia na Texas Tech ze względu na tamtejszy Wydział Architektury. Studiowaliśmy tam w tym samym czasie.

– Studiowałeś architekturę? – spytałam zaskoczona. – Myślałam, że biznes.

– Tak. Ojciec wymagał, żebym studiował biznes, ale architekturę wybrałem jako drugi kierunek. Tak jak i Marc, wierzyłem, że biznes niszczy człowiekowi duszę, co obserwowaliśmy w naszych rodzinach. Niczego nie tworzy. Potrafi jedynie niszczyć. Dzięki niemu nic nie staje się lepsze. Byliśmy wizjonerami. Chcieliśmy czegoś więcej.

– Jednak obaj zaczęliście zarządzać firmami swoich ojców – szepnęłam.

– Wiedziałem, że jeśli tylko zechcę, zawsze mogę pracować w Wright Construction. Dlatego po dyplomie na rok poszedłem na staż do pracowni architektonicznej w Nowym Jorku.

Byliśmy zaręczeni z Vanessą. Mój ojciec wściekał się z powodu stażu, ale ja miałem plan. Zamierzałem zmieniać świat.

Spojrzał na mnie, a potem pokręcił głową. Najwyraźniej od dawna nikomu o tym nie opowiadał.

– W każdym razie, mówiąc krótko, ojciec umarł. Nie zostało mi nic poza jego rozczarowaniem, kiedy przejąłem firmę i wróciłem do Lubbock. Nie było innej możliwości, bo Austin nadal był w college'u. Landon, jak wiesz, kończył liceum. Zarząd firmy potrzebował kogoś, komu mógł ufać. Mieli mnie. Vanessa została w Nowym Jorku. Od czasu do czasu... zajmowała się modelingiem i sprawy dobrze się układały. Pobraliśmy się tamtego lata. Zaczęła pracować jako modelka w pełnym wymiarze, a Marc przejął po mnie pracę w firmie architektonicznej.

Zakryłam usta dłonią. Czułam się, jakbym patrzyła na pociąg pędzący ku katastrofie i nie wiedziała, jak go zatrzymać.

– Firma robiła w Nowym Jorku tyle interesów, ile chciałem. Mógłbym tam latać w każdy weekend, żeby spotkać się z Vanessą, ale nie robiłem tego. Byłem zawalony pracą i wciąż pogrążony w żalu.

– Ale to nie wystarczało Vanessie? – wyszeptałam.

Jego oczy patrzyły gdzieś daleko.

– Nigdy nie wystarczało. A potem wylądowała w łóżku Marca.

Westchnęłam ciężko i przytuliłam się do niego, obejmując go ramionami.

– To nie twoja wina.

– Nie, nie moja. Trzeba było kilku lat terapii, żeby zrozumieć, że była to wyłącznie jej wina. To ona znalazła osłodę u Marca. To ona mogła zakończyć całą sprawę, ale tego nie zrobiła. Chciała wizjonera, w którym się zakochała... ale ja już

nim nie byłem. Więc tymczasem zadowoliła się z Markiem. Namiastką.

– Przy tobie każdy jest namiastką.

Jensen miał smutny, zagubiony wyraz twarzy.

– Dzięki.

– A więc… dlaczego Marc jest tak rozgoryczony, skoro to on
źle postąpił?

– Jego zdaniem zniszczyłem mu życie.

– To śmieszne.

– Tak. Jednak rozumiem jego punkt widzenia. Zawsze był
zakochany w Vanessie czy może miał obsesję na jej punkcie.
Jakkolwiek było, w końcu ją zdobył, a ona zostawiła go i wróciła do mnie. Ja miałem dziewczynę. On w końcu musiał przejąć firmę ojca. A teraz i ją mu odebrałem. Jest rozgoryczony. Ale
nie mogę mu współczuć. Być może wygodnie mu jest obarczać
winą mnie, ale to on jest draniem, który to zrobił.

– I nie powinieneś mu współczuć. Ja tego nie robiłam, a nawet nie znałam wszystkich okoliczności. Cieszę się, że na niego
warknęłam.

– Boże, jesteś cudowna – powiedział Jensen. – Genialnie dałaś sobie radę w czasie obiadu.

Jego dłonie znów były na moich nogach i przesunęły się ku
biodrom. Jensen pochylił się nade mną, a ja osunęłam się na
sofę. Na ustach błąkał mi się uśmiech. Kochałam, kiedy był taki
pełen uwielbienia. Kiedy jego oczy były we mnie wpatrzone,
a wszystkie szkielety tkwiły zamknięte w szafie, był tak seksownym, pewnym siebie mężczyzną, nieskrępowanym przez swoją
przeszłość i gotowym mnie pochłonąć.

– Tak myślisz? – szepnęłam.

– Wiem to, kochanie.

Kiedy przywarł ustami do moich, zapomniałam zupełnie o naszej nocy i głębokich rozmowach. Całowałam go coraz mocniej, obejmowałam bardziej zaborczo. Pragnęłam i potrzebowałam go więcej. To był nasz pierwszy raz, od kiedy oficjalnie byliśmy razem, a tego dnia zdarzyło się tak wiele, przesuwając nasz związek w nowy etap, że wciąż mi go było mało.

Wstaliśmy i natychmiast zdarłam z niego marynarkę, a potem resztę ubrania. Niewiele dbałam o jego kosztowny designerski garnitur, pragnąc jedynie zobaczyć Jensena nago. Pospiesznie pozbyłam się sukienki.

Podniósł mnie i oparł o ścianę, a potem opadł na kolana, by zębami ściągnąć ze mnie stringi.

Jęknęłam i odrzuciłam głowę do tyłu, kiedy całował i lizał mnie coraz wyżej, docierając pomiędzy nogi. Moje ciało płonęło. Nie mogłam zrozumieć, jak mogłam kiedyś powiedzieć mu: nie. Pragnęłam jedynie bez przerwy krzyczeć: tak.

Jensen posłuchał.

Oparł moją nogę na swoim ramieniu i ssał mi łechtaczkę, dopóki nie byłam zupełnie mokra. Dopiero wtedy włożył we mnie palec i pieprzył mnie nim, aż doszłam przy jego twarzy. Cała drżałam z napięcia, ale Jensen nawet się nie wahał. Podniósł się, założył sobie w pasie moje nogi i wbił się we mnie jednym pchnięciem. Wsparł się o ścianę i podrzucał mnie na swoim fiucie w ostrym, gwałtownym rytmie, z którym łączyłam się pchnięcie po pchnięciu. Po chwili nogi znów zaczęły mi drżeć i całe ciało eksplodowało.

Jensen podniósł mnie i oboje opadliśmy na podłogę. Przytrzymując mi ręce za głową, wbił się we mnie jeszcze kilka razy. Dyszałam mocno. Nie sądziłam, że znów mogę dojść. Ale Jensen był tak blisko i żądza w jego oczach doprowadziła mnie do utraty zmysłów po raz trzeci. Zadrżał i doszedł razem ze mną, opadając na mnie.

Leżeliśmy tak przez chwilę, oddychając głęboko, a potem Jensen wysunął się ze mnie i przetoczył na podłogę.

– Czuję, jak mi serce bije – wyszeptałam. – Zobacz. – Wzięłam jego dłoń i położyłam ją sobie w dole brzucha.

– Bardzo proszę – odpowiedział chrapliwie.

Roześmiałam się i pochyliłam, by go pocałować.

– No proszę, jednak ma maniery.

– Nie wyglądało na to, żebyś miała coś przeciwko.

– Ani trochę.

– Świetnie. Więc może miałabyś ochotę na drugą rundę? – zapytał, unosząc brew.

– O Boże – odparłam ze śmiechem. – Pozwól mi najpierw dojść do siebie.

Leżał oparty na łokciu, kiedy wstałam, by pójść do łazienki. Klepnął mnie w pupę, gdy go mijałam.

– Co powiesz na to, żebyśmy użyli jacuzzi, by dojść do siebie?

Obejrzałam się, spoglądając na niego spod wytuszowanych rzęs.

– Dlaczego mam wrażenie, że zamierza pan również temu nadać erotyczny charakter, panie Wright?

– Wszystko, co pani dotyczy, jest erotyczne, panno Robinson. – Uśmiechnął się przebiegle, ukazując mi te dołeczki, którym nie mogłam się oprzeć. – I mam zamiar wykorzystać w pełni fakt, że przebywa pani nago w moim hotelowym pokoju.

Odchodząc, uwodzicielsko zakołysałam biodrami.

– Myślę, że włączę dysze i zacznę sama.

Jego spojrzenie mówiło, że po głowie chodzą mu wszelkie możliwe nieczyste myśli. I ani odrobinę nie żałowałam, kiedy dołączył do mnie w jacuzzi i używał dysz w najlepsze z możliwych sposobów.

* * *

Następnego dnia wstaliśmy późno i wreszcie pokazałam Jensenowi miasto. Nie mogło to zrobić na nim takiego wrażenia, jak chciałam, ponieważ zostało nam mało czasu. Ale nie miał nic przeciwko temu, żebym przed obiadem i po nim zaciągnęła go znów do hotelu, by ponownie wykorzystać jacuzzi. Nie wyobrażałam sobie, że działanie dysz w połączeniu z jego palcami może tak szybko doprowadzić mnie do utraty zmysłów. Było jeszcze lepiej, kiedy przechylał mnie przez brzeg wanny. Mogłabym tam spędzić całą noc i dzień.

Po tym, co mi opowiedział, i po spotkaniu z ludźmi tak głęboko wplątanymi w nasze życie, czułam, że Jensen stał mi się o wiele bliższy. Weszłam w to wszystko, wyobrażając sobie, że spędzimy razem namiętną noc, być może później spotkamy się raz na randkę. A potem to wykroczyło poza nasze oczekiwania. Wciąż nie mogłam się nim nasycić – fizycznie, psychicznie i emocjonalnie. W ciągu trzech dni, kiedy niemal bez przerwy spędzałam z nim czas, ani razu nie poczułam się zniecierpliwiona.

Gdyby nie czekała na nas praca, namówiłabym go, żebyśmy zostali tu dłużej. Niechętnie wracałam do domu.

Jensen to widział, ale on też musiał się tak czuć, chociaż ani razu nie wspomniał nic na ten temat.

Po krótkiej podróży samolotem pojechaliśmy do niego.

Chciałam wrócić do Kimber i sprawdzić, jak się czuje. Zbliżał się już termin porodu. Poza tym koniecznie chciałam spotkać się z Heidi, żeby jej opowiedzieć o tym weekendzie. Ale również nie byłam gotowa rozstać się z Jensenem. Ciekawiło mnie też, czy ma w domu jacuzzi. Po prostu… chciałam spędzić z moim chłopakiem więcej czasu.

Kiedy zaparkowaliśmy, wysiadłam z samochodu i przebiegłam na jego stronę. Pochylił się, by wziąć mnie w ramiona, i mocno pocałował.

– Boże, jak ja będę za tobą tęsknić – szepnęłam.

– Nie musisz tęsknić. Zostań tutaj.

Wywróciłam oczy w górę.

– Nie mogę tu zostać.

– Zostawaj tu na noc, kiedy tylko zechcesz. Lepiej śpię, kiedy jesteś przy mnie.

– Nie spaliśmy w nocy – zauważyłam.

– No właśnie.

Objął mnie w talii i poprowadził do frontowych drzwi. Otworzył je i weszliśmy do środka, a mój śmiech wypełnił hol. Wciąż patrzyłam na Jensena, kiedy znieruchomiał. Jego uśmiech zniknął.

Odwróciłam głowę i poczułam, że żołądek się we mnie wywraca.

– Landon…

ROZDZIAŁ DWUDZIESTY DRUGI

Jensen

– Co tu się, kurwa, dzieje? – zapytał Landon.

O kurwa.

Kurwa.

– Landon, stary… – Mimowolnie wyswobodziłem się z objęć Emery, a ona pospiesznie zrobiła to samo. Wyglądała na wstrząśniętą. – Wróciłeś.

Miałem powiedzieć mu o Emery, żeby wcześniej nie dowiedział się o tym od kogoś innego. Wiedziałem, że wróci na Boże Narodzenie, ale sądziłem, że mam jeszcze kilka dni. Chciałem się upewnić, że jestem z Emery oficjalnie, zanim porozmawiam o tym z Landonem. A teraz… był tutaj.

– Nie pierdol, Jensen. Po prostu odpowiedz na pytanie. Co się tutaj dzieje?

Landon wycelował palec w naszą stronę, ale żadne z nas nie odezwało się słowem. Gapiliśmy się jedynie na niego, jakby był zjawą.

– Zamierzałem ci powiedzieć…

– Powiedzieć co? – Stał sztywno, przenosząc wzrok z Emery na mnie i z powrotem, jakby próbował odczytać wyjątkowo skomplikowany szyfr. – Wy dwoje jesteście… razem?

– Tak – odparła Emery, odzyskując głos. – Jesteśmy razem. Oczy Landona poruszały się, jakby obserwował mecz tenisowy.

– Nie było mnie zaledwie parę tygodni. Nie rozumiem, jak to się mogło stać… i dlaczego nie poinformowano mnie, że coś takiego się, kurwa, dzieje. – Potrząsnął głową i odwrócił od nas wzrok.

– Gdzie jest Miranda? – zapytałem, próbując przenieść rozmowę na bezpieczniejszy teren. – Przyjechała z tobą?

– Żartujesz sobie? Myślisz, że po tym, jak wpadła w szał, kiedy dowiedziała się, że Emery wciąż tu jest, pozwoliłaby mi przylecieć tu samemu? – wycedził przez zęby.

– A więc… jest tutaj? – zapytałem ostrożnie. Nie chciałem, żeby Emery tu została, kiedy Miranda była w moim domu. To by wywołało katastrofę.

– Pojechała na zakupy. Kurwa, wyobrażasz sobie, co by się stało, gdyby tu teraz była? – Landon przeczesał włosy palcami i spojrzał na mnie. – Możesz to sobie, kurwa, wyobrazić? Wróciłem na twoją prośbę, a ty mi nawet nie wspomniałeś o Emery? Tego właśnie chciałeś?

– Nie – odparłem. To ja go o to prosiłem. Nie chciałem, żeby Landona ominęły święta z rodziną. Chciałem, żeby przyjechał, bo był moim bratem i kochałem go. A teraz się wkurwił, a ja nie wiedziałem, jak to naprawić. Ale będę musiał. – Chciałem ci z wyprzedzeniem powiedzieć o Emery, żebyśmy mogli porozmawiać o tym jak mężczyźni, nie wściekając się na siebie nawzajem.

Landon wyglądał, jakby chciał mi poradzić, żebym się od-pieprzył.

– Wiesz, chyba powinnam iść – odezwała się Emery. Zrobiła krok w kierunku drzwi. – To był długi weekend.

Odwróciłem się do niej, myśląc o tym, co musiała w tej chwili czuć. Oboje obawialiśmy się powiedzieć Landonowi, że się spotykamy, bo czuliśmy, że cała ta sytuacja wymknęła się spod kontroli. Nie chciałem wkurzyć Landona. On i Emery byli parą niemal dziesięć lat temu, jednak sprawa jest delikatna, gdy ma się do czynienia z dawnym związkiem drugiej osoby.

– Jesteś pewna? – zapytałem.

– Tak. Hm... Powinnam zobaczyć się z siostrą. No wiesz, sprawdzić, czy wszystko jest w porządku.

– Dobrze. Później do ciebie zadzwonię.

– Tak, jasne.

Nawet się przechyliła, żeby mnie pocałować. Lekko uniosła rękę na pożegnanie i zniknęła za drzwiami, zostawiając mnie sam na sam z moim wkurzonym bratem.

– A więc teraz pieprzysz moją byłą dziewczynę? – zapytał Landon. W jego głosie brzmiała wściekłość. Czegoś takiego od dawna u niego nie słyszałem, odkąd umarł tata.

– To nie jest tak.

– A dokładnie jak to jest? Przestałeś sypiać ze wszystki-mi dziewczynami, które spotkasz, wyjeżdżając z miasta, i postanowiłeś zabawić się również ze wszystkimi, które tu mieszkają?

Zacisnąłem zęby, czując, jak włosy jeżą mi się na karku. Landon chciał mnie sprowokować do walki, ale nie zamierzałem reagować.

– Nie chcę z tobą walczyć – powiedziałem w końcu.

– No cóż, nie masz wyboru, Jensen. Przyszedłeś tu z Eme- ry Robinson. Chodziliśmy ze sobą dwa lata. Znałeś ją, kiedy by- liśmy w liceum.

– Wtedy jej nie znałem i, tak jak ty, z początku nawet jej nie poznałem.

– Jak ja?

– Na ślubie – odgryzłem się.

Twarz Landona pociemniała i rzucił się w moją stronę, po- pychając mnie w tył.

– Spotkałeś ją na ślubie Sutton? Przez cały ten czas wie- działeś, kim jest, i nic nie powiedziałeś?

– Wiedziałem, w porządku? Tak. Dowiedziałem się, kim jest, następnego dnia rano. To ty mi powiedziałeś, że wyjedzie po paru dniach.

– To nie była zachęta, żebyś poszedł ją pieprzyć!

– Nie odebrałem tego w ten sposób! – krzyknąłem. – Mia- łem zamiar dać jej spokój, ale wtedy po prostu zaczęliśmy na siebie wpadać. Jestem w niej zakochany, Landonie. Jestem.

– Na razie – odparł pod nosem. – A co będzie, kiedy się nią zmęczysz? Wszyscy wiemy, że szybko się nudzisz. Ją możesz na- bierać, jak tylko chcesz, ale ja znam twoją reputację.

– Emery nie można porównać z żadną inną dziewczyną, z którą byłem – warknąłem. – Porównywanie Emery do której- kolwiek z moich przygód jest dla niej obraźliwe.

– A może jest obraźliwe dla ciebie?

Mogłem mu wypomnieć miliony rzeczy – choćby jego kosz- marną żonę – ale wiedziałem, że to do niczego nie doprowadzi. Po prostu musiał to zrozumieć.

– Powinienem był ci powiedzieć.

– Już to mówiłeś.

– Zamierzałem ci powiedzieć przed świętami. Ale chciałem być pewien, że to jest coś poważnego. Nie chciałem, żebyś dowiedział się w ten sposób.

– Wszystko jedno, Jensen. Po prostu to przyznaj. Nie chodzi o to, że nie chciałeś, żebym się dowiedział w ten sposób. Chodzi o to, że nie chciałeś, żebym się kiedykolwiek dowiedział. Każdy w rodzinie może coś spieprzyć, a ty rozwiążesz jego problem, ale nie potrafisz rozwiązać własnych. – Landon uśmiechnął się drwiąco i skrzyżował ręce na piersi. – Po prostu je ukrywasz.

– Nie tak zamierzałem postąpić. Zależy mi na Emery. Chciałem, żeby wszystko odbyło się jak należy. Dla mnie to nie jest żart. A swoją drogą, dlaczego się tak wkurzyłeś? Jesteś żonaty – przypomniałem mu. – Zachowujesz się w taki sposób, jakbyś nadal coś czuł do Emery.

– Pierdol się, Jensen – odparł Landon. Odwrócił się i ruszył do drzwi.

Pociągnął za klamkę, ale zatrzymał się, kiedy znów się odezwałem.

– Landon, od kiedy zerwaliście, minęło dziesięć lat. To było niesprawiedliwe wobec kogoś, z kim zamieniłeś może dwa słowa od skończenia szkoły.

Odwrócił się i wbił we mnie wściekły wzrok.

– O niczym nie wiesz.

Zaśmiałem się gardłowo.

– Pojechaliście do różnych college'ów. Studiowaliście na różnych kierunkach. Mnóstwo par rozstaje się z tych powodów.

– Jeśli uważasz, że tak właśnie się stało, to nie znasz Emery.

Przechyliłem głowę zakłopotany. Dziesięć lat temu Landon powiedział o Emery dokładnie to samo. Pamiętałem, bo rozmawialiśmy o tym po pogrzebie ojca. Wkrótce potem ze sobą zerwali. Nigdy nie podejrzewałem, że w tej historii mogło być coś więcej.

– A poza tym jesteś mądry, Jensen – powiedział Landon. – Wiesz, że nie chciałbyś wciągnąć jej w swoje poplątane sprawy.

– Ona już wie.

– Wszystko? – zapytał.

– Nie wszystko – odparłem powoli. – Minęło zaledwie kilka tygodni. Chcę ją stopniowo wprowadzić w swoje życie.

– Lepiej jej powiedz, Jensen, albo ja to zrobię.

– Nie groź mi, Landonie.

– Kurwa! Wiesz, że jej nie powiem. Chociaż powinienem – rzekł, piorunując mnie wzrokiem. – Emery jest dobrą, miłą i uczciwą osobą. Jest dla ciebie za dobra.

Mówiąc to, szarpnięciem otworzył drzwi, pozostawiając mnie stojącego w osłupieniu. Patrzyłem, jak odchodzi.

Jak to się stało, że wszystko tak kompletnie się spieprzyło?

ROZDZIAŁ DWUDZIESTY TRZECI

Emery

Sprawdziłam, co słychać u siostry, a potem pojechałam do Flips, żeby spotkać się z Heidi. Kiedy weszłam, za barem stał Peter. Pomachał mi ręką w roztargnieniu, bo właśnie nalewał piwo dla kilku facetów.

– Jest Heidi? – zapytałam.

– Przy stole bilardowym.

– Jasne. Powinnam wiedzieć.

Wzięłam od niego dwie tequile i poszłam z nimi w głąb baru. Heidi wbijała bile do łuz, ale wieczór był jeszcze spokojny, więc nikogo nie podpuściła... na razie.

– Strzelisz sobie? – zapytałam.

– Boże, jasne – odparła.

Wychyliłyśmy drinki. Alkohol zaczął krążyć nam w żyłach i zaszumiał w głowach. Po dzisiejszym dniu jasny umysł to było ostatnie, czego potrzebowałam.

– Cieszę się, że już wróciłaś, mała – powiedziała Heidi, puszczając do mnie oko. A teraz opowiedz mi o swoim Wrighcie. Czy to właściwy brat? – Zachichotała, jakby jej żart był przezabawny.

– Ile drinków zdążyłaś już wypić?

Heidi niewinnie zatrzepotała rzęsami.

– Więcej niż jeden.

– Zdzira.

– Nie wiedziałam, że już wróciłaś! A Julia jest w Ohio czy skądkolwiek tam pochodzi. Gdzieś, gdzie bywa zimno i pada śnieg.

– Tu bywa zimno i pada śnieg.

– Tak, czasami. Ale nie dziś!

– Nie, nie dziś. Ale na przyszły tydzień zapowiadają śnieg w czterdziestu ośmiu z pięćdziesięciu stanów. Wszędzie będzie zimno z wyjątkiem Florydy i Hawajów.

Heidi westchnęła.

– Żeby tylko. No więc opowiedz mi o swoim podniecającym weekendzie. Bo były podniecające momenty, no nie?

– Tak – przyznałam. – Wpadliśmy na mojego byłego chłopa- ka, Jensen kupił wartą miliony firmę od faceta, z którym zdra- dziła go żona. Potem wróciliśmy i w domu Jensena czekał na nas Landon.

Heidi zamrugała dwa razy, a potem wybuchnęła śmiechem. Rzuciła kij bilardowy stół i zgięła się wpół.

– O mój Boże! – wykrzykiwała. – Och, uch! Wow!

– Z czego się, do diabła, śmiejesz?

– Nie słyszałaś, jak śmiesznie to brzmiało? – zapytała, wycie- rając łzy.

– Po prostu powiedziałam ci, co się stało!

– Tak. Tak, powiedziałaś. Wow!

Chichotała jeszcze przez chwilę i nie mogąc się powstrzy- mać, przyłączyłam się.

– Boże, co z ciebie za suka.

– I tak mnie kochasz.

– Prawda – przyznałam.

– A więc… Landon wrócił do miasta? – zapytała Heidi. Nasze oczy się spotkały, ale natychmiast odwróciła wzrok.

Spojrzałam na nią spod zmrużonych powiek, zaskoczona dziwną mową jej ciała.

– Tak. Właśnie przyjechał z żoną. Nie najlepiej wybrany czas.

– Widziałaś Mirandę? Była tam?

– Nie. Na szczęście dla nas. Tak jakby.

– Tak. To wariatka.

Pokiwałam głową.

– To prawda. Ale Landon się wkurzył, kiedy zobaczył Jensena i mnie.

– Landon jest dużym chłopcem. Jest dorosły, żonaty i mieszka w innej części kraju. Nie powinno go to wkurzać.

– Taa… – przyznałam. – Ale nie widziałaś jego twarzy, kiedy zobaczył nas razem. Wiem, że od wieków z nim nie rozmawiałam, ale współczułam Jensenowi w tej sytuacji. W końcu to jego brat i prawdopodobnie powinniśmy mu byli o tym powiedzieć, kiedy zdaliśmy sobie sprawę, że zaczyna nas łączyć coś poważniejszego.

– Poważniejszego?

– Chyba teraz już jesteśmy ze sobą oficjalnie – powiedziałam, uśmiechając się.

Myśl, że Jensen jest moim chłopakiem, była zbyt podniecająca, by mi się w pełni zmieścić w głowie.

Heidi pisnęła i podskoczyła.

– Okej. Stanowczo musimy za to wypić.

Ruszyłyśmy do baru, a Peter nalał nam jakieś fantazyjne drinki, obiecując, że zwalą nas z nóg. Wypiłam i od razu poczułam skutki tej mocy. Przeprosiłam i poszłam skorzystać z toalety, a kiedy wróciłam, opowiedziałam Heidi ze wszystkimi detalami o weekendzie z Jensenem. Nadal czułam się okropnie, że zostawiłam Landona i Jensena w takiej sytuacji, ale teraz dobrze było być z przyjaciółką. Nie martwić się tym wszystkim.

Zaliczałam już trzecią kolejkę i nie byłam pewna, co dzieje się z Heidi. Jeśli tak dalej pójdzie, obie będziemy musiały wrócić do domu taksówką. Właśnie się zastanawiałam, czy nie sączyć tego ostatniego drinka przez resztę wieczoru, kiedy Heidi nagle się ożywiła.

– Co? – zapytałam. Jak nikt inny byłam wyczulona na jej zachowanie.

– Powiedz, że nie będziesz mnie nienawidzić.

– O Boże, już cię nienawidzę. – Odwróciłam się przez ramię i kogo zobaczyłam? Nikogo innego, jak tylko Landona Wrighta, który wchodził do baru.

Wyglądał tak samo, jak wtedy, kiedy zostawiłam go z Jensenem. Miał na sobie koszulkę polo i dżinsy. Zdjął kurtkę, odsłaniając ręce przez okrągły rok muskane słońcem na polach golfowych Florydy.

– Zaprosiłaś go tu? – zapytałam oskarżycielsko.

– No wiesz, przysłał mi esemes, bo chciał się dowiedzieć, gdzie jesteś i… tadam!

– Masz rację. Naprawdę cię nienawidzę.

Landon spojrzał na mnie z daleka i usta drgnęły mu w uśmiechu. Ruszył w naszym kierunku i dostrzegłam u niego to samo zdecydowanie, które zauważyłam podczas mojej krótkiej znajomości z jego bratem. Dobrze mi znana duma i pewność siebie. To dziwne, że będąc z Jensenem, tak naprawdę nigdy nie porównywałam go do Landona. Ale trudno było nie porównywać Landona do Jensena.

– Cześć – powiedział, wieszając kurtkę na oparciu krzesła obok mnie.

– Cześć.

– Cześć, Landon! – odpowiedziała Heidi z radosnym uśmiechem.

Popatrzył na Heidi i jego spojrzenie natychmiast złagodniało.

– Cześć, Heidi. Dzięki za informację.

– No pewnie. Dlaczego wy dwoje po prostu... – Zamilkła, przełknęła ślinę i poderwała się, by wrócić do stołu bilardowego.

– Czy mogę? – zapytał Landon, wskazując puste krzesło.

Kiwnęłam głową i wpatrzyłam się w swojego drinka.

– Emery, nie chciałem cię zaskoczyć – zaczął.

– Dlaczego nie? Ja cię w pewnym sensie zaskoczyłam.

Westchnął ciężko.

– Nie zrobiłaś tego umyślnie.

– To prawda.

– Chciałem cię przeprosić.

Odwróciłam głowę i spojrzałam znów na niego. O co chodzi z tymi Wrightami, że ciągle mnie przepraszają? To ten typ mężczyzn, którzy chyba niezbyt często proszą o wybaczenie.

– Ty chcesz przeprosić mnie?

– Tak, po prostu zobaczyłem cię tam... z nim... i wpadłem w szał.

– Zauważyłam.

– Nie miałem do tego prawa.

Gdybym odkryła, zakładając hipotetycznie, że Landon spotyka się z Kimber, wyszłabym z siebie. Powinniśmy z Jensenem załatwić to dużo wcześniej, zanim doszło do tej sytuacji. Wiedziałam to. Ale byłam zbyt szczęśliwa, żeby myśleć, co się może zdarzyć i dokąd to zmierza. Nie chciałam zrobić niczego, co mogłoby uszkodzić coś tak bardzo kruchego. A nasz związek był kruchy.

– Jak ty i Jensen? – zapytałam ostrożnie.

Landon zacisnął zęby i dał znak Peterowi, że prosi o piwo.

– Potrzebowałem trochę czasu, żeby ochłonąć.

– Więc przyszedłeś do mnie? – Uniosłam brwi. – Nie sądzę, żeby między nami kiedykolwiek bywało spokojnie. Mam wrażenie, że przez cały czas się kłóciliśmy.

– Tylko po to, żebyśmy mogli się godzić – odparł z szerokim uśmiechem.

Wzruszyłam ramionami. Nie mogłam temu zaprzeczyć.

– Wiesz, Jensen i ja nie chcieliśmy, żeby to się stało.

– Naprawdę nie chcę tego wiedzieć – odparł, unosząc rękę. – Emery, może i minęło dziesięć lat, ale i tak to dla mnie dziwne.

– Dla mnie też.

– Po prostu… bądź ostrożna – powiedział. Położył mi dłoń na ramieniu i spojrzał głęboko w oczy. – Kocham swojego brata. Ale to dupek i źle traktuje kobiety. Poza tym ma za sobą większy ciężar doświadczeń niż cała rodzina razem wzięta i uważam, że jeden Wright już cię zranił tak, że wystarczy na całe życie. Nie chcę widzieć, że to się powtórzyło.

Odsunęłam się, tak że jego dłoń opadła mi z ramienia.

– Wiem, jaką Jensen ma opinię i znam jego przeszłość. Wiem, że nie zawsze podejmował właściwe decyzje, jeśli chodzi o kobiety. Ale to niekoniecznie oznacza, że musi spieprzyć i to. Gdybym uważała, że jestem dla niego zabawką, nie byłoby mnie w jego życiu. To o mnie teraz rozmawiamy, Landon.

– Wiem – szepnął. – Właśnie tego się boję.

Westchnęłam i potrząsnęłam głową.

– Wiesz co? Miałam już dość tego gówna jak na jeden weekend. Przeprosiłam za to, że nie powiedziałam ci o Jensenie, ale nie zostawię go z tego powodu. I nie jestem naiwna, jeśli chodzi o nasz związek.

– Po prostu uważam, że go nie znasz.

– Masz rację – przyznałam. – Nie znam. Zdecydowanie nie znam go tak dobrze jak ty. Jak by to było możliwe? Ale to nie znaczy, że mi na nim nie zależy, chcę go poznać.

– Po prostu nie chciałbym, żebyś cierpiała.

Wstałam z krzesła i sięgnęłam po drinka.

– O dziesięć lat za późno, Landon.

Po twarzy Landona przebiegł grymas i widziałam, że mój cios trafił go mocno. Oboje to wiedzieliśmy. To dlatego po ukończeniu szkoły nie zareagował na żaden z moich esemesów. To dlatego od tamtej pory nie rozmawialiśmy ze sobą.

– W porządku, masz rację. Zasłużyłem na to – powiedział.

– Pozwól, że sama o siebie zadbam. Robiłam to wystarczająco długo bez twojej pomocy. Więc może teraz pójdziesz zagrać w bilard z Heidi i spędzisz z nami trochę czasu? Chciałabym zobaczyć, jak Heidi cię ogrywa jak za dawnych czasów.

Landon spojrzał na swój telefon. Skrzywił się i wywnioskowałam, że dostał esemes od żony.

– Okej, ale nie mam za dużo czasu. Miranda już prawie skończyła zakupy. Nie wyszłoby to nam na zdrowie, gdyby zastała nas razem w tym samym miejscu, a co dopiero przy barze.

– Wydaje się nieco… kontrolująca – odważyłam się zauważyć, kiedy dołączyliśmy do Heidi przy stole bilardowym.

– Naprawdę nie chcę o niej rozmawiać.

Podniosłam ręce w górę.

– Okej.

– O czym nie chcemy rozmawiać? – zapytała Heidi. Przenosiła wzrok z Landona na mnie i z powrotem. Charakterystyczny grymas ust zdradzał, że jest zaniepokojona.

Naprawdę mnie zastanawiała.

Czyżby… czuła coś do Landona?

Mowy nie ma. To nie może być to.

Na pewno martwiła się, że po tym wszystkim, co wydarzyło się z Jensenem, spotkałam się tu z Landonem.

– Miranda – rzekł cicho Landon.

– Idzie tutaj? – zapytała Heidi głosem wyższym o oktawę.

– Boże, nie.

– Próbujemy się upewnić, że wszyscy wyjdziemy z tego cało. A ja najchętniej zobaczyłabym, jak dokopujesz Landonowi w bilard. Więc chodź i zrób to dla mnie – powiedziałam do Heidi.

Heidi uśmiechnęła się szeroko. Spojrzała na Landona.

– Ty ustawiasz trójkąt, ja rozbijam.

– Nie spodziewałem się niczego innego – odparł, zabierając się do pracy.

I nagle wszyscy troje byliśmy znów w szkole. Całymi nocami przesiadywaliśmy w klubie bilardowym taty Heidi, wspaniale się bawiąc. Często wpadał do nas któryś z chłopaków Heidi. Było migdalenie się w lożach w głębi klubu i próby przekonywania różnych ludzi, żeby kupili nam drinki, a o wiele mniej samej gry w bilard.

A więc poczuliśmy się teraz naturalnie i swobodnie.

Nigdy nie myślałam, że znów będę się tak czuła w towarzystwie Landona Wrighta.

I to było miłe.

ROZDZIAŁ DWUDZIESTY CZWARTY

Jensen

Jeszcze jeden telefon nie zaszkodzi.

Powiedziałem to sobie po ostatnich pięciu telefonach.

Ale Emery nie odbierała.

Po tym, jak Landon opuścił mój dom, zadzwoniłem do Morgan. Przyszła do mnie. Ona też nie wiedziała, że Landon przyjechał wcześniej, więc nie mogła mnie uprzedzić. Chociaż uważała, że w całej tej sprawie znać rękę sprawiedliwości.

Uważałem, że pieprzy głupoty. Właśnie że zamierzałem powiedzieć Landonowi. To nie było wciskanie kitu, jak Morgan cały czas insynuowała. Ale zdawałem sobie sprawę, że Landon może się wściec. Powiedziałem sobie, że nigdy bym nie starał się jej zdobyć, gdybym wiedział, kim jest. Powiedziałem sobie, że nigdy bym jej nie dotknął, gdybym wiedział, że nie wyjedzie z miasta. Powiedziałem sobie, że trzymałbym się od niej z daleka, gdybym wiedział, że zostaje tu na dobre.

Wyglądało na to, że kiedy chodziło o Emery, nie potrafiłem dotrzymać obietnic samemu sobie. I wcale tego nie chciałem.

Nie wierzyłem w zbiegi okoliczności. Jeśli ciągle na nią wpadałem, musiał być jakiś powód. Nie działo się tak przez przypadek. I nie zamierzałem odchodzić od kogoś tylko dlatego, że coś mogłoby się wydarzyć.

Ale nie chciałem konfrontacji z Landonem. To na pewno. I poszło znacznie gorzej, niż przewidywałem.

Nie wiedziałem, co on robi. Nie wiedziałem, co robi Emery. I po prostu chciałem naprawić sytuację.

Landon nie miał racji, że ukrywam swoje problemy. Jeden z nich rozwiązałem w ten weekend, kiedy wykupiłem od Marca Tarman Corporation. Sytuację z Landonem naprawiłbym o wiele szybciej, gdybym tylko mógł porozmawiać ze swoją dziewczyną.

Tyle że ta nie odbierała telefonu.

Morgan spojrzała na mnie z niepokojem.

– Może powinieneś odpuścić.

Miałem ochotę cisnąć telefonem przez pokój.

– Nie mogę odpuścić. Landon jest gdzieś, wkurwiony na mnie. Emery nie odbiera ode mnie telefonu. Co, do kurwy nędzy, powinienem zrobić, Morgan?

– Nie wiem. To ty narobiłeś tego bałaganu.

– Mam tego pełną świadomość. Dzięki.

– Posłuchaj, nie traktuję cię protekcjonalnie. Ale wiedziałeś, że tak się stanie. Wiedziałeś, że powinieneś powiedzieć Landonowi.

– I miałem taki zamiar – powiedziałem jej chyba już po raz setny.

– Więc powinieneś był po prostu to zrobić.

– Masz rację – odparłem z westchnieniem. – Masz numer telefonu Heidi?

Morgan spojrzała na mnie z ukosa.

– Możliwe.

– Jest mi potrzebny.

– Nie.

– Dlaczego nie? – zapytałem rzeczowo.

– Emery nie odpowiada na twoje telefony z jakiegoś powodu, Jensenie. Daj jej trochę czasu. Jestem pewna, że to wszystko ją wyprowadziło z równowagi. Nikt nie lubi być wciągany w zasadzkę.

– A więc powinienem po prostu pozwolić jej odejść?

– Tego nie powiedziałam. Mówię, żebyś dał jej trochę przestrzeni. Gdybyś to ty czuł się wyprowadzony z równowagi, chciałbyś, żeby zasypywała cię telefonami?

Zamknąłem oczy i westchnąłem. Właśnie tak reagowałem w stosunkach z każdą kobietą po Vanessie. Nie chciałem być niepokojony. Chciałem zachować swoją przestrzeń. Nie sypiałem. Po prostu pracowałem. Tym stało się moje życie. Nie wiedziałem już, co to znaczy żyć.

– Normalnie nie, ale teraz zastanawiam się, czy nie pojechać do jej domu, żeby sprawdzić, czy tam jest.

Morgan przewróciła oczami.

– Wy, mężczyźni, tak dramatyzujecie.

– A co by było, gdyby chodziło o Patricka? – odparłem.

– To nie ma też nic wspólnego ze mną ani Patrickiem. Przestań sobie wyobrażać. Nie mogę uwierzyć, że w ogóle o tym z tobą rozmawiam. Z Austinem tak. On zawsze musi wszystko spieprzyć. Nawet to, co było z tą dziewczyną z działu HR.

– Z Julią? – zapytałem. – Byli razem?

Morgan wzruszyła ramionami.

– Już nie są. Ale sądziłam, że akurat ty zawsze potrafiłeś wziąć się w garść. Austin ciągle ma problemy z kobietami. Landon ma Mirandę. Dlaczego zachowujesz się jak wariat przez jedną dziewczynę?

– Zależy mi na niej. I zależy mi na Landonie. Nie chcę, by którekolwiek z nich cierpiało. To, że nie wiem, co się dzieje, doprowadza mnie do szaleństwa. Muszę wyjść i coś zrobić.

Sięgnąłem po kurtkę i włożyłem do kieszeni kluczyki do samochodu.

– Co konkretnie masz zamiar zrobić? – zapytała Morgan, odprowadzając mnie do garażu.

– Nie wiem. Wymyślę to po drodze.

Minąłem prędko puste miejsce, na którym zawsze stał mój czarny mercedes, i wsiadłem do terenówki. Morgan stała, obserwując mnie, jakby chciała wskoczyć na siedzenie pasażera albo przemówić mi do rozumu. Widziałem, w którym momencie uznała, że to nic nie da. Westchnęła tylko i wyglądała na zrezygnowaną.

– Dasz mi znać, jak ci pójdzie? – zapytała.

Skinąłem głową i wyjechałem z garażu. Zanim zdążyłem się zastanowić, mknąłem już przez miasto. Logicznym wyjaśnieniem było, że Emery jest w domu. Chciała dowiedzieć się, czy z Kimber wszystko w porządku. Prawdopodobnie zasiedziały się do późna, rozmawiając, albo poszły spać.

Tyle że w to nie wierzyłem.

Nie wiedziałem dlaczego.

Ale coś mi to mówiło. Miałem przeczucie.

Chciałem się go pozbyć, ale nie mogłem, dopóki na własne oczy nie zobaczę, że Em jest w domu. Pędziłem Milwaukee Avenue w stronę domu jej siostry. Czułem w sobie skumulowane napięcie i energię. Byłem podminowany, bo nie odpowiadała na wiadomości ode mnie.

Zatrzymałem się po drugiej stronie ulicy i wyłączyłem silnik. Z rękami w kieszeniach z powodu zimna ruszyłem do frontowych drzwi. Nacisnąłem dzwonek i potrząsnąłem głową. Nie powinienem dzwonić, bo Lilyanne może już spać. To by było naprawdę beznadziejne zachowanie. Nie chciałem jej obudzić. Prawdopodobnie mieli tu ścisły porządek dnia i nawet kładli ją spać o ustalonej godzinie. Zastukałem więc do drzwi, mając nadzieję, że ktoś w domu jest jeszcze na nogach i mnie usłyszy.

Po minucie drzwi się otworzyły i pojawiła się w nich Kimber.

– Jensen? – zapytała zaskoczona.

– Cześć, Kimber. Nie chciałem cię obudzić.

– Och nie, nie obudziłeś. To już prawie mój termin i trochę trudno mi zasnąć. – Położyła dłoń na brzuchu i jej twarz rozjaśniła się w uśmiechu. – Słucham cię, o co chodzi?

– Miałem nadzieję, że będę mógł porozmawiać z Emery.

Kimber zmarszczyła brwi.

– Kilka godzin temu wyszła, żeby spotkać się z Heidi. Jeszcze nie wróciła.

– Och. Rozumiem – powiedziałem.

– Próbowałeś dzwonić na komórkę?

– Wiele razy.

– Heidi ma na nią odrobinę zły wpływ. Kocham tę dziewczynę na zabój, ale razem oznaczają kłopoty. Nie potrafię ci opisać, co wyprawiały w liceum.

– Wierzę.

– Chcesz, żebym do niej zadzwoniła i dowiedziała się, gdzie jest? Nawet o to nie spytałam, zanim wyszła.

– Ach, nie. Nie trzeba.

– Wejdź. To potrwa tylko chwilę – powiedziała Kimber z miłym uśmiechem.

Tym razem nie protestowałem i wszedłem do środka.

Z trudem podeszła do telefonu, a po chwili uśmiechnęła się.

– Mam tu wiadomość. Wygląda na to, że Emery jest już w drodze do domu. Myślę, że niedługo tu będzie.

Zacisnąłem, a potem rozluźniłem szczęki. Emery odpowiada na esemesy Kimber, ale na moje nie? Co, do kurwy nędzy?

Coś tu było nie tak. Czułem to. Przeczuwałem. Ale nie wiedziałem, co się dzieje.

– Możesz zostać i zaczekać, jeśli chcesz – zaproponowała Kimber.

– Och nie – odparłem natychmiast, wycofując się. – Skontaktuję się z nią jutro. Wystarczy mi, że nic jej nie grozi.

Kimber zmartwiona przechyliła głowę.

– Jesteś pewien?

– Absolutnie – odparłem.

Wyszedłem i pospieszyłem do auta. Będzie rozsądne i uzasadnione poczekać, aż Emery wróci do domu. Chciałem porozmawiać z nią o Landonie – o słowach, które padły i o tym, co w związku z nim podejrzewałem. Musiałem oczyścić atmosferę. Musiałem dowiedzieć się, dlaczego ze sobą zerwali i o co chodziło Landonowi, kiedy stwierdził, że nie znam Emery.

Ale może dzisiejsza noc nie była ku temu najlepsza? Może powinniśmy odbyć tę rozmowę, kiedy nieco ochłonę i uporządkuję myśli?

Pokręciłem głową nad sobą i swoim nastrojem, po czym włączyłem silnik. Wcisnąłem gaz i odjechałem. Byłem już niemal w połowie osiedla, kiedy w oczy rzucił mi się mijający mnie samochód – czarny mercedes.

Nie było w nim nic szczególnego. Zupełnie nic, co mogłoby przyciągnąć mój wzrok. Zwykły, standardowy czarny mercedes. Powinien być kompletnie nierozpoznawalny. Takich aut mogło być wiele w tej dzielnicy, gdzie zamożność była wyraźnie widoczna.

Ale instynkt podpowiedział mi, że należało do mnie.

Odczekałem, aż mnie minie, a potem podjąłem decyzję. Zawróciłem na środku jezdni i powoli pojechałem w stronę domu Emery. Znalazłszy się na jej ulicy, zgasiłem światła i zaparkowałem dwa domy dalej. Miałem skurczony żołądek i napięte mięśnie ramion. Tak mocno ściskałem kierownicę, że kłykcie mi zbielały. Do głowy przyszło mi wiele scenariuszy, lecz tego jednego nie wziąłem pod uwagę.

Mercedes stał pod domem Emery. Mercedes, którym wcześniej tego dnia odjechał Landon. Kiedy był w mieście, zawsze mógł korzystać z moich samochodów. Nie interesowało mnie, czym jeździł i kiedy. Wynajmowanie wozu w sytuacji, kiedy mój garaż był ich pełen, byłoby śmieszne. A teraz nie mogłem uwierzyć, że użył mojego auta, by przyjechać tutaj.

Otworzyły się drzwi od strony pasażera. Spojrzałem na nie zaskoczony. I wtedy z samochodu wysiadła Emery. Dłonie mi drżały, nie mogłem uwierzyć w to, co widziałem.

Emery spędziła cały wieczór z Landonem?

Kimber powiedziała, że spotkała się z Heidi. Ale miałem to przed samymi oczami. Landon wysiadł z samochodu. Podbiegł do Emery i objął ją w talii, a Em obróciła się i uchwyciła jego ramienia.

Zrobiło mi się niedobrze. Nie byłem w stanie dłużej na to patrzeć. Jeśli wcześniej bez przekonania pomyślałem, że Landon nadal czuje coś do Emery, teraz miałem na to dowód. Zostawił mnie i pojechał spotkać się z moją dziewczyną. I teraz byli tu razem.

Ramię przy ramieniu szli do drzwi.

Chciałem odwrócić wzrok, ale nie potrafiłem. Landon zdecydowanie czuł coś do Emery. A sposób, w jaki ona się zachowywała – trzymała go przytulona i praktycznie kleiła się do niego – dowodził, że i w niej pozostało jeszcze coś z tamtych uczuć.

Emery oparła się o mur przy drzwiach, z których wyszedłem zaledwie kilka minut wcześniej. Patrzyła Landonowi w twarz i nawet nie musiałem słyszeć, co mówili. Ten obraz był dla mnie dostatecznie jasny.

Uruchomiłem terenówkę i oddaliłem się od tego widoku. Nie mogłem dłużej na to patrzeć.

Myślałem, że nic nie jest w stanie trzymać mnie z dala od Emery.

Ale nie będę rywalizował z Landonem.

Ani w tym, ani w innym życiu.

ROZDZIAŁ DWUDZIESTY PIĄTY

Emery

Stałam oparta o mur domu Kimber i czułam się, jakby w głowie pękł mi balon. Landon zachowywał się nadopiekuńczo. Mały opiekun. Ale powinnam mu być wdzięczna, bo bez jego pomocy nie dałabym rady dojść do drzwi.

Jakoś tak wyszło, że po trzech drinkach, na których miałam poprzestać, doszłam do dziesięciu. Nawet nie wiem, jak to się stało. W jednej chwili stałam, a w następnej ogłosiłam przy barze, że absolutnie nie jestem pijana, po czym nagle zapragnęłam obściskiwać się z Heidi. Wyraźne oznaki, że byłam pijana w sztok.

– Dasz sobie radę? Wyglądasz, jakbyś miała zwymiotować – powiedział Landon.

– Idź już i sprawdź, co z Heidi. Jeśli zwymiotuje w mercedesie, Jensen straaaasznie się wścieknie.

Landon uśmiechnął się i pokręcił głową.

– Rany, jesteś kompletnie najebana.

– To wszystko. Jest twoja. Wina – odparłam, podkreślając każde słowo i uderzając go dłonią w pierś. Być może były to głupie dziewczyńskie klepnięcia, ale czułam przy tym złość.

– Gdzie masz klucz? Nadal nie nosisz torebki?

– Tak jakby klucz w magiczny sposób mógł pojawić się w torebce – powiedziałam, bezskutecznie usiłując wygrzebać go z kieszeni. – Byłaby pełna różnych niepotrzebnych śmieci. Nigdy bym go nie znalazła.

– Teraz też nie możesz go znaleźć, a jest w kieszeni.

– Oceniacz McOcenowicz uważa, że kieszenie są nieakceptowalne. Tylko ty masz kieszenie – wybełkotałam, dźgając palcem jego kieszeń i chichocząc.

– Nie zmuszaj mnie, żebym przeszukał ci kieszenie. – Landon westchnął. – Boże, gdyby moja żona mnie teraz zobaczyła!

– Głowa by jej eksplodowała – zanuciłam i wydałam dźwięk naśladujący odgłos eksplozji.

– Coś w tym rodzaju – przyznał. – Więc się pospiesz, żebym mógł wrócić do domu i ściągnąć na siebie jej gniew.

Zachichotałam ponownie i w końcu wyciągnęłam z kieszeni klucz.

Landon wyjął mi go z ręki, przekręcił w zamku i otworzył przede mną drzwi.

– Proszę. Wejdę z tobą – powiedział, pomagając mi wpakować się do środka.

Włączyło się światło i pojawiła się Kimber. Stanęła jak wryta, spoglądając na nas z otwartymi ustami.

– Cześć, Kimmy – odezwałam się radośnie.

– Landon? – zapytała cicho Kimber.

– Cześć, Kimber – powiedział, witając ją krótkim machnięciem ręki.

– Nie tego brata się spodziewałam – stwierdziła.

Landon zaczerwienił się, a ja zachichotałam, widząc jego zakłopotanie. Rany, ale jestem zalana.

– Chciałem się tylko upewnić, że bezpiecznie dotarła do domu. Zastałem ją we Flips z Heidi i trzeba je było odwieźć – wyjaśnił.

– Rozumiem. – Skrzyżowała ręce nad wydatnym brzuchem. – Nie masz w domu żony, do której powinieneś wrócić?

Powiedziała to tonem mamuśki i chciałam jej poradzić, żeby dała spokój. Ale Landon chyba zrozumiał aluzję i odsunął się. Zatoczyłam się na kozetkę i patrzyłam, jak sufit się kręci.

– Miło było cię znów widzieć, Kimber. Dobranoc – pożegnał się Landon.

– Dobranoc – odparła, zamykając za nim drzwi. Odwróciła się do mnie z westchnieniem.

– W coś ty się wpakowała?

– W chmury.

– Chmury?

– Wirują na suficie.

– O Boże, ale się upiłaś. Dlaczego nie odbierałaś telefonów od Jensena?

– Nie dzwonił – odparłam, próbując usiąść. Wyjęłam z kieszeni telefon i trzy razy spróbowałam podświetlić jego ekran, zanim zorientowałam się, że jest rozładowany. Spojrzałam na Kimber z zakłopotaniem. – Hm... rozładował się.

Znów westchnęła ciężko.

– Dobrze, naładuj go i zadzwoń do Jensena. Był tu wcześniej i cię szukał.

– Był tutaj? – zapytałam, trzeźwiejąc nieco na tę sensacyjną wiadomość. – Po co?

– Nie powiedział, ale wyglądał na zmartwionego. A ponieważ właśnie zobaczyłam cię z jego bratem, a twoim byłym chłopakiem, mogę zrozumieć jego niepokój.

– Zaraz! Zaczekaj, Kimmy. Zostaw ten ton mamuśki. Nic się nie dzieje między mną i Landonem. Po prostu przeprosił mnie za swój wybuch, kiedy dowiedział się o Jensenie. Grał w bilard z Heidi. Wypiliśmy kilka drinków. Nic wielkiego.

– W porządku. Co ja tam wiem? Szczęśliwa mężatka bez żadnych problemów w życiu.

Zachichotałam.

– Kocham cię.

– Ja też cię kocham. Teraz idź. No już!

Kiwnęłam głową i zasalutowałam jej. Potem zygzakiem, jak w labiryncie z żywopłotu, pokonałam drogę ku schodom i jakoś się na nie wdrapałam. Na nocnym stoliku znalazłam ładowarkę i podłączyłam ją, czekając na pęknięcie wskazujące, że telefon znów działa.

A potem pikał, pikał i pikał.

Kimber nie żartowała. Jensen naprawdę wysyłał mi esemesy. I dzwonił. I znów wysyłał esemesy.

Cholerne esemesy!

Były bardzo podobne i bardzo niejasne. Nie wiedziałam, co tak rozpaczliwie pragnął mi powiedzieć, że pojawił się tutaj, kiedy nie odpowiadałam, ale mogłam do niego zadzwonić. Prawdopodobnie nie był to najlepszy w życiu pomysł, wziąwszy pod uwagę ilość skonsumowanego przeze mnie alkoholu.

Podcięta. Wstawiona. Narąbana.

Opadłam na łóżko i wgapiłam się w wirujący sufit, szukając słowa, które najlepiej określałoby mój stan. Prawdopodobnie zalana. Bo czułam się jak w dryfującej łódce, podskakującej w górę i w dół na falach.

O Boże, mdliło mnie.

Szybko wstałam i spróbowałam nie myśleć o wymiotowaniu. To trochę pomogło. Teraz mogłam zadzwonić do Jensena.

Wybrałam jego numer i słuchałam, jak sygnał odzywa się milion razy, po czym włączyła się poczta głosowa.

Spróbowałam jeszcze raz. Bez powodzenia.

Skonsternowana spojrzałam na komórkę. Dlaczego tyle razy dzwonił i wysyłał esemesy, a teraz nie odbiera ode mnie telefonu?

Po kolejnej próbie poddałam się. Byłam zbyt pijana.

Może zadzwoni do mnie jutro rano. Pewnie już spał. A ja wyraźnie powinnam zrobić to samo.

Zdjąwszy ubranie, nago wpełzłam do łóżka i natychmiast urwał mi się film.

* * *

Po całej nocy spędzonej na rzyganiu przypomniałam sobie, że miałam dziś otworzyć muzeum Buddy'ego Holly'ego. Pozmieniałam swój plan pracy tak, by móc na weekend polecieć do Austin, i wzięłam poranny dyżur. Czułam się okropnie i wyglądałam jeszcze gorzej. Twarz miałam ziemistą, a włosy oklapnięte. Wyszczotkowałam zęby trzy razy, by usunąć niesmak z ust.

A potem sprawdziłam telefon.

Kolejny raz.

Nadal żadnej wiadomości od Jensena.

Dzwoniłam do niego między atakami wymiotów i zanim weszłam pod prysznic, wysłałam mu esemes. Ubierając się, dwa razy sprawdziłam, że dostał moją wiadomość.

Byłam kompletnie zdezorientowana. Niewyobrażalnie zdezorientowana. A do tego rzygałam jak kot.

Po co dzwonić i pisać esemesy, i przyjeżdżać, aby ignorować mnie, kiedy staram się z nim znów skontaktować? Próbował ukarać mnie za to, że wczoraj nie odpowiadałam?

To nie było podobne do Jensena. To było małostkowe.

Z ciężkim westchnieniem wzięłam klucze, w pełni naładowaną komórkę i wyszłam z domu.

Muzeum Buddy'ego Holly'ego było puste. Ekipa budowlana z Wright Construction powinna się pojawić nie wcześniej niż za dziesięć minut, co oznaczało, że jeszcze przez chwilę mogłam próbować dojść do siebie, żeby nie puścić znów pawia. Żołądek miałam kompletnie pusty. Zabrałam ze sobą lekkostrawne przekąski, ale myśl o czymkolwiek poza wodą wywoływała we mnie mdłości.

Pukanie do drzwi oderwało mnie od bezowocnego gapienia się na telefon w nadziei, że przyjdzie esemes. Nie sądziłam, że Jensen spał. Mógł spać tylko przy mnie.

Kiedy nie byliśmy razem, hydra bezsenności wystawiała swój paskudny łeb. Nie mogłam sobie wyobrazić, że Jensen po prostu mnie ignoruje.

Otworzyłam drzwi i wpuściłam ekipę budowlaną. Kiedy już byli w środku, mogłam wrócić do biura i opieprzać się aż do lunchu, kiedy ktoś inny przyjdzie mnie zastąpić. Nie musieliśmy przebywać tu cały czas, ale niektóre eksponaty były bezcenne, a nikt nie chciał pozostawiać pustego muzeum. Nawet jeśli wynajęliśmy ludzi do pilnowania.

Położyłam się znów na sofie w gabinecie Betty i wypiłam kolejny łyk wody. Czując się nieco lepiej, znalazłam numer biura Jensena i zadzwoniłam.

– Biuro pana Wrighta – odezwała się sekretarka. – W czym mogę pomóc?

– Dzień dobry. Hm... mówi Emery. Czy zastałam może Jensena?

– Niestety pana Wrighta nie ma dziś w biurze, ale z przyjemnością odbiorę od pani wiadomość dla niego.

Zmarszczyłam brwi. Jensena nie ma w pracy? To chyba... pomyłka.

– Czy pani wie, kiedy zamierza wrócić? – zapytałam.

– Pan Wright wyjechał w interesach.

– Wyjechał w interesach? – powtórzyłam niepewnie.

– Tak. W ostatniej chwili musiał polecieć do Nowego Jorku, żeby zająć się pewną sprawą. Nie jestem pewna, kiedy wróci, ale jeśli pani sobie życzy, mogę przekazać mu wiadomość.

Nowy Jork.

Słysząc te słowa, poczułam pustkę w głowie.

Co jest w Nowym Jorku?

Na myśl przychodziło mi jedynie to, o czym mi powiedział. Mieszkała tam Vanessa. On i Vanessa byli razem w Nowym Jorku. Czy ona wciąż tam mieszkała? Czy poleciał tam, żeby się z nią spotkać?

Nie, to było zupełnie bez sensu. Powiedział, że się z nią rozwiódł, bo go zdradzała. To stanowczo nie może być to.

Właśnie próbowałam nie wariować.

Albo właśnie wariowałam. Koniec kropka.

Dlaczego nie odbierał ode mnie telefonów?

Co za interesy mógłby mieć w Nowym Jorku na tydzień przed świętami i tuż po tym, jak wrócił po kupieniu firmy Tarmana? I co to mogły być za interesy, że zniknął tak nagle, nie uprzedzając mnie... albo nie odpowiadając na żaden z moich esemesów?

Kiedy nadeszła pora lunchu i skończył się mój dyżur, czułam już, że tracę rozum. Spędziliśmy z Jensenem fantastyczny weekend. Zostawiłam go z Landonem, żeby zebrać myśli. Jensen dzwonił i pisał esemesy, a kiedy odpowiedziałam, ślad po nim zaginął.

Co, do cholery, powiedział mu Landon?

Zanim zdążyłam się nad tym zastanowić, odwołałam lunch z Heidi i pojechałam do domu Jensena. Niecierpliwie uderzając stopą o ziemię, zadzwoniłam do drzwi.

Kiedy nikt nie otworzył, zadzwoniłam ponownie, a potem jeszcze raz.

W końcu w drzwiach stanęła tleniona blondynka. Miranda. Wbiła we mnie wzrok i zacisnęła różowe jak u Barbie usta.

– Co tu robisz, do cholery?

Kurwa. Nie spodziewałam się, że zobaczę Mirandę. Nawet o niej nie pomyślałam. Chciałam jedynie porozmawiać z Landonem o Jensenie.

– Hm... cześć – powiedziałam. To nie będzie zabawne. – Czy jest tu Jensen?

– Nie uda ci się mnie nabrać – oświadczyła Miranda.

Otworzyła szerzej drzwi i zobaczyłam, że ma na sobie rodzaj stroju do tenisa. Ale nie wiedziałam, czy już grała, bo jej fryzura i makijaż wciąż były idealne.

– Wiem, dlaczego naprawdę tu jesteś i jeśli zbliżysz się do mojego męża, wystąpię o sądowy zakaz zbliżania się.

Podniosłam ręce do góry.

– Nie jestem zainteresowana twoim mężem. Próbuję tylko znaleźć Jensena.

W tym momencie pojawił się Landon. Zzieleniał, kiedy zobaczył, że rozmawiam z Mirandą.

– Emery? Co ty tu robisz?

– Szukam Jensena. Nie widziałam się z nim od wczoraj. Nie odpowiada na moje esemesy, a jego sekretarka powiedziała, że wyjechał w interesach.

– Landon! – krzyknęła Miranda. – Dlaczego, do cholery, z nią rozmawiasz? Myślałam, że omówiliśmy to w Tampie. Że przyjadę pod warunkiem, że będziesz się trzymał od niej z daleka!

– Halo, jestem tutaj – mruknęłam. – Nie jestem zainteresowana Landonem. Spotykam się z Jensenem.

– Nie jestem idiotką.

Pozwalam sobie mieć odmienne zdanie, chciałam jej odparować. Zamiast tego odwróciłam się do Landona.

– Pomożesz? Masz jakiś pomysł? Cokolwiek?

– Landon! – zawyła Miranda.

– Daj mi tylko minutę, kochanie, dobrze? – Pocałował ją w czoło, przechodząc przez próg. – Tylko jedną minutę.

– Nie mogę w to uwierzyć. Nie daruję ci tego!

– Tylko jedną minutę. Nie masz teraz lekcji tenisa? – zapytał.

– Nie waż się mnie pozbyć!

– Za chwilę wrócę – obiecał. Słyszałam w jego głosie irytację, kiedy zamykał jej drzwi przed nosem. Ale kiedy odwrócił się do mnie, był siny. – Co tu, do cholery, robisz, Emery? Miranda zamorduje mnie we śnie.

– Jensen zniknął i nie odpowiada na moje esemesy. Coś ty mu wczoraj powiedział?

– Nie wiem. Wczoraj mnie poniosło. Wymknęło mi się parę głupstw.

– Głupstw? – zapytałam.

– Przesadziłem z reakcją. Miałem zamiar porozmawiać z nim dziś rano, żeby oczyścić atmosferę, ale kiedy się obudziłem, już go nie było.

– Co mu powiedziałeś? – zapytałam martwym głosem.

– Chyba coś takiego że jesteś dla niego za dobra.

– Ech! – jęknęłam. – Wspaniale. Nie wiem, co teraz myśli, ale nie ma go. Poleciał do Nowego Jorku. Dlaczego miałby być w Nowym Jorku?

Landon spoważniał i zamilkł. Kiedy na moment odwrócił wzrok, zrozumiałam, że jest źle.

– Co? Powiedz mi! – zażądałam, popychając go.

– Nic.

– Landon! Czy chodzi o Vanessę?

– Wiem, że Vanessa mieszka w Nowym Jorku, ale to nie znaczy, że poleciał się z nią zobaczyć. Prawdopodobnie po prostu pracuje. W każdym razie to właśnie zwykle robi.

– Dlaczego miałby lecieć, żeby zobaczyć się z byłą żoną? Dlaczego miałby to zrobić? – Tak naprawdę nie chciałam słyszeć odpowiedzi. Nie chciałam się zastanawiać, dlaczego Jensen miałby zobaczyć się z Vanessą w Nowym Jorku po tym, jak w nocy był przygnębiony. Obiecał, że nigdy mnie nie zdradzi i musiałam w to wierzyć. Musiałam uchwycić się tego całą sobą albo kompletnie się rozpadnę.

– To skomplikowane.

Skrzywiłam się.

– Więc zrób tak, żeby było nieskomplikowane.

– Nie mogę. Po prostu powinnaś... porozmawiać o tym z Jensenem.

– Nie mogę! – krzyknęłam zrozpaczona. – Nie odpowiada na moje wiadomości.

– Przykro mi, Emery. Nie mogę o tym mówić.

– Nie możesz mówić o czym?

– O niczym – rzekł szybko. – Nie wyciągaj pochopnych wnio-sków. Nie chodzi o Vanessę. To normalne zachowanie Jensena. Wkrótce wróci, a wtedy wszystko się unormuje.

Pokręciłam głową z niedowierzaniem. Nie mogłam uwierzyć w to, co mówił Landon. Sprawy były skomplikowane? Sprawy zawsze są skomplikowane.

Ale uciekając od swoich problemów, Jensen niczego nie roz-wiązywał. Czy miało to coś wspólnego z Vanessą, czy nie... Jen-sen rozmyślnie mnie ignorował. I samo to wystarczało, by do-prowadzić mnie do szału.

ROZDZIAŁ DWUDZIESTY SZÓSTY

Emery

Jensen nie odpowiedział mi na żaden z esemesów przez całe pięć dni.

W tym czasie wyobrażałam sobie najgorsze scenariusze – zaczynając od tego, że był ze swoją byłą żoną, a kończąc na tym, że nie żyje. Moja wyobraźnia pracowała, ale nie przynosiło mi to ulgi. Wiedziałam, że nie zrobiłam nic złego. Nic a nic. A Jensen rozmyślnie mnie ignorował. Zdecydowanie powinniśmy odbyć solidną, długą rozmowę, a on być może powinien dostać porządnego kopa w tyłek.

W wigilię Bożego Narodzenia zgodziłam się nawet pojechać z matką na nabożeństwo, żeby zobaczyć, czy Jensen się pojawi. Dzięki temu moglibyśmy o tym wszystkim pomówić przed kościołem.

Kimber, Noah i Lilyanne zdecydowali, że zostaną w domu, ponieważ zbliżał się termin porodu i ostatnie dni były dla mojej siostry coraz trudniejsze. Chciała zachować energię na Boże Narodzenie, żeby móc rano zobaczyć, jak Lilyanne otwiera stos prezentów od Mikołaja.

Pojechałam więc do mamy, żeby ją zabrać.

– Popatrzcie, kogo tu przywiało! – powiedziała, otwierając mi drzwi w szykownej czarnej sukience.

– Cześć, mamo. Tego jeszcze nie słyszałam. – To było nasze tradycyjne powitanie i trochę podniosło mnie na duchu po tym, co przeszłam przez ostatni tydzień.

– No cóż, miałam zamiar pozwolić Gary'emu Laptonowi zawieźć się do kościoła, ale chyba jesteś godnym substytutem.

Poczułam się zażenowana.

– A co z Harrym Stevensonem?

– Dziewczyna musi mieć wybór, Emery.

– O Boże, mamo!

Zachichotała i wsiadła do forestera.

– Nie bądź takim niewiniątkiem. Wiem, że spotykasz się z Jensenem Wrightem. Wszyscy wiedzą, że on nie jest świętoszkiem.

Zacisnęłam zęby i przekręciłam kluczyk w stacyjce.

– Naprawdę nie chcę rozmawiać o moim życiu miłosnym. Dziękuję, ale nie.

– Dlaczego taka jesteś? Myślałam, że budujemy więź.

– Nie mogę budować z tobą więzi, rozmawiając o tym, z kim uprawiasz seks. To mnie przyprawia o mdłości – powiedziałam, ruszając z podjazdu.

– No cóż, nie wpadasz, żeby mnie odwiedzić. Nie wychodzisz za mąż. Nie pracujesz już nad doktoratem. Nienawidzisz zakupów, pedikiuru i nie malujesz się. Co takiego mogłoby mnie z tobą wiązać?

– Hej, lubię pedikiur! – zawołałam. – Ale to, że nie jestem... Kimber, nie znaczy, że nie mam własnych zalet.

– Dokuczam ci tylko dlatego, że cię kocham. Po prostu chcę być pewna, że jesteś szczęśliwa. Nie chcę widzieć, że znów marnujesz życie w muzeum Buddy'ego Holly'ego.

– To ty mi załatwiłaś tę pracę! – odparłam oskarżycielsko.

– Na jakiś czas. Myślałam, że wrócisz na studia.

– Ale nie wracam – powiedziałam. Nadal nie mogłam myśleć o niczym innym, jak tylko o Jensenie, a tu matka próbowała planować mi karierę. Jakbym akurat teraz nie miała się czym zajmować.

– Tak bardzo lubiłaś pewne rzeczy. Takie, których ja nie cierpiałam, ale ty je kochałaś. Piłkę nożną i tę okropną deskorolkę, i trenowanie, i udzielanie korepetycji po lekcjach, i stowarzyszenie najlepszych absolwentów i...

– Tak, rozumiem. Ale teraz dryfuję w życiu i muszę mieć coś własnego.

– No właśnie.

Przewróciłam oczami.

– Znajdę rozwiązanie.

Matka oparła mi dłoń na ramieniu i westchnęła.

– Może powinnaś zastanowić się nad pracą w liceum. Masz stopień naukowy. Będziesz musiała uzyskać certyfikat, ale wiem, że możesz to zrobić.

– Uczniowie szkoły średniej? – Wzruszyłam ramionami.

– To by była zmiana.

Zdjęłam jej dłoń ze swojego ramienia.

Nie chciałam przyznać, że miała rację. Prawdopodobnie mogłabym dostać pracę nauczycielki w miejscowym liceum i może nawet pomóc trenować drużynę piłki nożnej. Grałam w uczelnianym zespole w Oklahomie i przez dwa lata w amatorskiej drużynie na uniwersytecie w Austin. Po prostu nie zdawałam sobie sprawy, czy właśnie o to mi chodzi.

Kochałam uczyć, kiedy byłam na studiach. To była ich najlepsza część. Szczerze mówiąc, najmniej stresująca. To badania, artykuły i niekończące się krytyczne analizy mnie wykańczały. Niektórzy ludzie byli do tego stworzeni i kochali to, ale nie ja. Mogłam przeprowadzić kilka analiz, ale w końcu głowa mi od tego eksplodowała i miałam wrażenie, że to wszystko przynosi więcej szkód niż pożytku.

– Po prostu o tym pomyśl – powiedziała mama, kiedy wjeżdżałam na parking przed kościołem.

– Okej – zgodziłam się. – Pomyślę.

– Dobrze, bo inaczej będę musiała wrócić do tematu Jensena Wrighta.

Jęknęłam i zatrzymałam samochód.

– Zabijasz mnie.

– Ja też cię kocham – odparła. A potem pospieszyła w stronę gromadki znajomych stojących przy wejściu.

Rozejrzałam się po parkingu w poszukiwaniu Jensena, ale daremnie. W tak dużym kościele zbierało się mnóstwo ludzi, dlatego wiedziałam, że w ten sposób go nie znajdę. Wyłączyłam silnik i poszłam zajrzeć do środka, by sprawdzić, czy Wrightowie już się pojawili. Bez powodzenia.

Wtedy z założonymi na piersiach rękami stanęłam przed wejściem do kościoła. Czekając, czułam się, jakbym urządziła zasadzkę, ale jeśli Jensen tu był, musiałam z nim porozmawiać. Musiałam dowiedzieć się, co tu się, do cholery, dzieje... albo to zakończyć. Bo nie miałam zamiaru pozwolić, by mną pogrywał.

Kiedy to pomyślałam, pojawił się przede mną tleniony bob.

– Ech! Chodzisz za mną dosłownie wszędzie? – zapytała Miranda.

Miała na sobie obcisłą błękitną sukienkę z głębokim dekoltem, która sięgała jej ledwie do połowy uda. Miranda dobrze w niej wyglądała, ale to nie byłby mój pierwszy wybór na tradycyjne nabożeństwo.

– Chodzę do tego kościoła – odparłam z westchnieniem.

– Aha. Jasne, jestem pewna.

– Mirando – odezwał się Landon, pospiesznie ją doganiając. – Wejdźmy do środka.

– Wiedziałeś, że ona tu będzie.

– Mirando, od dziecka oboje chodziliśmy do tego samego kościoła. Nic na to nie poradzę.

– I nie ostrzegłeś mnie? – zapytała.

– Nie ma potrzeby cię ostrzegać – wtrąciłam się – bo nic się tu nie dzieje i martwisz się niepotrzebnie.

– Nie mów mi, jak się czuję. Po prostu trzymaj się od nas z daleka.

A potem wkroczyła do kościoła, jakby należał do niej, a Landon posłał mi pełne współczucia spojrzenie i ruszył za nią. Pokręciłam głową, myśląc o tym, jak groteskową postacią jest Miranda, a potem rozejrzałam się, by zobaczyć, czy nadchodzi reszta Wrightów. Nie zawiodłam się.

Drobniutka Sutton Wright i jej świeżo poślubiony mąż Maverick wrócili już z Cabo, gdzie spędzali miodowy miesiąc. Ona miała głęboką oliwkową opaleniznę, a on trochę czerwony nos, ale oboje wyglądali na szczęśliwych. Za nimi dojrzałam Morgan i Austina. Wchodzili do kościoła i wydawało mi się, że Morgan beszta brata, wskazując jego kieszeń. Zmrużyłam oczy, próbując zorientować się, co do niego mówi. Wtedy zauważyłam, że z kieszeni Austina wystaje szyjka butelki.

Auuu!

Nagle wszystko inne przestało mnie obchodzić, bo prosto w moją stronę szedł nie kto inny, tylko sam Jensen Wright. Wyglądał... niewiarygodnie. Mogłam się na niego wściekać, ale bez wątpienia był atrakcyjny. Miał na sobie szyty na miarę garnitur w odcieniu antracytu, który leżał na nim idealnie. Do tego czerwoną koszulę w delikatny wzorek i ciemny krawat. Rysy mu się wyostrzyły, a spojrzenie stało się twardsze niż zwykle, ale wiedziałam, co się pod tym kryło. Wyglądał, jakby schudł... i nie sypiał. Ciemne cienie pod oczami świadczyły o tym, że przy życiu trzymały go kofeina i kilkunastominutowe drzemki.

Pochwycił mój wzrok i na moment przestałam oddychać. Przez ten moment chciałam zapomnieć ostatni tydzień. Chciałam, by wszystko było jak trzeba. Chciałam, żeby Wright znaczyło „jak trzeba", chociaż to wszystko wyglądało tak źle.

Ale po chwili to poczucie minęło i wiedziałam już, co muszę zrobić.

Ruszyłam prosto do Jensena i zastąpiłam mu drogę, zanim zdążył wejść do kościoła.

– Gdzieś ty, do diabła, był?

– Nie wyrażaj się, Emery – powiedział szorstko.

– Przestań – wycedziłam. – Po prostu odpowiedz na moje cholerne pytanie.

– Byłem w Nowym Jorku.

– Dlaczego nie odpowiedziałeś na żaden z moich telefonów i esemesów?

– Byłem zajęty – odparł po prostu.

Chwyciłam go za rękaw i odciągnęłam z drogi do wejścia.

– Czegoś tu nie rozumiem. Co się, do cholery, stało? Czy to dlatego, że tamtego dnia nie odbierałam od ciebie telefonów? Komórka mi się rozładowała i nie wiedziałam, że dzwonisz, dopóki nie wróciłam do domu. Oddzwoniłam do ciebie od razu, jak tylko ją naładowałam – zaczęłam tłumaczyć.

– Nie od razu.

– Co to, do cholery, znaczy? – zapytałam, nie nadążając za nim.

– Naprawdę nie chcę się w to wdawać, Emery.

Ruszył się, by mnie minąć, ale przytrzymałam go za ramię.

– Chodziło o Vanessę?

Jensen odwrócił się do mnie zmieszany.

– Co masz na myśli?

– Nadal ją kochasz? To dlatego byłeś w Nowym Jorku? – Wiedziałam, że wyglądam na zdesperowaną i zazdrosną, ale w tym momencie niewiele mnie to obchodziło. Jeśli to miało się skończyć, chciałam, by po prostu to zrobił.

– Pytasz mnie o to po ostatnim tygodniu?

– Dlaczego miałabym tego nie robić? – odparłam. To, co mówił, nie miało sensu.

Podszedł krok bliżej i stanął, górując nade mną.

– Widziałem cię z Landonem. Widziałem, jak cała się do niego kleiłaś tamtej nocy. Landon nadal cię kocha i wyraźnie wyglądało na to, że czujesz to samo.

Landon mnie kocha? Ha! Ubaw po same pachy. I Jensen myślał, że nadal kocham Landona? To było równie śmiechu warte.

– To nie to widziałeś! – powiedziałam.

– Daruj sobie, Emery.

Odwrócił się i wszedł do kościoła, pozostawiając mnie w miejscu. Prychnęłam zaszokowana. Pomyślał, że kocham Landona. Sądził, że wybrałam Landona zamiast niego. A ja nawet nie rozumiałam, jak mu to mogło przyjść do głowy.

Gdzie mnie zobaczył z Landonem? We Flips? Wtedy zdecydowanie się do niego nie kleiłam. Nawet go nie dotknęłam, jedynie wtedy, kiedy zaprowadził mnie do drzwi, żebym nie upadła.

Zachwiałam się, robiąc krok w tył. O cholera.

Kimber powiedziała, że Jensen wpadł do nas. Może widział, jak Landon mi pomaga. Może pomyślał, że jest w tym coś, czego nie było. Bo nic w tym nie było. To niedorzeczne przypuszczać coś takiego. Jeszcze gorsze było przyjąć to, nie porozmawiać o tym, a potem uciec.

ROZDZIAŁ DWUDZIESTY SIÓDMY

Jensen

Przez cały czas w kościele czułem na sobie palący wzrok Emery.

Na szczęście nabożeństwo w wigilię Bożego Narodzenia składało się głównie ze śpiewu i nie było okazji, by mogła się do mnie odezwać.

Byłem przygotowany, że się tu dziś pojawi. Sądziłem, że po tym, jak zostawiłem sprawy – albo ich nie zostawiłem – zechce konfrontacji. Była tego rodzaju dziewczyną. Ale tamtej nocy dokonała wyboru, a ja również go dokonałem, kiedy wsiadłem do samolotu i poleciałem do Nowego Jorku.

Żałowałem jedynie tego, że stosunki z Landonem nadal były napięte. Powinienem je naprawić przed odlotem. Jest moim bratem. Zawsze będzie w moim życiu i jeśli musiałem znieść to, że kocha Emery, powinienem przynajmniej powiedzieć mu, że się wycofam. Był żonaty z Mirandą, ale zawsze sądziłem, że to tymczasowa sytuacja i że w końcu znajdzie kogoś lepszego.

Nie mogłem się do niego zbliżyć, kiedy dziś rano wróciłem do domu. Miranda nie opuszczała go na krok, a już po kilku minutach w jej obecności pękały mi bębenki w uszach.

Ale dziś wieczorem to załatwię.

Nabożeństwo się skończyło i schyliłem się po płaszcz, a kiedy się wyprostowałem, stała przy mnie Emery, wściekła jak diabli. Przeszywała mnie płonącym wzrokiem i nie dało się nie odpowiedzieć na jej spojrzenie. Była... zachwycająca. Zapierała dech. Patrząc na nią, poczułem ucisk w piersi.

Unikanie jej wydawało się najlepszym rozwiązaniem. Myślałem, że mówiąc, co widziałem, odepchnę ją od siebie. A jednak stała tu, wpatrując się we mnie, jakby nie mogła się zdecydować, czy chce mnie pocałować, czy uderzyć. Ta kobieta to prawdziwy problem.

– Jesteś idiotą – warknęła.

– Nie teraz – odparłem cicho.

– Tak! Teraz. Czekałam na to cały tydzień. Po co mam czekać jeszcze minutę?

Widziałem w jej oczach, że mowy nie ma, by odpuściła.

– Dobrze. Porozmawiajmy gdzie indziej.

– Dobra – rzuciła. – Wobec tego na zewnątrz.

Przeprosiłem rodzinę i wyszedłem za Emery z kościoła. Kiwnęła głową w lewo i ruszyliśmy przed siebie. Było przenikliwie zimno. Emery miała na sobie ciepły płaszcz i szalik, a jej policzki i nos zaróżowiły się pod wpływem mrozu. Temperatura gwałtownie spadała i na Boże Narodzenie chyba czekał nas śnieg.

– No dobrze. Wyszliśmy – zacząłem. – Co takiego musisz mi powiedzieć?

– Jesteś tak nieprawdopodobnym idiotą.

– Już to mówiłaś.

Spojrzała na mnie.

– Jensenie, nie mogę tego zrobić.

– Czego nie możesz zrobić? – zapytałem, doskonale wiedząc, co ma na myśli.

– Nie ufasz mi. Moje zdanie cię nie interesuje. Nawet się nie wysiliłeś, żeby ze mną porozmawiać. Uciekłeś przy pierwszej oznace problemu. A potem, kiedy sytuacja stała się trudna, poleciałeś spotkać się z byłą żoną.

– To nie ma nic wspólnego z Vanessą. Wiesz o tym.

– Skąd? – zapytała. – Skąd niby miałabym to wiedzieć? Czy cokolwiek wiem, o co tu, do cholery, chodzi? Jesteś wkurzony z powodu Landona. Potem lecisz do swojej byłej, a ja mam się tym po prostu nie przejmować? Spójrz, jak zareagowałeś, kiedy sobie tylko wyobraziłeś, że coś się wydarzyło między mną i Landonem. Mam wszelkie prawo się martwić.

– To prawda – przyznałem.

We wszystkim, co mówiła, miała rację. To jednak nie znaczyło, że miałem tu stać i pozwolić jej na mnie krzyczeć. Znałem Landona. Wiedziałem, co czuje i co myśli. Ona musi być ślepa, jeśli tego nie widzi.

– Ale to nie zmienia tego, co zobaczyłem, i tego, co czujesz do Landona, a on do ciebie.

– O Boże, skończ z tym! Nie kocham Landona, a Landon nie kocha mnie – syknęła.

– Wiem, co widziałem.

– Nie, nie wiesz. Naprawdę nie wiesz. Nie dałeś mi szansy wytłumaczyć, co naprawdę się wydarzyło. Nie mogę siedzieć bezczynnie i pozwolić ci zdeptać mi serce, Jensen. Odsłoniłam się przed tobą po tym, jak zostałam zraniona. A później, przy pierwszej oznace problemu, rzuciłeś mnie. A to wszystko można było naprawić jedną krótką rozmową, której mi odmówiłeś.

– Jeśli ci się wydaje, że jedna rozmowa w cudowny sposób wszystko zmieni, to powiedz mi, co widziałem. Powiedz, co się naprawdę wydarzyło.

– Posłuchaj, ta noc, kiedy widziałeś mnie z Landonem, w żaden sposób nie była romantyczna. Przyjechał, żeby mnie przeprosić za to, że zachował się jak palant, kiedy zobaczył nas razem. Potem upiłyśmy się z Heidi i zaproponował, że odwiezie nas obie do domu. Byłam zbyt pijana, żeby dojść do drzwi, więc mi pomógł. Kiedy weszłam, natychmiast do ciebie zadzwoniłam. Koniec. Ot i cała historia.

– I kleiłaś się do niego, bo...

– Po pierwsze, nie kleiłam się. Po drugie, byłam pijana, a nie mam mocnej głowy. Ze mnie jest pijak w stylu „walnąć twarzą o beton, rozkwasić nos i podbić sobie oko". Uwierz mi, wiem, co mówię.

Parsknąłem, wyobrażając sobie, jak tak pada.

– To naprawdę było wszystko? – zapytałem.

Nagle się przestraszyłem, że być może to nie Landon zareagował zbyt mocno... że to byłem ja. Jeśli to, co mówiła, było prawdą, zraniłem ją bez żadnego powodu.

– Tak! – krzyknęła zirytowana. – I wiedziałbyś to, gdybyś odebrał telefon. Idź i zapytaj Landona. Zapytaj Heidi! Była wtedy w samochodzie. A jeśli już, to myślę, że Heidi jest zainteresowana Landonem. Nie ja! Nie rozumiem, co takiego zrobiłam, że mi nie ufasz, ale nienawidzę tego.

– Emery – powiedziałem powoli. – Byłem idiotą.

– Daruj sobie – odparła poirytowana, rzucając we mnie moje własne słowa.

– Masz rację – rzuciłem odruchowo.

Spojrzała na mnie nieufnie.

– Tak?

– Tak. Jestem idiotą.

– To oczywiste.

– Próbuję powiedzieć, że tak bardzo bałem się cię stracić, że odsunąłem cię od siebie. Wyciągnąłem wnioski. Nie pomogło też to, że Landon stwierdził, że jeśli nie znam okoliczności waszego rozstania, to w ogóle cię nie znam.

Jej oczy zapłonęły z wściekłości.

– Co powiedział?! – krzyknęła. – Och, zamorduję go, przysięgam.

– Mówię tylko, że chcę dostać drugą szansę. – Wziąłem ją za rękę. – Nie chcę się z tobą kłócić i nie chcę uciekać. Byłem idiotą. Kompletnym idiotą.

– Nie wiem – szepnęła, odwracając twarz. – Skąd mam wiedzieć, że to się nie powtórzy?

– Nie będziesz wiedziała. Ale ja nie wiem, jak inaczej to naprawić. Oboje mamy przeszłość. Oboje mamy problemy. Moim jest zaufanie. Po tym, co wydarzyło się w moim życiu, trudno mi kogokolwiek zaakceptować w ciemno. Ale naprawdę chciałbym spróbować to wszystko poskładać. Zacząć od nowa.

Westchnęła.

– Jensen...

– Daj mi szansę, Emery. Proszę.

Powoli zaczynał sypać śnieg. Spojrzała na mnie spod przyprószonych biało rzęs, puszyste płatki opadały na jej ciemne włosy i pokrywały płaszcz. Wiedziałem, że cierpi i że wyrządziłem niemal nieodwracalne szkody. Ale chciałem to naprawić... jeśli tylko mi pozwoli.

– Okej – powiedziała w końcu. – Jedna szansa, Jensen. I tyle.

Pochyliłem się ku niej i nasze usta się spotkały, delikatnie i pieszczotliwie. Za tym pocałunkiem tęskniłem cały tydzień. I zapamiętam go na zawsze.

– Nie będziesz żałować – szepnąłem.

Westchnęła i objęła mnie ramionami w pasie.

– Nienawidziłam ostatniego tygodnia.

– Ja też. Nienawidziłem być z dala od ciebie.

– Dlaczego jesteś takim osłem?

Zaśmiałem się.

– Chyba nic na to nie mogę poradzić.

– Boże, jesteśmy tacy popieprzeni.

– Emery?

– Hmm?

– Jak naprawdę było z twoim rozstaniem z Landonem?

Znów westchnęła, głębiej, i odstąpiła krok ode mnie.

– Naprawdę chcesz wiedzieć?

Kiwnąłem głową.

– Tak. Chciałbym, żebyśmy traktowali się na równych zasadach. Razem znajdowali rozwiązania. Być może dzięki temu żadne z nas nie zostanie znów niemile zaskoczone.

– Dobrze.

Spojrzała pod nogi, przełknęła ślinę i skinęła głową.

– Landon i ja spotykaliśmy się prawie dwa lata, kiedy przyznano mu golfowe stypendium w Stanford, a ja zostałam stypendystką programu National Merit Scholarship* w Oklahomie, ale oboje chcieliśmy zostać tu i iść do Texas Tech, że-

---

* National Merit Scholarship to program stypendialny dla utalentowanych absolwentów szkół średnich, finansowany przez prywatną organizację non-profit. Ukończenie programu daje możliwość wyboru uczelni wyższej.

by móc być razem. Mieliśmy cały plan. Wtedy... o ile wiem, twój ojciec powiedział mu, żeby poszedł na studia do Stanford.

– W żadnym razie – zaprzeczyłem. – Ojciec nie pragnął niczego poza tym, żeby każde z nas poszło do Texas Tech, tak jak on i wszyscy nasi krewni.

Wzruszyła ramionami.

– Byłam tam. Tak właśnie było. Uważał, że Landon powinien poważniej traktować studia i sport. Chciał, żeby poszedł do Stanford i spróbował dostać się do drużyny futbolowej, a Landon tego nie chciał.

– Przynajmniej to przypomina mojego ojca.

– Tak. Landon był dobrym futbolistą, ale zawsze wolał golfa. Wdał się w okropną kłótnię z ojcem dzień przed tym, jak musieliśmy podjąć decyzję, gdzie będziemy studiować. Tata powiedział, że Landon musi ze mną zerwać i jeśli jestem dla niego ważna, to moglibyśmy być ze sobą na odległość. Jak wiesz, twój tata wkrótce potem umarł.

Kiwnąłem głową. Tego byłem w pełni świadom.

– Landon czuł się... odpowiedzialny za to, co się stało. Tak jakby w czasie tej kłótni stracił panowanie nad sobą.

– Tak nie było i to nie był powód.

– Wiedziałam o tym, nadal to wiem. Ale ostatnie słowa, które powiedział do waszego taty, to było coś podłego i nie mógł dać sobie z tym rady. Postanowił iść do Stanford, bo tego pragnął twój tata, a ja wybrałam Oklahomę. A potem Landon po prostu... zniknął.

– Zniknął?

– Był zagubiony. Próbowałam go sprowadzić i pomóc mu, ale po prostu zniknął na kilka tygodni przed rozdaniem świadectw.

Wciąż byliśmy razem. Wiedziałam, że nadal mnie kocha, ale był załamany. Więc zerwał ze mną w dniu ukończenia szkoły. Powiedział mi, że omówił to z rodziną, z tobą, i wszyscy zgodziliście się, że tak będzie najlepiej.

– Nigdy o tym nie rozmawialiśmy. Powiedział mi, że wybieracie się na różne uczelnie i że oddaliliście się od siebie.

– No cóż, dopiero teraz widzę, że o tym nie wiedziałeś. – Z wysiłkiem przełknęła ślinę. – Ale, jak możesz sobie wyobrazić, miałam osiemnaście lat i byłam zrozpaczona. Nadal mnie kochał. Ja też go kochałam. Wiedziałam, że robi to jedynie z powodu tego, co stało się z ojcem. Próbowałam do niego dzwonić, wysyłać esemesy i e-maile. Bez odpowiedzi. Po prostu zniknął z powierzchni ziemi. Wiem, że dostał moje wiadomości. Nigdy nie zablokował mojego numeru. Wiedział, jak bardzo cierpiałam i ignorował to. Brzmi znajomo?

Skrzywiłem się. Zrozumiałem. Widziałem jej esemesy i to, jak była zrozpaczona. Potraktowałem ją tak samo jak Landon dziesięć lat temu i nawet nie byłem tego świadomy. I zrobiłem to bez żadnego powodu.

– Bardzo mi przykro.

– Wiem – wyszeptała. – Ale, jak widzisz, historia, która się powtarza, nie wpływa dobrze na moją psychikę. Landon dokonał wyboru całe dziesięć lat temu. Wiem, że zrobił to, co uważał za właściwe. Przez niego znienawidziłam was wszystkich na tak długo.

Przez kolejną minutę, milcząc, szliśmy w padającym śniegu. Nie wiedziałem, co na to wszystko powiedzieć. Nie zdawałem sobie sprawy, jak mocno cierpiał Landon. Kiedy wyjechał do Stanford, myślałem, że wszystko jest w porządku. Niech to, jak bardzo się myliłem!

– A więc skoro jesteśmy wobec siebie otwarci i szczerzy – Emery spojrzała na mnie – spotkałeś się z Vanessą, kiedy byłeś w Nowym Jorku?

– Tak – odparłem powoli.

Zastanawiałem się, jak wiele mogłem jej zdradzić w tym momencie. Wciąż nie wiedziała o pewnych sprawach. Powinienem jej o nich powiedzieć, ale była spięta i wyglądała, jakby szykowała się do ucieczki. Obawiałem się, że jeszcze jednej rzeczy może już nie znieść.

Obiecałem sobie, że jej to wyjaśnię, ale wtedy, kiedy będzie na to dobry moment.

– Nie pojechałem tam, żeby się z nią spotkać i absolutnie nic się nie wydarzyło. Poleciałem w interesach.

– Landon powiedział, że sprawy między wami są skomplikowane.

– Bo są. Vanessa jest skomplikowana – przyznałem.

Skrzyżowała ręce na piersi, jakby starała się chronić swoje wnętrzności, które skręcały się na tę myśl.

– Ale to nie tak – ciągnąłem. – Już ci mówiłem, że nigdy nie mógłbym z nią być po tym, co się stało. I to się nie zmieniło.

– To po co się z nią spotkałeś?

– Jesteśmy rozwiedzeni, ale… nie uwolniliśmy się od siebie. To skomplikowane.

– Nie uwolniliście się?

Boże, nie wiedziałem, jak to wytłumaczyć.

– Pracuję nad tym, żeby się uwolnić, to jeden z powodów, dla których tam poleciałem. Poza tym sprzedawałem część firmy Tarmana. Kupiłem ją, żeby ją zdemontować – wyznałem.

Zmarszczyła brwi i zacisnęła usta. Wyglądało, że rozważa wszystko, co teraz powiedziałem, i uznała, że jej to nie zadowala.

– To nie jest odpowiedź – stwierdziła w końcu. – Dlaczego się z nią spotkałeś?

– Nadal mieszka w moim apartamencie w Nowym Jorku.

– Dlaczego, do cholery, pozwalasz jej tam mieszkać?

– To jest związane z uwalnianiem się. – Już niedługo. Powiem jej już niedługo.

– I nic się nie wydarzyło?

– Emery, nie – rzekłem łagodnie.

– Wiem, wiem – odparła, kręcąc głową. – Ja też powinnam ci ufać. Jeśli mówisz, że tak nie było, to znaczy, że tak nie było.

Boże, spieprzyłem to. Zrobiła się teraz taka ostrożna. Bardzo wyraźnie zobaczyłem, jakim byłem idiotą.

Patrząc na jej śliczną twarz, gdy śnieg powoli sypał z nieba, zrozumiałem.

Próbowałem uciec.

Próbowałem się ukryć.

Próbowałem powiedzieć, że pieprzę to wszystko.

Ale nie było odwrotu.

Emery Robinson jest dla mnie tą jedyną.

I zrobię wszystko, żeby ją zatrzymać.

– Wybacz – odezwałem się wreszcie. Przyciągnąłem ją do siebie bliżej i oparłem ręce na jej ramionach. – Wiedziałem, że to, co robię, jest złe. Cholera, byłem po prostu wściekły. Miałem wrażenie, że znów przechodzę przez to samo gówno. Ale tym razem nie tylko ranię kobietę, którą kocham, ale i swojego brata.

– Kochasz? – wyszeptała. Zaskoczona, lekko otworzyła usta. – Ty mnie kochasz?

– Och, Emery – odparłem, wplatając palce w jej włosy i zakładając je jej za ucho. Zbliżyłem się do niej, czując, jak rozpa-
dają się wszystkie mury, którymi się otoczyłem. – Oczywiście,
że cię kocham.

ROZDZIAŁ DWUDZIESTY ÓSMY

Emery

Świadomość, że Jensen Wright mnie kocha, była niczym spacer w słońcu.

Jednak ciesząc się słonecznym blaskiem, bałam się ciemności.

Nie zapomniałam tygodnia, który spędziliśmy osobno. Cienia, który Jensen rzucił, kiedy słońce zniknęło. Nie byłam na tyle szalona, by wierzyć, że miłość wszystko pokona, i nie byłam na tyle naiwna, by myśleć, że ucieczka już nie wchodzi dla niego w grę. Pokazał, że może to zrobić, a teraz musiał mi udowodnić, że to się nie powtórzy.

Odkąd zgodziłam się dać mu szansę, sprawy nie układały się idealnie. Zachowywałam czas dla siebie i chroniłam swoje serce w obawie przed tym, co może nastąpić. Widziałam się z Jensenem w Boże Narodzenie po tym, jak spotkał się z rodziną, i byłam tam mile powitana przez większość z nich – poza Mirandą. Landon czuł się niezręcznie w towarzystwie nas obu, ale już nie wybuchł gniewem. Musi upłynąć trochę czasu, zanim przywykniemy do tej sytuacji. Po świętach zrobiło się między nami niemal zbyt idealnie. Być może byłam nazbyt ostrożna, ale obawiałam się, że nie wszystko jest tym, na co wygląda.

Jednak zgodziłam się iść z Jensenem na sylwestrowe przyjęcie w hotelu Overton. Chciałam, żeby sprawy się poukładały. Pragnęłam wygrzewać się w cieple jego miłości, ale jednocześnie nie chciałam, by mnie zranił. A moje serce walczyło z głową.

– Dlaczego jesteś taka spięta? – zapytała Heidi. Zrobiła mi już makijaż na przyjęcie, a teraz zajmowała się fryzurą.

– Nie jestem spięta – skłamałam.

– Owszem, jesteś – powiedziała Julia, opierając się o fotel.

Spotkałyśmy się wszystkie u mnie, żeby się przygotować. Julia wyglądała wspaniale ze świeżo ufarbowanymi na kolor czerwonego wina i wysoko upiętymi włosami, a jej czarna sukienka była czadowa.

– Sytuacja jest niepewna, a ty wyglądasz jak żółw – stwierdziła Heidi.

– Jak żółw? – zapytałam, śmiejąc się.

– Tak, chowasz się w swojej skorupie, bo się obawiasz, że on znów spieprzy sprawę – odparła Heidi.

– Nie obawiam się. Jestem ostrożna.

Heidi kiwnęła głową.

– Tak. Żółw.

– A ty byś nie była ostrożna? – zapytałam.

– Nie wiem – odparła, wzruszając ramionami.

– Porzucił mnie na tydzień. Próbuję się tym nie przejmować.

– Po prostu próbuj dobrze się bawić, okej? – poradziła Heidi.

Pokiwałam głową. Taki był plan. Dziś wieczorem zamierzałam dobrze się bawić. Znów miało być dobrze między nami. Chciałam, żeby znów było dobrze.

– Dobra – powiedziała Julia. – Teraz musimy znaleźć dla mnie kogoś do pocałunku o północy.

– Och, dla mnie też! – dodała Heidi.

– Landona? – zapytałam szeptem.

Heidi zrobiła wielkie oczy.

– Co? Nie! On jest żonaty!

– A gdyby nie był?

– Wtedy byłby twoim byłym chłopakiem.

– Heidi, chodzę z jego bratem.

– O nie. Mowy nie ma. Tu chodzi o dziewczyński kodeks! To rzecz święta, Em.

Gwałtowność jej reakcji mnie rozbawiła. Wiedziałam, że coś jest na rzeczy, nawet jeśli nie chciała tego przyznać, ale postanowiłam dać temu spokój.

– A więc ja załatwię ten pocałunek. Jestem gotowa całować się całą noc.

Heidi parsknęła śmiechem.

– O Boże, tak, kochanie. Bierz mnie!

– Lesbijski trójkącik. Wchodzę w to – dodała Julia, śmiejąc się.

Heidi rzuciła mi się w ramiona, zabawnie naśladując głośne pocałunki. Śmiałyśmy się, jakbyśmy znów chodziły do szkoły, kiedy życie było o wiele prostsze.

Julia przyglądała nam się, kręcąc głową.

– Jesteście na siebie strasznie napalone.

Heidi znów się zaśmiała i cmoknęła mnie w policzek.

– Zawsze – powiedziała.

Zadzwonił dzwonek u drzwi i miałam déjà vu. To było tak samo, jak wtedy, kiedy miałam pierwszą randkę z Jensenem. Popędziłam schodami na dół, a za mną ruszyły moje przyjaciółki. Lilyanne pobiegła do drzwi, w których stał Jensen, trzymając bukiet dla niej. Rozpromieniła się na jego widok.

– Mamo! Jest tu mój chłopak! – zawołała do Kimber.

Kimber jęknęła.

– Musimy przerwać ten zwyczaj.

Jensen pochylił się i zmierzwił włosy Lily.

– Jak się masz, maleństwo?

– Świetnie. Dziękuję, że pytasz – odpowiedziała grzecznie. – Powinniśmy mieć jeszcze jedną randkę z lodami.

– Powinniśmy – odparł, uśmiechając się od ucha do ucha.

– Fajnie. Wiem, jak ułożyć kwiaty – oświadczyła Lilyanne i pobiegła do rodziców.

Jensen wyprostował się i zobaczyłam całą jego sylwetkę w smokingu. Usłyszałam, jak dziewczyny wbiegają z powrotem na górę. Miały później przyjść na przyjęcie.

– Wow! – powiedział Jensen, kiedy nasze oczy się spotkały. – Wyglądasz cudownie.

Uśmiechnęłam się, sięgnęłam po płaszcz i podeszłam do niego. Jeśli miałam dać mu szansę, musiałam to zrobić. Być pewną siebie, seksowną kobietą, którą, jak twierdził, kochał.

– Ty też dobrze wyglądasz.

– Ale ta sukienka… – Dotknął jedwabistej, szmaragdowo-zielonej sukienki, która podkreślała kolor moich oczu i którą pożyczyłam z szafy Kimber.

Jensen pożerał mnie wzrokiem w taki sposób, że się zaczerwieniłam.

– Dzięki.

Wyglądało na to, że wreszcie się pozbierał i gestem wskazał drzwi.

– Proszę.

Wyszłam na zewnątrz i zaparło mi dech. Na ulicy czekała na nas długa czarna limuzyna.

– Co? Jedziemy na bal? – zażartowałam.

Jensen uniósł brew.

– Czy nie byłaś na balu z Landonem?

– O tak. Dwa razy.

– Więc nie. Nie należy ci się bal.

– Słusznie.

Jensen otworzył drzwi limuzyny i opadłam na pokryte skórą siedzenie. Wsiadł za mną. Wyposażenie wnętrza było czarne i szpanerskie. W kubełku mroziła się butelka mojego ulubionego szampana. Z głośników cicho sączyła się muzyka i roześmiałam się, kiedy poznałam piosenkę Mariah Carey.

– Mariah Carey? – zapytałam. – Puszczasz Mariah Carey?

– Posłuchaj, wiem, że ostatnio dała plamę podczas występu, ale teraz jest naszą piosenkarką.

– O mój Boże, to *Always Be My Baby*.

– I?

– To dobry wybór.

Wyraźnie wszystko tu przemyślał. Bardzo serio potraktował całą tę sprawę z naprawianiem sytuacji. Limuzyna, szampan i aluzja do naszej pierwszej randki… to był dobry początek.

Sięgnął po butelkę szampana, by nalać mi kieliszek.

Wypiłam go, zanim zdążył napełnić swój, i podałam mu pusty.

– Poproszę jeszcze.

Uśmiechnął się, pokazując te swoje zniewalające dołeczki.

– Tylko nie walnij twarzą o beton na mój koszt.

– Jestem grzeczną dziewczynką – zanuciłam.

– Nie zakładaj się o to.

Jensen upił łyk szampana i odstawił kieliszek.

– Zanim tam dojedziemy, mam dla ciebie prezent gwiazdkowy.

– Co masz? Przecież jest sylwester i myślałam, że nie dajemy sobie prezentów. – W wigilię Bożego Narodzenia, kiedy nasz związek znalazł się na mieliźnie, postanowiliśmy, że nie damy sobie prezentów.

– Tak. Dobrze, wobec tego to twój prezent noworoczny.

– Ale ja nie mam nic dla ciebie.

Jensen spojrzał na mnie.

– Absolutnie niczego nie potrzebuję – powiedział kategorycznie.

Z kieszeni płaszcza wyjął czarne aksamitne pudełko. Spojrzałam na nie z podziwem. Próbował mi je podać, ale nadal nie mogłam oderwać od niego wzroku. Nigdy w życiu nie dostałam niczego podobnego, a nawet nie wiedziałam, co zawiera. To naprawianie spraw Jensen wzniósł na nowy poziom.

– Dalej, otwórz je – zachęcił.

Ostrożnie wzięłam pudełko do ręki i z cichym kliknięciem otworzyłam wieczko. W środku był prosty łańcuszek z okrągłym brylantem obramowanym mniejszymi brylancikami. Był delikatny, elegancki i zapewne wart fortunę. Wyglądał, jakby kosztował więcej niż mój forester.

– Nie mogę…

– To prezent. Możesz.

– Och. Okej – szepnęłam. – Założysz mi go?

Wyciągnęłam naszyjnik z pudełka, uniosłam włosy i pozwoliłam Jensenowi zapiąć mi go na szyi. Czułam jego ciężar na wysokości mostka, ale nie przyćmił sukienki. Tak jakby Jensen to przewidział. Albo facet miał wspaniały gust, jeśli chodzi o brylanty.

– Dziękuję. Ale to naprawdę zbyt wiele.

– Emery, dla ciebie nigdy nie będzie dość.

Przechyliłam się ku niemu tak, że naszyjnik zwisał między nami, i pocałowałam go głęboko.

– Dziewczyna może się do tego przyzwyczaić, jeśli nie będziesz ostrożny.

– Nie zamierzam być ostrożny. Koniec z delikatnym traktowaniem. Będziesz musiała znosić wykwintne kolacje i prezenty bez okazji i nieplanowane wypady moim samolotem. Jestem takim człowiekiem, Emery, w tym samym stopniu, jakim jestem, będąc z tobą. Chcę cię mieć w obu swoich światach.

Kiwnęłam głową, oniemiała. Jensen oferował mi swój świat. Byłabym głupia, gdybym odmówiła.

Limuzyna zatrzymała się przed Overtonem. Wysiedliśmy i szybko, uciekając przed wiatrem, weszliśmy do środka. Sala była już pełna ludzi, ale udało mi się zobaczyć, że większość rodziny Jensena już się zjawiła. Przedostaliśmy się do ich stolika i Jensen zostawił mnie z Morgan, a sam poszedł po drinki. Do naszego stolika oczywiście podano alkohol, ale szampan miał być serwowany dopiero przed samą północą.

– Och! – westchnęła Morgan. – Dał ci naszyjnik.

Odruchowo dotknęłam brylantu.

– Tak.

– Wspaniale na tobie wygląda.

– Dziękuję.

– Tak się cieszę, że wszystko znów się ułożyło. Jensen jest taki nieznośny, kiedy zachowuje się jak idiota i nie chce się do tego przyznać.

Zaśmiałam się, zakrywając dłonią usta.

– Ja też się cieszę, że się ułożyło – przyznałam, uśmiechając się.

– I jestem bardzo szczęśliwa, że tu z nami jesteś. Naprawdę. Cała rodzina się cieszy.

Słysząc te słowa, jedynie się uśmiechnęłam, bo trudno mi było wyrazić, jak wiele dla mnie znaczyły.

– Chyba pójdę na chwilę do łazienki, dopóki Jensen czeka w tej horrendalnej kolejce.

– Dobrze – odparła Morgan. – Chcesz, żebym poszła z tobą?

– Nie, wszystko w porządku. Wrócę za minutę.

Zagłębiłam się w tłum, żeby w tej wielkiej sali balowej odnaleźć łazienkę. Była przy jednym z korytarzy i ponieważ był jeszcze wczesny wieczór, na szczęście nie czekała przy niej długa kolejka. Skorzystałam z toalety, umyłam ręce i ruszając do wyjścia, niemal się z kimś zderzyłam.

– Och! Przepraszam – powiedziałam, próbując ominąć kobietę.

– Oto osoba, której szukałam – odparła.

Podniosłam wzrok i nagle zrozumiałam. Poczułam ucisk w żołądku. To niemożliwe, żeby była tą, o której myślałam.

– Czy myśmy się już spotkały?

– Nie miałyśmy tej przyjemności. Cieszę się, że mogę to zmienić. Jestem Vanessa.

Wyciągnęła do mnie rękę, ale byłam tak zaszokowana, że tylko w nią patrzyłam. Kiedy się nie odezwałam, opuściła rękę, spojrzała na mój naszyjnik, a potem znów na mnie.

– Vanessa jak…

– Tak, Vanessa Jensena. – Powiedziała to miękkim, kusicielskim głosem, jakby należała do niego, a on należał do niej.

Była oszałamiająco piękna, wręcz olśniewająca. Jasne włosy spływały falami niemal do talii, jak u supermodelki. Była ode mnie wyższa o dobre kilkanaście centymetrów. Miała na sobie czarną sukienkę, która podkreślała smukłą figurę. Ale najwyraźniej to twarz i miodowy kolor oczu zapewniły jej pracę modelki. Była oryginalna, ale w pewien sposób zwyczajna, efektowna, ale naturalna. Działała na zmysły.

Znienawidziłam ją od pierwszego wejrzenia.

– Co tu robisz? – zapytałam.

– Przyszłam, żeby być z Jensenem.

– A to pech. On jest tu ze mną – oświadczyłam, instynktownie broniąc swego terytorium.

– Ach tak – odparła, przypatrując mi się z góry do dołu, jakbym była śmieciem i rozważała, jak się mnie pozbyć. – Jesteś przebojem tygodnia?

– Nie. Jestem jego dziewczyną. Więc chyba powinnaś wyjść. Nie chcę mieć z tobą do czynienia, kiedy spędzamy razem cudowny wieczór.

– Dziewczyna – powiedziała Vanessa i zaśmiała się melodyjnie.

Nikt się tak nie śmieje! Absolutnie nikt!

Wzruszyłam ramionami.

– Możesz wierzyć, w co chcesz. To mnie naprawdę nie obchodzi.

– Ale jak możesz być jego dziewczyną, jeśli spędził ze mną cały zeszły tydzień?

Serce mi zamarło. Wiedziałam, że Jensen widział się z nią w zeszłym tygodniu, ale nie zdawałam sobie sprawy, że go z nią spędził.

– Wiem, że był w Nowym Jorku i że się z tobą spotkał. Wątpię, czy z tobą przebywał.

– Widziałam, jak tu z nim weszłaś, ale ani razu o tobie nie wspomniał – odparowała, głębiej wbijając nóż.

– Jensen powiedział mi, że się z tobą widział i że nic w tym nie było. Wiem, że go zdradzałaś. Wiem, że dlatego się z tobą rozwiódł. Jeśli przyszłaś tu, by się ze mną bić, przyjmijmy, że się poddaję.

Odwróciłam się i z podniesioną głową ruszyłam pustym korytarzem. Byłam wściekła. Czułam, że płonę. Panowałam nad sobą. Nie wiedziałam, dlaczego Vanessa się tu pojawiła, ale świetnie sobie z nią poradziłam. Powiem o tym Jensenowi, a on jej powie, żeby stąd spierdalała. I koniec.

– A czy powiedział ci o Coltonie?

Przystanęłam. Kim, do cholery, jest Colton? I dlaczego to ma znaczenie?

– Oczywiście, że nie. – Vanessa westchnęła teatralnie. – Nikomu o nim nie mówi. Dlaczego miałby powiedzieć tobie?

Odwróciłam się do niej powoli. Zamierzałam zadać jej pytanie, ale utknęło mi w gardle. Coś mi mówiło, że lepiej nie znać odpowiedzi. Nie chciałam mieć z tym do czynienia.

– Spójrz prawdzie w oczy. Nigdy nie będziesz mogła się ze mną równać – powiedziała Vanessa, uroczo przechylając głowę. – Jak mogłabyś się równać z matką jego syna?

ROZDZIAŁ DWUDZIESTY DZIEWIĄTY

Jensen

– Powinna już wrócić – powiedziałem do Austina.

Zostawiłem Morgan flirtującą z Patrickiem, kiedy dowiedziałem się, dokąd poszła Emery. Ale to było już jakiś czas temu. Zdążyłem odstać swoje w obłędnej kolejce po drinki i wrócić do stolika.

Austin wzruszył ramionami. Pił bez przerwy i miałem ochotę wytrącić mu szklankę z ręki. Miał problem. Przyniósł ze sobą butelkę do kościoła. Muszę wysłać go na odwyk. Albo będzie trzeźwy, albo skończy jak nasz ojciec, dławiąc się własnymi wymiocinami. Nie chciałem, by tak się stało. Tak bardzo zajęły mnie moje własne problemy, że nie dostrzegałem, jak źle jest z Austinem. Ale będzie nowy rok i tak dalej, a wtedy mu pomogę.

Jak tylko znajdę Emery.

– Co może jej zabierać tyle czasu? – zapytałem.

Austin znów wzruszył ramionami.

– Nie wiem, stary. Prawdopodobnie jest kolejka. Wiesz, jak jest w damskich łazienkach.

– Racja, kolejka – mruknąłem, sam w to nie wierząc.

Tak naprawdę nie wiedziałem dlaczego. Może to po prostu paranoja. Po tym, co przeszliśmy przez ostatni tydzień, starałem się zachowywać bez zarzutu. Miałem dla Em wielką niespodziankę. To będzie taka ulga, kiedy wszystko przed nią ujawnię.

Miałem już pójść i znaleźć łazienkę, by sprawdzić, czy wszystko jest w porządku, kiedy z tłumu wyszła Emery. Wyglądało, że jest... wstrząśnięta. Wyraźnie wstrząśnięta. Jakby zobaczyła ducha.

Trzymała ręce po bokach, z dłońmi zaciśniętymi w pięści. Oczy miała szeroko otwarte i rzucała spojrzenia we wszystkie strony. Szła energicznie, jakby chciała jak najszybciej się stąd oddalić. Jej ramiona były napięte. Coś się wydarzyło. Coś się zdecydowanie wydarzyło.

– Hej – powiedziałem, natychmiast do niej podchodząc.

Cokolwiek ją zraniło... zniszczę to. To miała być nasza noc.

– Chcę wyjść – rzuciła. Nawet na mnie nie spojrzała.

– Emery, co się stało?

– Powiedziałam, że chcę wyjść – powtórzyła, podnosząc głos.

– Okej, okej. Wezmę twój płaszcz.

Bez słowa sięgnąłem po niego, nie zważając na konsternację na twarzach przyjaciół i rodziny. Widzieli, co się dzieje między mną i Emery. Rozumieli, że nie powinni się w to mieszać.

Podałem jej płaszcz, a ona wyrwała mi go z ręki.

– Chodźmy.

– Emery, co się stało? – zapytałem. Szedłem za nią, gdy pospiesznie opuszczała salę. Wyciągnąłem rękę i przytrzymałem ją za łokieć.

– Proszę, powiedz mi.

Szarpnęła się, jakbym ją oparzył.

– Dlaczego nie zapytasz Vanessy?

Zmarszczyłem brwi skonsternowany.

– Vanessy?

– Tak, twojej byłej żony. Ona może ci wyjaśnić.

Otworzyłem usta i z powrotem zamknąłem.

– Ona tu jest?

– A jak myślisz? – zapytała i prędko ruszyła do wyjścia.

Poszedłem za nią, rozglądając się po sali i próbując zrozumieć, jak to się stało, że moje życie w ciągu kilku minut legło w gruzach.

Dlaczego Vanessa dziś tu jest? Co chce przez to osiągnąć?

Kiedy w zeszłym tygodniu byłem w Nowym Jorku, nawet nie wspomniałem o Emery. Nie mogła wiedzieć, że mam nową dziewczynę, bo zdawałem sobie sprawę, że spróbuje zniszczyć nasz związek. Cokolwiek nią kierowało, nie zamierzałem pozwolić jej wygrać.

Byliśmy już niemal przy drzwiach, kiedy ni stąd, ni zowąd wyrosła przy nas Vanessa. Zauważyłem, że się postarała. Zjawiła się tu z jakiegoś powodu, a wyraz jej twarzy mówił, że tym powodem byłem ja.

Emery zauważyła jej obecność i najeżyła się.

– Wychodzę z tobą albo bez ciebie.

– Ze mną – odparłem automatycznie.

– Świetnie – odparła, kierując się do holu.

Vanessa podeszła do mnie, zanim zdążyłem ruszyć za Emery.

– Hej, dokąd idziesz?

– Co tu robisz?

– Przyszłam się z tobą zobaczyć, kochanie.

– Colt miał jutro przyjechać z nianią. Tak ustaliliśmy, a nie że ty przyjedziesz tu i zaatakujesz moją dziewczynę na przyjęciu, na które cię nie zapraszałem!

– Cóż, zapomniałeś wspomnieć mi o tej panience, więc pomyślałam, że przyjadę, żeby spędzić z tobą trochę czasu – powiedziała, kładąc dłoń na moim ramieniu.

– Vanesso, do cholery, przestań. Wiesz, że nie chcę spędzać z tobą czasu i zdecydowanie obraziłaś moją dziewczynę. Kocham ją i ją wybieram. Właśnie ją. Tylko ją. – Wyrwałem ramię, czując do niej wyjątkowe obrzydzenie. Nie wystarczyło, że zdradzała mnie z moim przyjacielem, a teraz jeszcze próbowała zniszczyć wszystko pozostałe. Nie zamierzałem tego znosić. – Uważam, że jesteś brudem, który przykleił mi się do podeszwy. Chcę, żebyś przestała próbować rujnować moje pieprzone życie.

– Jensenie – wyszeptała ledwie słyszalnie.

– Jesteś w moim życiu z jednego powodu, Vanesso. Jednego. – Podniosłem palec. – Z powodu Coltona. Tylko dlatego. W innym razie mogłabyś iść do diabła.

Obróciłem się na pięcie i odszedłem. Ostatnią rzeczą, jakiej bym sobie życzył, było to, żeby Emery pomyślała, że chciałbym rozmawiać z Vanessą albo że bardziej niż jej cierpieniem byłem zainteresowany tym, co Vanessa miała do powiedzenia. Bo to było najdalsze od prawdy. Wybiegłem z budynku i znalazłem Emery krążącą wokół stanowiska parkingowych.

Odprawiła mnie ruchem ręki.

– Już zadzwoniłam po taksówkę.

– Nie. Mamy limuzynę. – Gestem wskazałem parkingowemu, by nam ją sprowadził.

– Nie mogę…

– Emery, proszę. Nie wiem, co powiedziała Vanessa, ale próbuje jedynie wejść między nas. Nie ma nic między mną i Vanessą. Nic.

– Powiedziała, że masz syna – wyszeptała martwym głosem. Wbiła we mnie zabójcze spojrzenie. Czekała na reakcję. Czekała, żebym zaprzeczył. Serce mi się ścisnęło. Nie tak miała się o tym dowiedzieć. Chciałem wyjaśnić jej to jutro najlepiej, jak umiałem. Kurwa, Vanessa wszystko zniszczyła.

– Mam – odparłem, opuszczając ręce. – Mam syna.

Potrząsnęła głową i odwróciła ode mnie wzrok.

– Nie mogę w to uwierzyć. Dałam ci tyle okazji, żebyś mi o tym powiedział. Cała ta sprawa z drugą szansą... Nie pomyślałeś, że powinnam o tym wiedzieć?

– To nie tak, Emery. Miałem zamiar ci powiedzieć. Zamierzałem to zrobić jutro.

– No cóż, zawaliłeś sprawę. Vanessa jest tutaj. W Lubbock. Znalazła mnie, przyparła do muru i postarała się, żebym się poczuła nic niewarta. I wiesz co? Nie udało jej się. Mówiła straszne rzeczy, ale ja wiedziałam, w jakim punkcie oboje jesteśmy, i dawałam nam szansę. A wtedy zrozumiałam... Nie, ty nie dawałeś nam szansy.

W tym momencie limuzyna podjechała na miejsce. Kierowca wyskoczył i otworzył drzwi przed Emery.

Pokręciła głową.

– Ty nią jedź.

– Proszę – błagałem. – Proszę, pozwól mi wytłumaczyć. Ja dałem ci szansę wytłumaczenia. Daj mi taką samą. Powiedzieliśmy sobie, że spróbujemy to zrobić razem. Chcę, żebyśmy zrobili to razem. Kiedy porozmawiamy i pomyślisz, że zrezygnowałem z naszej drugiej szansy, to po prostu... odwiozę cię do domu. Ale nie pozwolę ci odejść. Będę o nas walczył, bo jesteś jedyną kobietą, jaką spotkałem, która sprawiła, że tak się czuję.

Przełknęła ślinę i odwróciła głowę. W jej oczach zalśniły łzy, ale nie spojrzała na mnie. Była rozdarta. Widziałem to. Chciała mnie wysłuchać, ale uważała, że nie zasługuję na drugą szansę. Musiałem udowodnić, że się myli. Bo to była kompletna pomyłka. Nieporozumienie. Możemy to przetrwać. Zrobię wszystko, aby tak się stało.

Bez słowa wsiadła do limuzyny. To była jej odpowiedź. Tak. Tak, spróbuje.

Pod wpływem ulgi uszło ze mnie powietrze. Wiedziałem, że muszę to zrobić. Po prostu myślałem, że będę miał więcej czasu. Poza tym nie zakładałem, że Emery może się wycofać, kiedy jej powiem.

Chciałem móc się trzymać, ale miałem wrażenie, że coraz mniej panuję nad swoimi uczuciami. Wyglądało na to, że przy Emery tracę poczucie kontroli, do którego przywykłem. Zaczynałem jednak zdawać sobie sprawę, że to nie jest walka o władzę. Jesteśmy po prostu dwojgiem ludzi, którzy się kochają. Musiałem przestać trzymać się swojej przeszłości i pójść naprzód, myśląc o przyszłości.

Zająłem przy niej miejsce w limuzynie.

Obróciła się, by móc patrzeć mi w twarz.

– Dlaczego mi nie powiedziałeś, że masz syna?

– Spotykaliśmy się dopiero parę tygodni, a bardzo niechętnie mówię o swoim życiu prywatnym. Chciałem być pewien, że łączy nas coś poważnego. Nie przedstawiam synowi osób, które będą chciały odejść z jego życia. Uważam, że to nie byłoby wobec niego uczciwe. Ponieważ mieszka z Vanessą w Nowym Jorku, tam jest jego życie. Latam tam stale. Niemal w każdej wolnej chwili i przynajmniej raz w miesiącu, więc nie chcę burzyć jego życia. Jestem dość bogaty, by sobie na to pozwolić.

– Więc… myślałeś, że odejdę z twojego życia? – zapytała.

– Szczerze mówiąc, aż do tego tygodnia nie wiedziałem. – Przeczesałem palcami włosy, starając się nie zwracać uwagi na śmiertelnie gniewne spojrzenie, które mi posłała. – Ale w tym tygodniu zmieniłem zdanie i chciałem urządzić to wszystko jak należy. Colton ma jutro przylecieć ze swoją nianią, żebyś mogła się z nim spotkać. Nie wiedziałem, że Vanessa zamierza pojawić się tu bez zapowiedzi. Nie rozumiem, dlaczego postanowiła przylecieć dzień wcześniej.

– Myślę, że dała mi to bardzo jasno do zrozumienia – burknęła Em.

– Przysięgam, że nic nie ma między mną i Vanessą. Nasza relacja dotyczy wyłącznie naszego syna.

– Nie mogę znieść myśli, że dowiedziałam się o tym od kogoś innego.

– Planowałem, że powiem ci o tym jutro – powtórzyłem z westchnieniem.

– Musztarda po obiedzie – szepnęła.

– Naprawdę, Emery, miałem zamiar jutro ci powiedzieć. Chciałem spotkać się dziś z tobą i spędzić razem cudowny wieczór. Nawet dałem ci naszyjnik mojej matki.

Odruchowo dotknęła brylantu wiszącego na szyi i wbiła we mnie wzrok.

– Dałeś mi naszyjnik swojej matki?

– Tak. Morgan i Sutton mają większość jej biżuterii, ale kilka rzeczy zostawiła mnie. Chciała, żeby trafiły do kobiety, którą kocham. I dałem ci go. Jestem pewien, że właśnie dlatego Vanessa tak cholernie się wkurzyła. Widziała wcześniej ten naszyjnik.

Na wzmiankę o Vanessie Emery cofnęła dłoń.

– I naprawdę nie wiedziałeś, że ona tu będzie?

– Nie. Cholera, nie. Nie chcę jej tu. Najwyraźniej po prostu pogrywa ze mną. – Odchrząknąłem. – Powiedziałaś, że chcesz poukładać to wszystko razem ze mną. Miałem zamiar dać ci ku temu okazję.

– Uważam, że to cudownie, że chciałeś, żebym się z nim spotkała – wyszeptała – ale zupełnie nie wiem, dlaczego nie mogłeś powiedzieć mi o nim wcześniej... nie wiem... tego dnia, kiedy przyznałeś, że widziałeś się w Nowym Jorku z Vanessą. To jasne, że poleciałeś tam do Coltona, nie do niej, prawda?

Kiwnąłem głową.

– Tak było.

– A jednak mi nie powiedziałeś. Opowiedziałeś mi całą historię o tym, jak Vanessa zdradzała cię z Markiem, jak strasz-liwie była żona i ten oszust zniszczyli twoje życie, ale w tym wszystkim pominąłeś fakt, że masz syna. Tak jakbym poznała połowę twojej historii. Dostałam skróconą wersję książki. Mog-łeś mi powiedzieć w dowolnym momencie, ale tego nie zrobiłeś. Czy myślałeś, że nie zrozumiem?

– Nie – odparłem natychmiast. – Emery, to nie tak.

Objęła się ramionami i pokręciła głową.

– Myślę, że dziś muszę postarać się z tym uporać, Jensenie. Nie winię cię za to, że masz syna. Kocham Lilyanne, rozumiem, dlaczego masz z nią tak dobry kontakt. Ale boję się, że nigdy na-prawdę mi nie zaufasz. Być może nigdy już nikomu nie zaufasz.

Jej słowa zawisły między nami.

Na pół oskarżenie, na pół prośba.

Nie wiedziałem, co na to odpowiedzieć. Czy jej nie ufałem? Czy naprawdę próbowałem ją odtrącić? Miałem zamiar wszystko wyznać, ale to nie wystarczało. Landon zdawał sobie z tego sprawę, kiedy dwa tygodnie temu doszło do konfrontacji między nami. Nawet jeśli Emery dowiedziałaby się jutro, zdenerwowałaby się. Teraz to zrozumiałem. Zakochać się w kimś i pominąć najważniejszą rzecz w życiu to oznacza całkowity brak zaufania.

Widziałem ból i rozpacz w jej oczach. Obiecywałem ją kochać, a mimo to karmiłem kłamstwami o sobie.

Odwróciła ode mnie twarz, a ja usiłowałem znaleźć odpowiednie słowa, kiedy w jej kieszeni zaczął dzwonić telefon.

– Kimber – szepnęła, patrząc na ekran z lekko otwartymi ustami. Widziałem, że jest zaniepokojona, natychmiast odebrała połączenie.

– Hej, co się dzieje? Wszystko w porządku? – Przez chwilę trwała cisza i czekałem na odpowiedź. – Tak. Tak. Zaraz tam będę. Potrzebujesz czegoś? Okej. Tym się nie martw.

Kiedy się rozłączyła, wiedziałem już, co się dzieje.

– Zaczął się poród? – zapytałem.

– Tak. Muszę wrócić do domu, a potem jechać do szpitala.

– Co z Lilyanne?

– Moja mama się nią opiekuje.

– Więc podwiozę cię limuzyną.

– Nie…

– Jedziemy od razu na miejsce – powiedziałem.

– Okej – zgodziła się.

W ogóle nie protestowała, co dowodziło, jak bardzo jest zdenerwowana i podekscytowana z powodu Kimber.

Wyjaśniłem kierowcy, dokąd ma jechać, i ruszyliśmy szybko do szpitala. Resztę drogi przejechaliśmy w milczeniu. Emery niepokoiła się o siostrę, a ja nie byłem w stanie rozmawiać o tym, co się z nami stało i co teraz zrobimy.

Kierowca zatrzymał się przed wejściem do szpitalnego skrzydła, w którym mieścił się oddział położniczy.

– Dziękuję, że mnie podwiozłeś – szepnęła.

– Nie ma za co. Powiedz Kimber, że życzę jej powodzenia.

– Powiem.

Sięgnęła z tyłu do szyi, odpięła naszyjnik i podała mi go.

– Powinieneś go zatrzymać.

– To był prezent.

– Należał do twojej matki. Chcę, żebyś mi go dał tylko wtedy, jeśli nam ze sobą wyjdzie. A teraz...

Upuściła mi naszyjnik na dłoń i nagle poczułem chłód.

– A teraz co?

Zaczęła się odsuwać, ale przyciągnąłem ją znów do siebie.

– Co to dla nas oznacza?

Pokręciła głową.

– Nie wiem. W tej chwili nie potrafię o tym myśleć. Muszę być z siostrą.

– Rozumiem. To jest teraz najważniejsze. – Pocałowałem ją delikatnie w czoło. – Dla reszty znajdziemy rozwiązanie innym razem.

– Tak – powiedziała, smutna i jakby nieobecna. – Innym razem.

Czując ciężar przygniatający mi pierś, patrzyłem, jak znika. Myślałem, że dzisiejsza noc będzie początkiem wszystkiego. Myślałem, że jutro spotka się z Coltonem i zobaczy, dlaczego tak bardzo go kochałem. A teraz zastanawiałem się, czy przetrwamy razem choćby do jutra.

Emery

Łzy płynęły mi strumieniem po twarzy, kiedy stałam pod windą. Oddział był pusty. W izbie przyjęć z pewnością czekało mnóstwo ofiar wypadków związanych alkoholem, ale w tej części szpitala nie było nikogo. Na szczęście.

Wydawało mi się, że nie mogę przestać płakać. Pierś mi się ścisnęła i szybko chwytałam oddech. Czułam się, jakbym miała objawy hiperwentylacji, nie mogła zaczerpnąć powietrza i czkając, próbowała dojść do siebie.

Serce mnie bolało. Pierś mnie bolała. Głowa mnie bolała.

Wszystko mnie bolało.

Odejście od Jensena bolało.

Nie chciałam tego zrobić. Ale byłam pewna każdego słowa, które powiedziałam. Nie ufał mi. Koniec i kropka. A nie mogłam z nim być, jeśli mi nie ufał. To pozostawiało nas w impasie.

Myślałam, że po tych wszystkich kłopotach w Austin powrót do domu i próba zrozumienia, o co mi w życiu chodzi, będą proste.

Spędzę czas z Kimber i Heidi. Znajdę prawdziwą pracę. Odkryję, czego pragnę.

Tymczasem moje serce, umysł i dusza należały teraz do Jensena Wrighta.

Powinnam była zapomnieć o mężczyznach.

Powinnam trzymać się z daleka od Wrightów.

Nie stałabym tu wtedy z sercem rozdartym na strzępy.

– Kurwa – szepnęłam, wciskając guzik windy. Wytarłam twarz.

Dosyć łez.

Dosyć.

Kimber by zauważyła, to pewne. A teraz byłam tu dla niej i tylko to się liczyło. Powitanie mojej nowej siostrzenicy.

Wjechałam windą na czwarte piętro, gdzie zaprowadzono mnie do pokoju siostry.

– Puk, puk – powiedziałam, wchodząc.

Kimber leżała w łóżku. Noah kręcił się koło niej z miseczką pełną kostek lodu.

– Cześć! – odparła z uśmiechem. – Dałaś radę przyjechać.

– Dałam radę.

– Dobrze się czujesz?

– Absolutnie. Jestem taka podniecona, że w końcu przywitam maleństwo! – Uśmiechnęłam się szeroko i odsunęłam od siebie myśli o wydarzeniach z ostatnich paru godzin.

– To jednak trochę potrwa – powiedział Noah. – Nawet wody jeszcze nie odeszły, ale jest rozwarcie i są regularne skurcze. Tak samo jak poprzednio.

– Zatem czeka mnie tu całonocna impreza.

– Wyglądasz, jakbyś przyszła prosto z przyjęcia. Zrezygnowałaś dla mnie z pocałunku o północy? – zapytała Kimber.

Zerknęłam na zegarek i zobaczyłam, że jest dopiero wpół do jedenastej. Nie będzie naszego noworocznego pocałunku. Tylko że teraz nie byłam szczególnie w nastroju na gorący pocałunek.

– Ech, nie przejmuj się tym. Wiem, że wzięłaś ze sobą kilka zapasowych ubrań. Ukradnę ci coś i poproszę mamę, żeby przywiozła więcej, kiedy ja zajmę się Lily.

– Masz zamiar przysłać tu mamę? – zapytała Kimber z udawanym przerażeniem.

Zachichotałam, wreszcie czując, że wraca mi humor.

– Teraz zdradziłaś swoje prawdziwe uczucia! Jest zwariowana, prawda?

– Po prostu nie potrzebuję pouczania! Wystarczy, że mam dwóch lekarzy. Wybacz, Noah.

– Bez obrazy.

– Oooch! – krzyknęła Kimber. Zgięła się wpół, gdy skurcz zaatakował ją z pełną siłą.

Wtedy w pełni weszłam w rolę siostry. Kimber dała mi coś, na czym mogłam się skoncentrować. Mogłam pomagać i sprawiać, że będzie się uśmiechała i śmiała, gdy będzie naprawdę ciężko.

Tuż po północy zadzwonił mój telefon. To była Heidi.

– Nie będzie ci przeszkadzać, jeśli odbiorę?

– Zostaniemy tu jeszcze trochę – zapewniła Kimber. – Śmiało.

Wyszłam z pokoju i znalazłam ciche miejsce, żeby móc porozmawiać.

– Cześć, Heidi.

– Em! Gdzie jesteś? – zapytała. – Znalazłam najbardziej seksownego faceta do noworocznego pocałunku i chcę ci go przedstawić.

– Wyszłam stamtąd.

– Och, wyszliście z Jensenem wcześniej, żeby uprawiać seks – powiedziała Heidi. Mogłam się domyślić, że jest pijana.

– Nie. Kimber zaczęła rodzić, a Jensen i ja strasznie się pokłóciliśmy.

– Kimber zaczęła rodzić! – krzyknęła Heidi, nagle trzeźwiejąc. – Powinnam stąd wyjść? Zaraz, a o co się pokłóciliście? Co się stało?

– Nie, nie wychodź. Będziemy tu całą noc. Wyślę ci esemes, kiedy dziecko się urodzi.

– Okej. Ale co się stało z Jensenem?

– Jego była żona Vanessa pojawiła się na przyjęciu i powiedziała mi, że Jensen ma syna.

– No ba! Oczywiście, że ma syna – odparła Heidi.

Zamarłam.

– Jak to: oczywiście, że ma syna, Heidi? Wiedziałaś? Dlaczego nie powiedziałaś mi o czymś takim?

– Jezu Chryste, nie wiedziałam, że ty nie wiesz, Emery. Wszyscy wiedzą, że ma dziecko. Jest z tych nieobecnych ojców, którzy wydają na dzieciaka wszystkie pieniądze i widują go tylko w wolne dni. Jak sądzisz, co miałam na myśli, mówiąc, że lata do Nowego Jorku w każdy weekend?

Kiedy to powiedziała, przypomniałam sobie naszą rozmowę sprzed paru tygodni. Boże, nawet nie wiedziałam, co miała na myśli, a teraz, kiedy to było jasne, poczułam się jak idiotka.

– Kurwa. Naprawdę wszyscy o tym wiedzą? – zapytałam.

– To nie jest tajemnica, że ma dziecko. Przysięgam, myślałam, że wiedziałaś o tym, jeszcze zanim poszłaś z nim do łóżka.

– Nie wiedziałam.

– Cholera, przykro mi. Powiedziałabym coś, ale sądziłam, że wiesz i uważasz, że to nic wielkiego. To w końcu nie był jego pierwszy podryw od czasu, kiedy ma dziecko.

– Tak – przyznałam cicho. Z pewnością nie był. – Po prostu... nie sądzę, że jest nieobecnym ojcem, Heidi. Myślę, że jest naprawdę zaangażowany w życie syna. Powiedział, że chroni go i nie każdemu pozwala się z nim spotkać. Pragnie, żebym go poznała, a ja sama nie wiem, czy tego chcę. Wydaje mi się, że Jensen nie ma do mnie pełnego zaufania.

– Może uważał, że wiedziałaś o jego synu, tak jak ja.

Pokręciłam głową.

– Nie sądzę, by tak uważał. Rozmawialibyśmy o tym.

– No cóż, teraz czuję się jeszcze fatalniej. Co zamierzasz zrobić?

Oparłam głowę o ścianę i zamknęłam oczy.

– Nie mam pojęcia.

– Słuchaj, kiedy zaczęliście to wszystko z Jensenem, to miała być tylko przygoda. Minęło zaledwie parę tygodni, odkąd jesteście razem.

– Tak. To prawda. Dlaczego miałby informować o najważniejszej sprawie kogoś, z kim łączy go przelotny romans? – zapytałam ponuro. Boże, wiedziałam, że teraz już nie jestem dla niego przygodą, ale przez całą tę sprawę z zaufaniem znalazłam się w trudnej sytuacji.

– Nie jesteś już przygodą. Więc jeśli chce, żebyś poznała jego dziecko, to jest dobry znak, Em – stwierdziła Heidi. – Tylko dlatego, że nie dowiedziałaś się o tym w taki sposób, jakbyś chciała, nie znaczy, że on ci nie ufa.

– Być może.

– Okej. Martw się teraz o Kimber, a jutro załatw sprawę z Jensenem. Może będziesz wtedy miała jaśniejszą głowę. Możemy jeszcze porozmawiać na ten temat, jeśli musisz sobie z tym poradzić.

– Dzięki, Heidi.

– Jesteś najlepsza.

– Nie zapominaj o tym.

Skończyłyśmy rozmawiać, ale nie spieszyłam się z powrotem do pokoju. Nie mogłam uwierzyć, że Heidi wiedziała... że wszyscy wiedzieli. Nie docierały do mnie plotki z Lubbock, ale sądziłam, że o czymś takim powinnam była usłyszeć. Ale nie, odcięłam się od rodziny Wrightów tak bardzo, że nie wiedziałam nawet tego. A Jensen nie ufał mi na tyle, by mi o tym powiedzieć.

Miałam jedynie nadzieję, że Heidi ma rację i że jutro będę wiedziała, co robić. Bo teraz miałam przed sobą długą noc. Długą, wyczerpującą noc.

ROZDZIAŁ TRZYDZIESTY PIERWSZY

Jensen

Pozostawienie Emery pod szpitalem było dla mnie trudniejsze, niż mogłem sobie wyobrazić. To, co powiedziała, sprawiło, że ujrzałem swoje życie we właściwej perspektywie. To ja pozwalałem Vanessie je rujnować. Ale dłużej nie będę się na to godził. Nie poddam się jej dyktaturze w naszych relacjach. Nie obchodziło mnie, czego chciała, albo czym, według niej, mogła mnie straszyć. Colton nie był pionkiem w walce dwojga dorosłych. I odmówiłem jej prawa do wykorzystywania go w ten sposób.

Miał sześć lat. Używając mnie i naszej przeszłości jako broni, Vanessa jedynie go krzywdziła. A ostatnią w świecie rzeczą, jakiej mógłbym pragnąć, było skrzywdzenie syna.

Resztę nocy spędziłem, zmuszając się do pójścia spać. Chociaż na pół godziny. Ale sen nie przychodził. O jakiejś bezbożnej godzinie wstałem w końcu z łóżka i postanowiłem coś z tym zrobić. Napisałem esemes do Vanessy, żeby się dowiedzieć, gdzie się zatrzymała, a potem wsiadłem do mercedesa i pojechałem do hotelu w centrum miasta.

Zaparkowałem przed głównym wejściem i wjechałem windą na ostatnie piętro. Zapukałem do drzwi. Otworzyła mi niania, Jennifer. Miała dwadzieścia kilka lat i mieszkała z nimi. Vanessa zatrudniła ją w zeszłym roku.

– Cześć, Jensenie! – przywitała mnie Jennifer. – Och, Colton mówił o tobie bez przerwy!

– Cześć, Jennifer. Miło cię widzieć.

Przekroczyłem próg, ale zanim zdążyłem znaleźć się w salonie, rozległo się znajome:

– Tatusiu!

Colton rzucił się z kanapy prosto w moje ramiona. Podniosłem go i okręciłem w koło.

– Cześć, mistrzu – powiedziałem, mocno go przytulając.

Nigdy nie mogłem się tym nasycić. Nigdy nie było mi zbyt wiele uścisków i tych wszystkich chwil. To, że mieszkał w Nowym Jorku, było ciężarem, który przygniatał mi pierś. Nie mogłem tego znieść. Tydzień przed świętami, kiedy się z nim widziałem, był zdecydowanie zbyt krótki. Poprzednie dwa tygodnie Colton spędził z Vanessą w Paryżu. Z trudem przyszło mi zgodzić się na to, by wyjechał z kraju. To, że nie był to pierwszy raz, nie zmniejszało mojego niepokoju. Zawsze kiedy spędzał czas tu ze mną, denerwowałem się mniej.

Nadal nie mogłem uwierzyć, że wróciłem do Lubbock. Musiałem jednak przyznać, że dwa lata, kiedy mieszkałem w Nowym Jorku, nie były dobre dla firmy. To była straszliwie trudna decyzja, taka, której nigdy nie mógłbym łatwo podjąć, ale również nie mogłem zabrać Coltona z Nowego Jorku. Chciałem dla niego tego, co najlepsze i nawet jeśli w Lubbock były dobre szkoły, wyrwałbym go z jego środowiska i pozbawił dostępu do lepszych szkół.

W takie dni jak dziś chciałem, by mnie to nie obchodziło.

– Boże, tak bardzo za tobą tęskniłem – powiedziałem. Zarzuciłem go sobie na biodro i zaniosłem do salonu.

– Ja też za tobą tęskniłem! Polecisz do domu ze mną, mamą i nianią Jenny? – zapytał Colton. Był rozkosznym dzieckiem z niesfornymi ciemnymi włosami i wielkimi brązowymi oczami, dzięki którym mógł dostać, cokolwiek zechciał.

– Do domu? – zapytałem, sadzając go na kanapie. Spojrzałem na Jennifer. Bezsilnie wzruszyła ramionami i ruchem głowy wskazała sypialnię, jakby chciała wytłumaczyć, że to pomysł Vanessy.

– Tak, tatusiu. Mama powiedziała, że dziś wracamy do Nowego Jorku. Chcę, żebyś poleciał z nami. Mógłbyś poznać mojego nowego nauczyciela rysunków, kiedy wrócę do szkoły.

Uśmiechnąłem się do niego. Colton kochał sztukę. Vanessa przysłała mi rysunki dinozaurów, które zrobił po tym, jak zabrałem go do Muzeum Historii Naturalnej. Chciałem pokazać mu cały świat i dać pożywkę dla jego zainteresowań. Ale zdecydowanie nie chciałem, żeby dziś wyjeżdżał.

– Będę musiał porozmawiać o tym z twoją mamą – powiedziałem.

W tym momencie do pokoju weszła Vanessa. Oparła biodro o ścianę przy kuchni i skrzyżowała ręce na piersi. Jej oczy były ostrożne i czujne. Do takiego spojrzenia ostatnio przywykłem u ludzi. Zachowanie Vanessy było zrozumiałe po tym, co jej powiedziałem na przyjęciu sylwestrowym. Zasłużyła na to, ale nie chciałem się z nią kłócić. Nie byłoby dobrze, gdyby Colton widział, że się na siebie złościmy, chociaż wkurzało mnie samo przebywanie w jej obecności.

– Wyjeżdżasz? – zapytałem. – Sądziłem, że zostaniesz na kilka dni.

Wzruszyła ramionami.

– Zmieniłam zdanie.

– Ej, tatusiu! – zawołał Colton, wciąż trzymając mnie za rękę. – Obejrzyj moje nowe rysunki.

Posłałem Vanessie spojrzenie, które mówiło, że to nie koniec, i rozsiadłem się na kanapie przy Coltonie.

– To jest pterodaktyl – wyjaśnił, pokazując mi latającego zielonego dinozaura. Potem pokazał innego, który miał rogi. – A to triceratops.

– Wow. Te są naprawdę dobre, mistrzu.

Przyjrzałem się jednemu z rysunków, nad którymi teraz pracował. Były dobre, jak na jego wiek. Rozpierała mnie duma, że tak bardzo to kochał. Świetnie uczył się w szkole, ale nigdy nie zechcę dławić u mego dziecka miłości do czegoś, tak jak robił to mój ojciec.

– Chcesz być malarzem, kiedy urośniesz?

– Nie, tatusiu, będę taki jak ty.

Zaśmiałem się, a potem wyobraziłem sobie, że Colton jest taki, jak ja przy moim ojcu. Zadrżałem na samą tę myśl. Boże, mam nadzieję, że nie zniszczę mu życia.

– Możesz zostać kimkolwiek i robić, cokolwiek zechcesz.

– To będę latał samolotami!

– Jako pilot?

– Nie. Będę prowadził biznes w powietrzu.

Znów się zaśmiałem. Nic go nie odstraszy. Być może to normalne, że dzieci chcą być takie jak my, kiedy dorosną. Przynajmniej w tym wieku. Wiedziałem, że będzie miał wielkie marzenia, i chciałem być przy nim, by wspierać każde z nich.

– Wiesz co, mały, mam kogoś bardzo specjalnego, z kim chciałbym cię poznać, kiedy będziesz gotowy. Chcesz się zaprzyjaźnić z kimś nowym?

– Tak! – potwierdził Colton. – Kocham przyjaciół. Myślisz, że będzie ze mną malował?

– Jensen! – warknęła Vanessa z kuchni.

Była wyraźnie niezadowolona, że zamierzałem komukolwiek go przedstawić. Domyślałem się, że jest wkurzona, bo chodziło o spotkanie z Emery.

– Jestem przekonany, że będzie z tobą malowała – powiedziałem. – Ale teraz muszę chwilę porozmawiać z twoją mamą, okej? Może potem zrobię ci gofry?

– Tak! Najbardziej lubię gofry. Z truskawkami i bitą śmietaną.

– Z dodatkową bitą śmietaną – zgodziłem się z łatwością.

Pocałowałem go w policzek i zostawiłem z jego rysunkami. Jennifer zaczęła się z nim bawić, a ja podszedłem do Vanessy.

– Musimy porozmawiać. – Nie patrząc w moją stronę, długim krokiem skierowała się do należącej do apartamentu sypialni.

Ruszyłem za nią bez pośpiechu i zamknąłem za nami drzwi. Przyjąłem dominującą postawę. Wyprostowałem się i skrzyżowałem ręce na piersi. Mogłem rozmawiać, ale nie zamierzałem iść na żadne ustępstwa.

Obróciła się do mnie, a potem cofnęła o krok. Znałem ten jej wyraz twarzy. Postawię na swoim. Nie ustąpię nawet na milimetr kobiecie, która przywykła zabierać mi całe metry.

– Nie przedstawisz Coltonowi swojej ostatniej panienki.

– Jest moją dziewczyną, Vanesso. Mogę ją przedstawić mojemu synowi i zrobię to.

– Jensenie, absolutnie nie! Nawet nie wiesz, czy ona jeszcze pojutrze będzie w twoim życiu! Nie pozwolę ci zniszczyć w ten sposób jego życia.

– Przejdźmy do sedna sprawy, Vanesso. Nie chcesz, by w moim życiu pojawił się ktoś nowy i nie chcesz, żeby to pozbawiło cię złudzeń. To nie ma nic wspólnego z Coltem.

– Nie podoba mi się, że zamierzasz przedstawić go komuś, kto może odejść. To samolubne.

Przeczesałem palcami włosy i westchnąłem.

– Masz rację, Vanesso. W innych okolicznościach to byłoby samolubne. Ale od naszego rozwodu minęły cztery lata. To zrozumiałe, że po takim czasie mogłem spotkać kogoś nowego.

Vanessa przewróciła oczami.

– Nie jest kimś nowym w twoim życiu. Jest kolejną przygodą. Wiem, że masz je cały czas. Rozpoznaję oznaki.

– Emery jest inna.

– Naprawdę? Jak się poznaliście? – zapytała, krzyżując ręce na piersi.

– Na ślubie Sutton.

– Pozwól, że zapytam wprost. Spotkałeś ją miesiąc temu, prawdopodobnie przeleciałeś tej samej nocy, nie powiedziałeś jej o Coltonie, a teraz jesteś gotowy przedstawić mu ją? Nie sądzę.

– To, co robię w swoim wolnym czasie, to nie twój interes. Emery jest moją dziewczyną. Możesz nie być z tego zadowolona, Vanesso, ale to się nie zmieni. Niezła była twoja próba rozdzielenia nas, kiedy wczoraj się pojawiłaś.

– Po prostu próbowałam powiedzieć jej prawdę. To ty zachowałeś się jak kompletny dupek – wypluła te słowa z nienawiścią.

– To prawda. Masz rację – odparłem sarkastycznie. – Próbowałaś nas poróżnić. Nawet jeśli tak było, przepraszam, że zwróciłem się do ciebie takimi słowami. – Byłem wobec niej ostry. Normalnie nigdy bym tak do niej nie mówił, ale kiedy zobaczyłem reakcję Emery, straciłem nad sobą kontrolę. – Nie przyszedłem tu się z tobą kłócić na temat zeszłego wieczoru. Chciałem tylko, żebyś zrozumiała moje powody.

– Och, świetnie rozumiem twoje powody – warknęła. – Myślisz fiutem.

– Nie zamierzam tego znosić, Vanesso. Mam dość kłótni. Przeprosiłem za to, jak cię potraktowałem, ale nie możesz dyktować, z kim Colton ma się spotykać. Emery jest moim życiem i Colton jest moim życiem.

Odwróciłem się i otworzyłem drzwi, by wrócić do syna. Wiedziałem, że muszę znów porozmawiać z Emery. Chciałem wszystko naprawić i spowodować, że zaczniemy dobrze się rozumieć i myśleć w ten sam sposób.

– Powiem Marcowi – warknęła.

Pokręciłem głową. Już to słyszałem.

– Puste groźby, Vanesso.

– To nie są puste groźby – syknęła. – Powiem mu.

– Nie wierzę ci. Jeśli uważasz, że spotkanie z Emery nie jest w najlepszym interesie Coltona, to nie mam pojęcia, jak możesz myśleć, że byłoby nim powiedzenie Marcowi.

Zostawiłem ją. Pocałowałem syna na do widzenia i obiecałem wrócić później, po czym opuściłem hotel i pojechałem zobaczyć się z Emery. Mieliśmy coś do nadrobienia.

ROZDZIAŁ TRZYDZIESTY DRUGI

Emery

Skurcze u Kimber trwały bez końca. Rano byłam wycieńczona i niewyspana. Nawet nie mogłam sobie wyobrazić, jak czuła się Kimber.

Na szczęście w końcu udało jej się na trochę zasnąć, dzięki czemu miałam szansę znaleźć na parterze Starbucksa i wypić cały ich zapas kawy. Najpierw jednak pozwoliłam tam pójść Noahowi. Spędził tu więcej czasu niż ja i zdawałam sobie sprawę, że musiał coś zjeść, nawet jeśli twierdził, że nie jest głodny. Jako lekarz był przyzwyczajony do zwariowanych godzin pracy, ale powinien być oparciem dla Kimber. Zatroszczyłam się o niego dla niej.

Kiedy Noah wyszedł, piknął mój telefon. Pisałyśmy do siebie z Heidi esemesy przez całą noc. Przeciągnęłam palcem po ekranie, spodziewając się od niej kolejnej wiadomości na temat faceta, którego podrywała na przyjęciu. Tymczasem zobaczyłam esemes od Jensena.

Kawa i pączki?

Jakby czytał w moich myślach. Miałam na nie straszną ochotę. W brzuchu mi burczało. Ale czy chciałam spierać się z Jensenem właśnie teraz, po nieprzespanej nocy?

Wysłał mi kolejny esemes.

To tylko kawa i pączki. Nie musimy rozmawiać, jeśli nie chcesz, ale pomyślałem, że przyda ci się coś na pokrzepienie.

W tym momencie wrócił Noah z kubkiem kawy.

– Hej, na dole widziałem Jensena. Chyba czeka na ciebie. Więc możesz już zejść, ja przejmę wartę.

Zacisnęłam zęby. Oczywiście miał czelność pojawić się, nie pytając mnie o zdanie.

Jesteś już tutaj?

Winny, wysoki sądzie.

Dobra. Schodzę na dół. Ale akurat teraz nie jestem sobą.

Zostawiłam Noaha przy Kimber i zjechałam windą na parter. W brzuchu znów głośno mi zaburczało. Nie pamiętałam, co ostatnio jadłam. Batonik albo coś w tym rodzaju w środku nocy. Byłam wstrząśnięta i nawet nie zdawałam sobie sprawy, że jestem głodna, dopóki nie poszłam poszukać czegoś, co dałoby mi energię, żebym mogła przetrwać do świtu.

Jensen czekał w holu, trzymając dwie kawy i papierową torebkę pączków. Wyglądał... na zmęczonego. Prawdopodobnie on też nie spał całą noc. I dopiero pierwszy raz widziałam go z zarostem. Jensen znaczyło: starannie ogolony. Ale musiałam, cholera, przyznać, że z zarostem wyglądał zdecydowanie seksownie. Nie miałabym nic przeciwko temu, żeby dowiedzieć się, jaki pożytek mógłby zrobić z niego w sypialni. Byłam pewna, że zostawiłby ślad na wewnętrznych częściach moich ud.

Cholerny, pozbawiony snu umysł krzyczał do mnie: seks, seks, seks!

Potrząsnęłam głową i postarałam się ocenić sytuację z właściwej perspektywy. Stałam na grząskim gruncie. Jeśli będę się szamotać, wessie mnie w głąb jeszcze szybciej. Ale jeśli pozostanę nieruchoma, być może jedynie Jensen mnie z niego wyciągnie.

– Ciężka noc? – zapytałam, podchodząc do niego.

Skrzywił się lekko.

– Można tak powiedzieć.

– Tak. U mnie też.

Jensen podał mi kawę i poszliśmy do stolika w Starbucksie, gdzie o tak wczesnej godzinie panowała błoga cisza.

– Noah powiedział, że zostaniesz tu jeszcze jakiś czas.

– Na to wygląda.

Sięgnęłam do torebki i uśmiechnęłam się, widząc pączki z jabłkiem i cynamonowe. Dwa moje ulubione smaki.

– Dziękuję.

– Pomyślałem, że możesz być głodna.

Kiwnęłam głową. Po raz pierwszy zapanowało między nami skrępowanie. Jedną nogą staliśmy w wodzie, a drugą na gruncie. Świadomość, że nie wiemy, gdzie stoimy i co nas czeka dalej, wykańczała nas oboje.

– Wiem, że powiedziałem, że nie musimy rozmawiać – zaczął Jensen, przerywając milczenie.

– Chyba proszę o zbyt wiele – wymamrotałam.

– I nie musimy, jeśli to zbyt wiele, ale nie spałem całą noc, myśląc o tym, co mi powiedziałaś.

– Którą część masz na myśli?

– To, że ci nie ufam... ani nikomu innemu – wyjaśnił. Spojrzał na mnie i w jego oczach zobaczyłam godziny udręki i umniejszania własnej wartości. – Nie sądzę, żebym kiedykolwiek, aż do ostatniej nocy, zdał sobie sprawę z tego, że nie ufam absolutnie nikomu poza sobą. Nikomu. Nawet własnej rodzinie.

Pokiwałam głową, kiedy potwierdził, że miałam rację.

– Chciałbym móc powiedzieć, że nie wiem, jak to się stało, ale wiem.´ – Westchnął i odwrócił wzrok, jakby nie chciał mówić dalej, jakby następne słowa miały go zdruzgotać. – Colton nie jest moim synem.

Otworzyłam usta, jąkając się chaotycznie, ale zamknęłam je. Potrząsnęłam głową skonsternowana, próbując zrozumieć, jak jego własny syn może nie być jego.

– Co chcesz przez to powiedzieć?

– Chcę powiedzieć, że Colt jest synem Marca – odparł tak zimno, że wyznanie tego musiało być dla niego nie do zniesienia. – Nigdy nikomu o tym nie powiedziałem. Nawet rodzinie. Wiemy o tym tylko ja i Vanessa.

– Nawet nie Marc?

– Zwłaszcza nie Marc – warknął.

Serce mi się kroiło. Jak dawał radę żyć ze świadomością, że jego syn w rzeczywistości nie był jego? Jak przez tyle lat trzymał to w tak głębokim sekrecie?

– Co się stało? – zapytałam, nagle pragnąc, by mi wszystko opowiedział. Żebym wreszcie mogła zrozumieć, dlaczego było w nim tyle rezerwy.

– Vanessa i ja byliśmy małżeństwem prawie dwa lata, kiedy dowiedziała się, że jest w ciąży. Mieszkałem wtedy w Lubbock, przejmując zarządzanie firmą po śmierci ojca. Rzadko bywałem w Nowym Jorku. Wtedy nawet nie uprawialiśmy seksu. Jego śmierć zbyt głęboko mnie załamała, żebym o tym myślał. Kiedy zadzwoniła i powiedziała, że jest w ciąży, nie posiadałem się z radości. Może powinienem być bardziej uważny. – Wzruszył ramionami, tak jakby wcześniej na okrągło odtwarzał to sobie w głowie.

– Ale nie byłeś.

– Nie. Ani razu nie pojawiło się we mnie podejrzenie, że ona i Marc byli razem. Byłem zbyt pogrążony w żałobie i zajęty firmą, żeby zastanawiać się, co się z nią dzieje, kiedy mnie nie ma.

– Zajmowałeś się tym wszystkim, a ona pieprzyła się na boku z kimś innym – powiedziałam z wściekłością. – Co za dziwka!

Jensen popatrzył w przestrzeń, tamto wspomnienie znów stało się świeże.

– Tak jak ci mówiłem, zamieszkałem w Nowym Jorku. O ile wiem, ich związek się wtedy zakończył. Nie jestem tego pewien, ale myślę, że Marc się zaniepokoił, że Colton jest jego synem, i się zmył. Jego ojciec był wtedy w złej formie, więc Marc wrócił do Austin mniej więcej w tym samym czasie, kiedy ja przeprowadziłam się do Nowego Jorku. – Jensen upił łyk kawy i oparł się w fotelu.

– Co za menda! – warknęłam. – Więc jak się dowiedziałeś?

– Byłem przy narodzinach Coltona. Zabrałem go ze szpitala do domu. Zmieniałem mu pieluchy. Karmiłem go, kiedy Vanessa spała. Spędzałem z nim każdą sekundę, kiedy nie pracowałem. Colton jest moim synem pod każdym liczącym się względem.

Uśmiechnęłam się na te słowa. Podobała mi się myśl, że Jensen nigdy nie traktował swego syna inaczej.

– Marc przyjechał do Nowego Jorku w interesach akurat na drugie urodziny Colta. Poszliśmy wszyscy razem na kolację.

– A ty nie miałeś pojęcia?

– Nie.

– Jak Vanessa mogła iść na kolację razem z nim? – wykrztusiłam.

– Chyba myślała, że wszystko będzie w porządku. Naprawdę nie wiem. Następnego dnia zastałem ją siedzącą w pokoju Coltona i płaczącą. Powiedziała, że nie może mnie dłużej okłamywać. Potem opowiedziała o romansie z Markiem. Musiało jej to od dawna ciążyć, skoro pękła i mi to wyznała. – Odstawił kawę na stolik i ciężko westchnął. – Prawdopodobnie mogliśmy to przetrwać. Zabrałoby to dużo czasu, ale mogło nam się udać. Ale wtedy powiedziała mi, że Colt jest Marca, i straciłem panowanie nad sobą.

– Nie potępiam cię za to.

– Nie, Emery, to znaczy, że naprawdę straciłem panowanie nad sobą. Miotałem się po mieszkaniu. Połamałem meble. Znalazłem Marca i zrobiłem z niego krwawą miazgę. – Jensen raz po raz zaciskał pięści na wspomnienie żądzy krwi. – Jednak nigdy nie powiedziałem mu, że powodem był Colton. Myślał, że chodziło o Vanessę, i zapewne dlatego nie wniósł skargi.

– Mimo wszystko... nie potępiam cię, Jensenie.

I dokładnie tak uważałam. Jak mogłabym go potępiać? Winić za to należało Vanessę i Marca. Zabrali mu wszystko. Nawet syna. Syna, którego wychowywał przez dwa lata, przekonany, że jest jego. Nic dziwnego, że nikomu o tym nie powiedział. Jak mógł znosić wstyd? Poczucie straty?

Pochyliłam się i ujęłam jego dłoń. Spojrzał na mnie zaskoczony. Musiał myśleć, że obrócę się przeciwko niemu, jak wszyscy w jego życiu.

Na moich oczach uszło z niego powietrze. Jakby tak silnie tłumił to wszystko w sobie, że kiedy wreszcie powiedział komuś prawdę, poczuł się kompletnie wyczerpany. Zacisnął palce na mojej dłoni i trwaliśmy tak w milczeniu przez kilka minut.

– Więc to jest cała historia – powiedział w końcu, odsuwając się. – Wiem, że się na mnie złościsz i masz ku temu wszelkie powody, ale naprawdę ci ufam. Albo chcę ci ufać. Pragnę cię w swoim życiu, ale wiem, że mamy jeszcze wiele do pokonania. Ale teraz wiesz już wszystko. Mam wrażenie, jakby nasz pociąg gdzieś się wykoleił albo skręcił w niewłaściwą stronę, ale chcę, żeby nam się udało. Nie byłoby mnie tu i nie dałbym ci naszyjnika mojej matki, gdybym tego nie pragnął.

Wyjął z kieszeni brylantowy naszyjnik i trzymał go w palcach tak, że łańcuszek wisiał między nami.

– To należy do ciebie.

– Jensenie – szepnęłam.

Wziął mnie za rękę i delikatnie położył mi naszyjnik na dłoni.

– To obietnica. Mam zamiar zrobić to wszystko jak należy. W ten czy inny sposób.

Miałam wiele do przemyślenia.

Jensen chciał mi udowodnić, że mi ufa. Że potrafi ufać.

To nie rekompensowało tego, co przeszliśmy, ale było dobre na początek.

Zamknęłam dłoń na naszyjniku. Uśmiechnął się olśniewająco i cały niepokój ostatniego dnia spadł mu z ramion. Pochylił się i musnął wargami moje czoło. Uśmiech powoli wypłynął mi na twarz, kiedy zapięłam naszyjnik na szyi i wsunęłam pod koszulkę.

Dałam mu nadzieję… a teraz i ja miałam jej trochę.

Wstał, zbierając się do wyjścia, żeby dać mi nieco swobody, kiedy jego telefon zaczął dzwonić. Posłał mi zaskoczone spojrzenie i zerknął na ekran. Zbladł.

– Kto to? – zapytałam. Nie podobał mi się wyraz jego twarzy.

– Marc.

– Dlaczego miałby dzwonić?

Jensen pokręcił głową, jakby nie miał pojęcia, ale widziałam, że wie. I to wyglądało źle.

Usiadł z powrotem w fotelu i odebrał połączenie.

– Halo?

Odpowiedź Marca było słychać tak głośno, że z daleka rozróżniałam słowa.

– Ty skurwysynu!

– Czego chcesz, Marc?

Marc coś powiedział, ale nie dosłyszałam co, a potem Jensen odparł:

– Czyś ty, kurwa, oszalał?

– Mam prawo wiedzieć! – krzyknął Marc.

– To już prawie siedem lat, Marc. To jest popieprzone.

– Popieprzone jest to, że okłamywałeś mnie tak długo! Natychmiast wsiadam do cholernego samolotu! Wieczorem będę w Lubbock, ty skurwielu!

– Marc, nie możesz zbliżać się do mojego syna.

– On nawet nie jest twój! – wrzasnął Marc.

– Jestem jego ojcem! – powiedział Jensen, z wściekłością podnosząc głos.

– To się jeszcze, kurwa, okaże.

– Colton jest moim synem i niech mnie diabli, jeśli pozwolę ci mącić mu w głowie, wkraczając w jego życie. To, co chcesz zrobić, jest nieodpowiedzialne i lekkomyślne. I nie ma mowy, żebym ci pozwolił zbliżyć się do niego.

– Nie będziesz o tym decydował!

– Jak cholera będę.

Jensen rzucił telefon na stolik, gotując się ze złości.

– Kurwa – mruknął. Wbił palce obu dłoni we włosy i pociągnął je. Zacisnął zęby. Całe ciało miał napięte. Wyglądał, jakby za chwilę miał wybuchnąć.

– Co się stało? – zapytałam cicho, chociaż bałam się, że po tym, co usłyszałam, znałam już odpowiedź.

– Vanessa powiedziała Marcowi.

Na ułamek sekundy serce mi zamarło. Nie mogłam uwierzyć, że Vanessa posunie się do ostatnich granic.

– Kurwa, powinienem był wiedzieć. Rano pojechałem, żeby zobaczyć się z Coltonem, i pokłóciliśmy się. Zagroziła mi, że powie Marcowi, ale mówiła to już wcześniej miliony razy. Odpowiedziałem jej, że to są puste groźby. Najwyraźniej wzięła to sobie do serca. Domyślam się, że była tak zdenerwowana tym, że mam zamiar przedstawić ci Coltona, że postanowiła poinformować jego prawdziwego ojca i odebrać mi go.

– Nie możesz tego tolerować! Musisz coś zrobić!

– Moi prawnicy się tym zajmują. Wiedzieli, że jest taka możliwość, więc jesteśmy na to przygotowani – powiedział. Ale kiedy to mówił, robił wrażenie, jakby przejechał go walec. – Muszę tylko... spotkać się jutro z Markiem, kiedy tu przyleci. Żeby móc zobaczyć się z Coltonem, będzie musiał uzyskać zgodę. Moi prawnicy przygotują dokumenty i żaden z nas nie będzie mógł zbliżyć się do Coltona, dopóki sprawa nie zostanie rozwiązana.

– Och, Jensenie – powiedziałam, a serce mi pękało. – Nie będziesz mógł w ogóle się z nim zobaczyć?

Minęła dobra minuta, zanim zdołał odpowiedzieć.

– Nie.

– Co mam dla ciebie zrobić?

– Nie mogę cię prosić…

– Możesz.

– Po prostu… potrafię się tym zająć, Emery. Potrafię znów przeciwstawić się Marcowi. Po raz setny mogę stawić czoło Vanessie. Mogę walczyć o Coltona, jak to robiłem, od kiedy się urodził. Potrzebuję tylko… pragnę…

– Jensenie – wyszeptałam, wyciągając do niego rękę. – Jestem tu dla ciebie, jeśli mnie potrzebujesz.

– Nienawidzę prosić cię o to, kiedy twoja siostra ma urodzić dziecko.

– Dziecko wkrótce przyjdzie na świat, a wtedy będą potrzebowali przestrzeni dla siebie. Kimber zrozumie. Chcę ci pomóc.

– Potrzebuję cię – powiedział.

– Okej. Od czego zaczniemy?

ROZDZIAŁ TRZYDZIESTY TRZECI

Emery

Jensen nalegał, żebym została w szpitalu przez resztę popołudnia. Chciałam tu być, kiedy dziecko się urodzi i wiedziałam, że tymczasem miał do załatwienia sprawy ze swoimi prawnikami.

Później musiałam wreszcie wziąć na ręce nową siostrzenicę. Była leciutka jak piórko i zachwycająca. Mała Bethany Ilsa Thompson przyszła na świat, ważąc trzy i pół kilograma, a mierzyła czterdzieści osiem centymetrów. Cała zawinięta w powijaki spała z mocno zaciśniętymi powiekami, wszyscy w pokoju skupili się wokół niej.

Nie chciałam wypuścić jej z rąk. Wiedziałam, że kiedy podrośnie, będę ją straszliwie rozpieszczać. Wiedziałam jednak, że jej rodzice i starsza siostra czekają na swoją kolej. Nie wspominając o tym, że babcia próbowała ją odbierać każdemu z nas.

Ale to nie miało znaczenia.

Nieważne stały się ostatnie tygodnie szaleństwa w moim życiu, Bethany była zbyt idealna, by myśleć o dramatach.

Niechętnie oddałam ją Kimber, która pokazała Lilyanne, jak ma ją trzymać. Gdy układałyśmy Bethany w ramionach Lily, do drzwi zapukała pielęgniarka.

– Dzień dobry wszystkim! – powiedziała z promiennym uśmiechem. – Przychodzę sprawdzić, jak się macie. Muszę na chwilę zabrać Bethany na badania, trzeba się upewnić, że wszystko jest w porządku.

Lilyanne wyglądała, jakby miała się rozpłakać, ale kiwnęła głową i oddała Bethany pielęgniarce.

– Obiecuję, że ci ją oddam, starsza siostro.

Lily rozpromieniła się. Bardzo jej się podobało, że została starszą siostrą.

– No dobra, już pora – powiedziała Kimber z westchnieniem. – Muszę wziąć prysznic.

– Wreszcie, chciałaś powiedzieć – zażartowałam.

– Co za dowcipnisia.

– Teraz chyba już pójdę i spotkam się z Jensenem. Wrócę jutro rano!

– Super. My będziemy spać – odparła Kimber. – I pewnie jeść i brać prysznic.

Roześmiałam się.

– Dobra. Nie róbcie beze mnie nic fajnego.

– Obiecuję.

Uśmiechnęłam się do Kimber, która wzięła świeżą bieliznę i poszła do łazienki. Wiedziałam, że pozostanie tam dłużej po tym, co musiała znieść w nocy. Całe godziny cierpienia bez wytchnienia. Chociaż było ciężko, wiedziałam, że uważa, iż było warto. Wszyscy tak uważaliśmy.

Cieszyłam się, że znów spotkam się z Jensenem. Nie mogłam znieść tego, co się z nim działo z powodu Vanessy.

Będziemy musieli potem usiąść i porozmawiać na ten temat. Doceniałam jego szczerość: w końcu wyznał, że ma problemy z okazywaniem zaufania i że pracuje nad sobą, by to zmienić. Nadal pragnęłam mężczyzny, który specjalnie dla mnie pojechał do Ransom Canyon, by pokazać mi świąteczną iluminację, który nawet w kościele nie wahał się zaprosić mnie na randkę i który wynajął kogoś, kto zajął się pakowaniem rzeczy w moim mieszkaniu po to, żebyśmy mogli spędzić razem popołudnie. Ale pragnęłam, by pozbył się wszystkich szkieletów z szafy i aby nasza przeszłość pozostała daleko za nami. Miałam nadzieję, że za tydzień tak się stanie.

Opuściłam szpital i pojechałam prosto do Jensena. Drzwi nie były zamknięte, więc weszłam do domu.

– Halo? – zawołałam z holu.

Jensen pojawił się u szczytu schodów. Był w ciemnych przecieranych dżinsach i jasnym T-shircie, pod którym rysowały się mięśnie. Na jego widok niemal zaczęłam się ślinić. Wiedziałam, że jestem tu, by wspierać go psychicznie i pomóc przetrwać następne dwanaście godzin, ale mój instynkt najwyraźniej miał inne plany.

Jensen uśmiechnął się, a jego dołeczki po prostu mnie załatwiły.

– Emery – powiedział z westchnieniem głębokiej ulgi.

– Cześć – odparłam, wchodząc na schody. – Mamy nową dziewczynkę w rodzinie.

– Gratuluję. Bardzo się cieszę szczęściem Kimber i Noaha. Jak jej dali na imię?

– Bethany Ilsa. I jest rozkoszna. Nie mogę się doczekać, żebyś ją poznał. Chociaż Lilyanne może się martwić, że jej chłopak odwiedza jej siostrę.

Jensen pokazał zęby w uśmiechu.

– Nie powinna się martwić. Jej prawdziwa rywalka stoi przede mną.

Uśmiechnęłam się, próbując zapanować nad sobą. Tyle czasu już minęło, odkąd ze sobą nie spaliśmy. Teraz, kiedy znów na niego patrzyłam, jedyne, czego pragnęłam, to rzucić się na niego i go przelecieć. Jednak wiedziałam, że dziś potrzebował czegoś więcej niż seks, który mógł pomóc zapomnieć, ale niczego by nie załatwił.

Chociaż stał przede mną wysoki, o prezencji charyzmatycznego prezesa wielkiej firmy, którym był, znałam go na tyle dobrze, by wiedzieć, że w tej chwili czuł się zagubiony, a jego dusza pogrążała się w jakiejś mrocznej głębi, z której mógłby już nie wrócić.

– Czy choć trochę spałeś? – zapytałam.

Przechylił głowę na bok i spojrzał gdzieś w przestrzeń.

– Sen niczego nie załatwi. Mam za dużo pracy, zbyt wiele spraw, z którymi muszę sobie poradzić, by spać.

Westchnęłam. Nie wątpiłam, że jego umysł rozumował słusznie. Ale jednocześnie wiedziałam, że ciało może odmówić posłuszeństwa, a jutro Jensen musi trzeźwo myśleć. Powinien być w stanie stawić czoło Marcowi, nie tracąc znów kontroli nad sobą, jak wtedy, gdy obił mu twarz, dowiedziawszy się od Vanessy o romansie. Musiał być bystry.

Bez słowa wzięłam go za rękę.

Spojrzał na mnie z mieszaniną obawy i niepokoju.

– Nie musisz tego robić.

– Czego robić? – zapytałam, unosząc jego dłoń do ust i całując ją.

– Być tutaj.

– Nie muszę?

– Nie.

– Mylisz się.

– Aż nazbyt często.

– Potrzebujesz mnie – szepnęłam, przytulając go. – Więc tu jestem.

– Dobrze – powiedział niskim, gardłowym głosem. Brzmiał dziko, niemal na granicy paniki.

– I wiem, czego potrzebujesz.

– Naprawdę? – zapytał.

Widziałam w jego oczach, że uważa, iż mam na myśli seks. Oczywiście i mnie przeszło to przez głowę. Chciałam, żeby dzięki temu poczuł się lepiej, ale wiedziałam, że potrzebował czegoś o wiele więcej.

Trzymając go za rękę, bez słowa pociągnęłam go za sobą przez korytarz.

Być może nasz związek był trudny. Mieliśmy swoje tajemnice. Nie mówiliśmy sobie prawdy. Próbowaliśmy znaleźć sposób, by wpasować to drugie z nas w pogmatwaną sytuację, w jakiej żyliśmy. Ale teraz już znałam Jensena Wrighta. Wybrałam go i zostanę przy nim, kiedy trzeba będzie przejść przez najgorsze.

Kiedy weszliśmy do sypialni, powoli zdjęłam mu koszulkę przez głowę. Jego oczy lśniły pożądaniem, wiedziałam, że jeśli się ugnę, żadne z nas już nie zaśnie. Całą noc zostaniemy w łóżku, zatracając się w naszych pragnieniach.

Sięgnął do mojej koszulki, ale go powstrzymałam.

– Nie, nie. Patrz, ale nie dotykaj – ostrzegłam go.

Z trudem się powstrzymywał, ale opuścił ręce. Rozpięłam guzik jego dżinsów i ściągnęłam je. Przyglądałam się, kiedy kopnął je na bok i został w obcisłych bokserkach. Miał pełen wzwód i z całej siły się powstrzymałam, by nie oblizać ust.

Skierowałam go do łóżka i ochoczo się położył. Który mężczyzna by odmówił?

Wtedy zdjęłam dżinsy i T-shirt. Jensen patrzył, gotów rzucić się ku mnie przez pokój, kiedy zobaczył czarną koronkę, którą dla niego włożyłam na sylwestrowy wieczór. Jednak prędko wciągnęłam na siebie jego koszulkę, o wiele dla mnie za dużą.

Pogasiłam wszystkie światła i weszłam do łóżka. Objął mnie, kiedy tylko znalazłam się pod kołdrą, mocno napierając członkiem na moje pośladki i przyciskając mnie do piersi.

– Zabijasz mnie – wyszeptał przy mojej szyi.

– Przyszłam tu, by ci pomóc – odszepnęłam.

– To jest pomoc. – Ścisnęłam uda, kiedy pchnął mnie w pośladki.

– Potrzebujesz snu.

– Uważasz, że zasnę, kiedy zobaczyłem cię w bieliźnie? – zapytał, jakbym była niespełna rozumu.

Z wysiłkiem odwróciłam się twarzą do niego i zobaczyłam ciemne oczy wypełnione żądzą. Pragnęłam tego. On tego pragnął. Tylko nie ufałam sobie, że będę potrafiła się zatrzymać.

Z Jensenem Wrightem w grę wchodziły tyko dwie możliwości: jeszcze i o Boże, jeszcze.

Delikatnie położyłam mu dłoń na piersi i leciutko go odepchnęłam.

– Potrzebujesz snu. Jesteś jak zombie. Przyszłam tu, żeby ci pomóc. Nie sądzę, żeby maraton seksu mógł pomóc.

– Ale nie zaszkodzi – mruknął.

Przesunął dłoń wzdłuż mojego boku, ściskając koszulkę i odsłaniając mi brzuch i koronkowe stringi. Zaczepił kciukiem i puścił materiał, który pstryknął o skórę. Cała się naprężyłam.

– Jensenie – jęknęłam. Moje mury obronne kruszały.

Przysunął się do mnie i przejechał zarośniętym policzkiem po moim ramieniu i szyi.

Wargami chwycił płatek mojego ucha i wyszeptał chrapliwie:

– Pozwól mi tylko sprawić, żebyś doszła, Emery. Chcę poczuć na ustach twój smak.

– Cholera – szepnęłam.

Wziął to za przyzwolenie i z bolesną powolnością zaczął zdejmować ze mnie resztę ubrania. Najpierw T-shirt przez głowę. Potem rozpiął biustonosz i odrzucił poza łóżko. Na koniec zsunął ze mnie stringi i wyplątał z nich moje stopy. Cała drżałam. Potem znacznie gwałtowniej zdjął bokserki i kiedy już myślałam, że da mi to, czego pragnęłam, pociągnął mnie na siebie.

Jego penis trącił moje wilgotne wejście i z trudem wstrzymałam się, by się na nim nie zakołysać. Powoli rozkoszowałam się jego dotykiem. Tylko główka... tylko czubek... tylko centymetr... może dwa. Moje ciało zacisnęło się wokół niego, pragnąc poczuć, jak mnie wypełnia.

Ale wtedy powstrzymał mnie i zsunął z penisa. Jęknęłam rozczarowana.

– Jensen...

– Usiądź mi na twarzy – zażądał.

Spojrzałam mu w oczy zaszokowana.

– Poważnie?

– Powiedziałem, że chcę poczuć twój smak. Właśnie tak chcę go poczuć.

Z wahaniem przesunęłam się w przód, aż moja cipka znalazła się dokładnie nad jego ustami. Jensen zacisnął dłonie na moich pośladkach i zagłębił we mnie twarz. Krzyknęłam, kiedy zaczął plądrować mnie od dołu. Wyrzuciłam ręce przed siebie i oparłam się nimi o wezgłowie łóżka, tracąc kontrolę nad ciałem.

Jensen lizał, ssał i smakował mnie nie tylko językiem. Szarpały mną konwulsje i próbowałam wyrwać się z jego cudownego terroru, ale mi nie pozwolił. Ścisnął mnie mocniej i przyciągnął sobie moją cipkę jeszcze bliżej. Wierciłam się w ekstazie, aż w końcu eksplodowałam w najbardziej niesamowitym orgazmie. Potem siedziałam, drżąc, a on mnie lizał jeszcze po tym, jak doszłam, przedłużając mi rozkosz.

Potem przewrócił mnie na plecy. Byłam tak mokra, że z łatwością się we mnie wśliznął. Wygięłam plecy w górę, mrucząc jak kotka, kiedy zagłębił się we mnie aż po jądra.

W tym momencie nic nie było ważne. Wszystkie moje lęki i obawy zniknęły. Było tylko tu i teraz. Były tylko seks, żądza i namiętność. Mogliśmy unosić się na fali. Mogliśmy przetrwać zawirowania prądów. Mogliśmy, cholera, złapać to na lasso i uczynić naszym.

Wchodził we mnie z niesłabnącą siłą. Odpowiadając na pchnięcie pchnięciem i po raz drugi tracąc świadomość, myślałam, że zemdleję z rozkoszy. Doszedł od razu po mnie, a gdy jego ciężkie ciało na mnie opadło, było to najcudowniejsze uczucie na świecie.

Leciutko ugryzł mnie w szyję.

– Nigdy w życiu tak dobrze nie spałem.

Zaśmiałam się chrapliwie. Kiedy dochodziłam, należycie wykorzystałam swoje struny głosowe.

– Ja też.

Nie musieliśmy mówić nic więcej. W tym momencie słowa nas przerastały. Jutro musieliśmy stawić czoło światu, ale dziś Jensen był mój, a ja należałam do niego.

ROZDZIAŁ TRZYDZIESTY CZWARTY

Jensen

Kiedy wreszcie się obudziłem, wydawało mi się, że spałem kilka dni. Od tak dawna nie przespałem całej nocy, a ostatnio w ogóle nie zaznałem snu, że trudno mi było pojąć, jakim cudem udawało mi się funkcjonować. Potrafiłem zasnąć jedynie z Emery w ramionach. Tak jak teraz, kiedy tu leżała – naga i kompletnie zaspokojona.

Prawdopodobnie powinniśmy byli wczoraj pójść spać, tak jak mi kazała. Ale ponieważ rozebrała mnie i położyła do łóżka, wiedziałem, że nie może być o tym mowy. Myślałem o tej dziewczynie bez przerwy – aż do chwili, kiedy Marc wypowiedział to niewiarygodne zdanie:

– Vanessa mi powiedziała.

Wciąż nie mogłem uwierzyć, że to zrobiła. Groziła mi tym od tak dawna, że nie przywiązywałem już do tego wagi. Nie przyszło mi do głowy, że przełamie się i rzeczywiście to zrobi. Jednak z drugiej strony... dopiero po latach przyznała się, że zdradzała mnie z Markiem. Może nie powinienem być zaskoczony, że tak długo czekała z powiedzeniem mu prawdy.

Ta dziewczyna była żmiją. Nie rozumiałem, jak mogłem tego nie dostrzegać przez te wszystkie lata, kiedy byliśmy razem. A może po prostu zatruł ją Nowy Jork. Może nie była stworzona do życia w wielkim mieście i do zawodu modelki, więc sposób, w jaki sobie z tym radziła, stał się gorszy niż samo miasto. Ale to tylko wymówki. Nie usprawiedliwiały jej zachowania. Mnóstwo kobiet przeprowadza się do Nowego Jorku i nie zdradza swoich mężów, nie ma dzieci z kimś innym.

Zamknąłem oczy, marząc, by móc wrócić do ostatniej nocy i rozpłynąć się w Emery. Czuć przy sobie jej ciepłe ciało i udawać, że nie mam żadnych zmartwień. Ale rzeczywistość znów mnie dopadła. Dziś musiałem stawić czoło Vanessie i Marcowi. Musiałem domagać się praw do mojego syna. Ostatnia noc była jak sen, ale teraz pora się obudzić.

Pocałowałem Emery w czoło, pod prysznicem spłukałem z siebie efekty wydarzeń tej nocy i ubrałem się. Wybrałem czarny garnitur od Toma Forda. Mój wygląd krzyczał o władzy i pieniądzach. Jedno i drugie chciałem pokazać dwóm osobom, które zrujnowały moje życie. Marc ukradł mi żonę. Zamierzał ukraść również syna. Nie wystarczyło mi, że wykupiłem jego firmę i właśnie wyprzedawałem ją po kawałku jak zużyty samochód na części. Prędzej go pochowam, niż pozwolę, by uzyskał prawo do kontaktów z Coltonem. Moi prawnicy przygotowywali sprawę przeciw Vanessie od dnia, gdy wyjechałem z Nowego Jorku. W razie potrzeby mogliśmy sobie z nią poradzić.

– Wcześnie wstałeś – wymamrotała Emery z łóżka, kiedy znów wszedłem do sypialni.

– Sześć godzin snu to dla mnie dużo. Ty możesz znów zasnąć.

– Mmm – mruknęła, pozwalając, by pościel zsunęła się z nagiego ciała.

– Jeśli nie przestaniesz, nie wyjdziesz z tego łóżka.

Zarumieniła się w sposób, który u niej uwielbiałem. Po tym całym seksie, który uprawialiśmy, moje komentarze nadal ją zawstydzały.

– Chyba powinnam sprawdzić, jak się ma Kimber. Kiedy spotkasz się z Markiem?

– Po południu. Musiał lecieć rejsowym samolotem i zapłacić za bilet – powiedziałem, uśmiechając się lekko. Ach, jak upadają giganci.

– Och, cóż za zgroza – zażartowała.

– Więc odbiorę cię później ze szpitala, jeśli ci to pasuje.

– Tak, jeśli ci to odpowiada.

Kiwnąłem głową.

– Mam trochę pracy i muszę jeszcze spotkać się z moim adwokatem. Będę zajęty. Poza tym w nocy mi pomogłaś. Z tobą u boku mogę stawić czoło kolejnemu dniu.

Uśmiechnęła się leniwie.

– W porządku. Cieszę się.

* * *

Dopiero po wielu godzinach mogłem znów zobaczyć ten uśmiech. Praca była męką. Nie chciałem jej martwić, ale godziny oczekiwania, nawet jeśli byłem zajęty, nie pomagały. Emery potrafiła stłumić ból. Jedynie ona.

Kiedy wreszcie się z nią spotkałem, to było niczym balsam. Nie okazywałem zdenerwowania ani stresu. Tylko parę osób – przede wszystkim Morgan – je u mnie zauważyło, ale Emery miała chyba szczególną umiejętność ich wykrywania. Położyła

mi rękę na dłoni, jak tylko wsiadła do mercedesa i pocałowała mnie w policzek.

– Cały czas o tobie myślałam – powiedziała otwarcie.

– Jak się mają Kimber i Bethany? – zapytałem, odjeżdżając
spod szpitala i kierując się do miasta.

– Świetnie. Wszyscy mają się dobrze. Chcieliby już wracać
do domu.

– Ja myślę.

– Kimber zostanie wypisana w ciągu godziny i będą mogli
zabrać słodkie maleństwo ze szpitala.

– Pamiętam, jak to jest – powiedziałem cicho.

Rzadko rozmawiałem o tym, jak było przez pierwsze dwa lata
z Coltonem. Pozory, które stworzyła Vanessa, były tak doskonałe, że kiedy je zburzyła, jej kłamstwa zepsuły nawet szczęśliwe
wspomnienia.

Emery ścisnęła moją rękę i skinęła głową.

– Damy sobie z tym radę.

– Masz rację. Damy – odparłem, wracając do zimnej obojętności, dzięki której toczyłem walki i wygrywałem wojny. Byłem
cholernie pewny, że wygram i tę.

Zatrzymaliśmy się przed biurem kancelarii prawnej.
Rozpoznałem samochód ojca Vanessy, co znaczyło, że na czas
spotkania musiała zostawić Coltona u niego. Dobrze. Nie
chciałem, żeby Colton był blisko tego wszystkiego. Zapowiada-
ło się, że sprawy przybiorą obrzydliwy obrót. Nie wiedziałem,
jakim autem przyjechał Marc, ale nie zauważyłem żadnego,
które byłoby wystarczająco pretensjonalne, by mogło należeć
do niego.

Emery obeszła szybko samochód i wzięła mnie za rękę. Trzymała ją, jakbyśmy utworzyli wspólny front przeciwko wrogowi.

I nie mógłbym być bardziej wdzięczny za to, że tu ze mną była. Uczyniła mnie lepszym człowiekiem. I dzięki niej zyskałem dodatkową korzyść, bo mogłem wkurzyć Vanessę.

Tak, jak się spodziewałem, kiedy weszliśmy do holu, Vanessa obróciła się i rzuciła wściekłe spojrzenie na nasze splecione palce. Jej adwokat stał w kącie i rozmawiał przez telefon.

– Chyba żartujesz! – warknęła. – Ona nie może tu być.

Wzruszyłem jedynie ramionami i uśmiechnąłem się zimno. Nie ma powodu ulegać jej błazenadzie. Byliśmy tu wyłącznie z powodu jej łgarstw. Możemy również tu z nimi skończyć.

Czekaliśmy jeszcze pięć minut w napiętej ciszy, aż w końcu pojawił się Marc. Zaskoczyło mnie, że nie było z nim Abigail. Wszędzie mu towarzyszyła, by go temperować. Zastanawiałem się, czy jej powiedział, co się stało, zanim wyjechał. Towarzyszył mu tylko jego prawnik. Nie powinienem być zdziwiony, że wynajął kogoś, by reprezentował jego interesy, zamiast polegać na Vanessie.

Marc najpierw spojrzał na mnie.

– Ty cholerny draniu – rzucił. – Przez cały czas odbierałeś mi wszystko, a teraz jeszcze okazuje się, że odebrałeś ponad sześć lat mnie i mojemu synowi.

– Zobaczymy – odparłem.

Marc podszedł i stanął przede mną twarzą w twarz. Emery ścisnęła moją dłoń.

– Jestem tu, by odebrać mojego syna.

– Możesz spróbować – odpowiedziałem. I przegrać.

W tym momencie otworzyły się drzwi do biura i pojawił się w nich mój adwokat Jake McCarty. Ten niski, krępy mężczyzna wcześniej był adwokatem mojego ojca. Znał się na rzeczy i wiedział, jak osiągnąć to, czego chcieli jego klienci.

– Wszyscy możecie już wejść.

Weszliśmy do dużej sali konferencyjnej. Marc z Vanessą po jednej stronie, a ja i Emery po drugiej.

– Czy ona musi brać w tym udział? – zapytała Vanessa. – To jej nie dotyczy!

– Ona zostaje – odpowiedziałem krótko.

– Ja nie mam nic przeciwko temu – stwierdził Jake, skinąwszy głową w stronę Emery. – Ze względu na to, że mój klient pragnie, aby panna Robinson była częścią jego życia, a w końcu również życia Coltona, uważam, że jej obecność jest uzasadniona.

– To się nigdy nie stanie! – syknęła Vanessa.

– Zobaczymy – odparłem z zimną krwią.

– Po rozważeniu wszystkiego, co działo się w ciągu ostatniej doby, poprosiłem sędziego, by zatwierdził mój wniosek, by żadna nowa osoba nie mogła pojawić się w życiu Coltona, dopóki ta sprawa nie zostanie rozwiązana. To dotyczy również pani, panno Robinson, i pana Tarmana. Niestety z powodu wątpliwości, kto jest ojcem Coltona Wrighta, poprosiłem również mojego klienta, pana Wrighta, by nie kontaktował się z Coltonem, dopóki nie zostanie to rozstrzygnięte. To wszystko oczywiście jest tymczasowe, aby nie utrudniać postępowania. Czy wszystko jest zrozumiałe i możliwe do zaakceptowania?

Prawnicy zgodzili się na te warunki, chociaż Marc wyglądał, jakby miał eksplodować, ponieważ pokonał całą tę drogę, a teraz nie miał dostępu do Coltona. To mnie cieszyło, chociaż sam byłem wkurzony, nie mogąc zobaczyć własnego syna.

– Ponadto poprosiłem, aby niezwłocznie został przeprowadzony test na ojcostwo, by ustalić, kim jest biologiczny ojciec Coltona. Test zostanie przeprowadzony tutaj – powiedział, podsuwając dokumenty mnie, Marcowi i Vanessie – w ciągu czterdziestu ośmiu godzin.

– Mój klient nie zgadza się, że test na ojcostwo jest niezbędny – powiedział adwokat Marca. – Tylko on spał z panią Hendricks w czasie, kiedy Colton został poczęty. Pan Tarman nie ma wątpliwości, że Colton jest jego synem.

– Jeśli nie ma wątpliwości, nie powinien mieć problemu w związku z testem – odparł Jake oschle. – Co więcej, jeśli jest tego tak pewny, dlaczego od razu nie pójdzie go wykonać?

Adwokat spojrzał pytająco na Marca, jakby mówił: „Chce pan pomóc?".

– Kiedy pani Hendricks oznajmiła mojemu klientowi, że jest w ciąży, powiedziała, że ojcem dziecka jest pan Wright i że ma zamiar przestać widywać się z moim klientem. Postanowił jej uwierzyć, ale okazuje się, że przez cały czas kłamała przed nimi oboma.

Vanessa głośno nabrała powietrza, jakby adwokat Marca ją uderzył. Tak czy owak, to ona ponosiła winę. Pochwalałem to.

– Pomimo zachowania pani Hendricks i jej komentarzy w czasie ciąży lub po narodzinach dziecka badanie na ustalenie ojcostwa jest obligatoryjne do ustalenia, kto ma sprawować opiekę nad Coltonem. Naszym bezwzględnym priorytetem jest jego dalsze zdrowie, zwłaszcza zdrowie psychiczne. Ostatnia rzecz, jakiej byśmy sobie życzyli, to przedstawić mu nowe osoby, nie upewniwszy się, że to, co robimy, jest zgodne z prawem. Jeśli pański klient chce mieć jakikolwiek kontakt z Coltonem, musi poddać się badaniu na ustalenie ojcostwa.

– Zrobię to – powiedział Marc, uprzedzając odpowiedź swojego adwokata.

– Doskonale. A zatem spotkamy się ponownie, kiedy otrzymamy wyniki badania, a następnie ustalimy, co robimy dalej.

Marc i Vanessa spiorunowali mnie wzrokiem, po czym wynieśli się z sali i zostawili nas troje samych.

– Poszło zgodnie z naszymi oczekiwaniami – zwróciłem się do Jake'a.

Uścisnął mi dłoń i skinął głową.

– Wyniki badania będą za kilka dni, Jensenie. Nie zrób w tym czasie nic głupiego.

– Głupiego? – odparowałem.

– Jak porwanie syna.

Nie mogłem zaprzeczyć, że o tym pomyślałem. Chciałem wykraść Coltona i sprawić, by już nikt nigdy nie wtrącał się w nasze życie. Ale nie zrobiłbym tego. Gdyby Vanessa kiedykolwiek tak postąpiła, nie umiałbym sobie poradzić i wpadłbym w kompletną panikę. I nigdy nie skrzywdziłbym Coltona w ten sposób.

– Nie zrobię tego.

– Dobrze. Radziłbym ci wziąć trochę wolnego. Po prostu wyjedź na kilka dni. Przyjmę na siebie ciężar spraw, a ty powinieneś spróbować przestać o tym myśleć, dopóki nie dostaniemy wyników. Jeśli tu zostaniesz, podejrzewam, że popełnisz jakieś inne głupstwo... na przykład zaatakujesz Marca Tarmana – powiedział Jake, mierząc mnie poważnym spojrzeniem. – Znowu.

– Podejrzewam, że tym razem nie byłby tak wspaniałomyślny – odparłem, myśląc o tym, że przed laty nie wniósł na mnie skargi.

– Nie, nie byłby – rzekł Jake stanowczo.

Emery znów wzięła mnie za rękę. Nie zdawałem sobie sprawy, że miałem zaciśnięte pięści.

– Zaopiekuję się nim – obiecała.

Moja opoka.

Boże, wierzyłem jej.

ROZDZIAŁ TRZYDZIESTY PIĄTY

Emery

– Jednej rzeczy nie potrafię zrozumieć – powiedziałam, kiedy opuściliśmy kancelarię.

– Tylko jednej? – zapytał Jensen.

– Cóż, pewnie wielu rzeczy, ale jednej szczególnie.

– Czego?

– Dlaczego nigdy nie zrobiłeś testu na ojcostwo?

– Chodzi ci o to... że jeśli cały czas myślałem, że Colton jest synem Marca, dlaczego tego nie potwierdziłem?

– Tak.

Od początku mnie to dręczyło. Pozwolił, żeby ta sytuacja trwała, nie mając całkowitej pewności. Ja bym zwariowała.

– Z kilku powodów. Dowód tylko by mnie zranił. Mógłby go ode mnie odseparować. Dowód zniszczyłby nasze codzienne życie. Gdybym wykonał test i okazałoby się, tak jak podejrzewam, że okaże się za kilka dni, że Colton jest synem Marca, wtedy mógłbym go stracić. Ale dopóki tego nie zrobiłem, Vanessa miała w zanadrzu jedynie groźby, nic poza tym.

– To ma sens. Nie chciałeś, by ci go odebrała. Więc nigdy nie dałeś jej dowodu, bez którego nie mogła tak postąpić.

– Właśnie, ale był jeszcze inny powód. Nie potrzebowałem testu na ojcostwo, żeby wiedzieć, że Colton jest moim synem. Nie potrzebowałem potwierdzenia. Colton jest moim synem. Niezależnie od biologii czy czegokolwiek innego. Jest mój. Kocham go.

Spojrzałam na niego szeroko otwartymi oczami i uśmiechnęłam się.

– Nie potrzebowałem dowodu, kiedy codziennie trzymałem go w ramionach i patrzyłem, jak rośnie. Miałem pełny dowód, kiedy całował mnie na dobranoc i nazywał tatusiem.

W oczach zabłysły mi łzy. Objęłam go w pasie i przytuliłam. Trzymając mnie mocno, pocałował w czubek głowy.

– Jesteś dobrym tatą, Jensenie Wright.

– Właśnie tym zawsze starałem się być.

Puściłam Jensena i otarłam łzy.

– Nigdy nie pozwól im go sobie odebrać. Choćby nie wiem co.

Spojrzał na mnie czujnie.

– Jeśli odbiorą mi syna, już nigdy nie będę dobrym człowiekiem. Nie będzie już nadziei na cokolwiek innego.

Ruszył do mercedesa i zajął miejsce za kierownicą. Chwilę potrwało, zanim się pozbierałam. Nie potrafiłam sobie wyobrazić, co teraz czuł i jak sobie radził. Serce mi się do niego wyrywało i naprawdę się bałam, że jeśli sprawa ułoży się tak, jak podejrzewałam, że badanie wykaże ojcostwo Marca, Vanessa zniszczy Jensena.

Hamując łzy, wsiadłam do samochodu. Jechaliśmy przez miasto do laboratorium wskazanego w dokumentach. Powiedziałam Jensenowi, że poczekam w holu, kiedy będzie wykonywał test. Trwało to wieczność. Nie byłam pewna dlaczego, skoro potrzebne były jedynie zwykły wymaz wzięty wacikiem i pobranie krwi. Ale tak już bywa w gabinetach lekarskich.

Czekając, zdążyłam sprawdzić wiadomości w telefonie i przeczytać kilka czasopism. Kiedy Jensen wreszcie wyszedł, miałam już pełny plan na tych kilka dni, kiedy będziemy musieli czekać na wyniki testu.

– Nie bolało? – zapytałam, kiedy wychodziliśmy.

– Nie. Teraz zaczyna się czekanie.

– Mam pomysł w związku z tym.

– Hmm? – zapytał z roztargnieniem.

– Pomyślałam, że moglibyśmy na chwilę zniknąć. Nie na długo, jedynie żeby nie myśleć o tej sprawie.

– Naprawdę jesteś pewna, że powinienem wyjechać?

– Uważam, że byłoby dobrze. W dodatku twój prawnik się z tym zgadza.

– Tak, ale co będzie, jeśli Vanessa zrobi coś szalonego albo Marc się wmiesza?

– Nie pojedziemy daleko. Obiecuję.

Westchnął, wiedząc, że mam rację.

– Dobrze.

– Mógłbyś wpaść i poznać Bethany, kiedy zajedziemy po moje rzeczy.

– Bardzo chętnie.

Jensen pędził w drodze do domu Kimber. Brał zakręty tak ostro, iż myślałam, że samochód pofrunie. Nie prosiłam go jednak, by się zatrzymał lub zwolnił. Wiedziałam, co wznieciło jego agresję.

Kiedy dojechaliśmy, na podjeździe stało auto Heidi. Przywitała nas z małą Bethany na rękach.

– Cześć, ślicznotko – powiedziałam, odbierając ją od Heidi niczym prezent.

– Najwyższy czas, żebyście się pojawili! – zawołała Heidi z uśmiechem. – Cześć, Jensen.

– Heidi. – Uśmiechnął się do niej.

Przyglądała mi się podejrzliwie, jakby nie mogła zrozumieć, o co tu chodzi. Jak mogłam ją winić? Byłam pewna, że zastanawiała się, co się z nami, do cholery, działo. Ostatnio słyszała, że pokłóciliśmy się w sylwestrowy wieczór, a teraz Jensen tu przyjechał, żeby zobaczyć dziecko. Miałam jej mnóstwo do wytłumaczenia, ale w tym momencie nie było na to czasu.

– Jest taka słodka – powiedziałam, uśmiechając się radośnie.

– Prawda? – odezwała się Kimber, która leżała na kanapie. – Noah jest w pracy, a Lily drzemie na górze.

– Piękna – powtórzyłam. Spojrzałam na Jensena, który patrzył na Bethany, jakby była czymś najcudowniejszym. – Chcesz ją potrzymać?

– Jeśli nie macie nic przeciwko temu.

– Oczywiście, że nie – odparła Kimber. – Masz świetny kontakt z Lilyanne.

Kiwnął głową, a ja podałam mu szkraba. Jensen natychmiast złagodniał. Wiedziałam, że myśli o tym, jaki był Colton, kiedy się urodził. Nie mógł teraz zobaczyć syna, ale mimo wszystko musiało mu być miło trzymać na ręku dziecko.

– Idę zapakować swoje rzeczy.

– Zapakować? – zapytała Kimber.

– Pomyślałam, że teraz, kiedy Bethany jest w domu, chcielibyście mieć trochę przestrzeni dla siebie i w ogóle. Przez kilka dni pobędę z Jensenem.

– To słodkie z twojej strony, Em – powiedziała Kimber –
ale nie jest konieczne. Nie mam nic przeciwko temu, żebyś
została.

– Wiem, ale nie chcę wam zawadzać, kiedy zechcecie być
razem. Niedługo wrócę.

Heidi poszła za mną na górę i stanęła oparta o futrynę drzwi,
podczas gdy ja wpychałam rzeczy do torby.

– Twoje łachy są nadal w pudłach z Austin. Masz zamiar
kiedykolwiek je rozpakować?

– Nie, dopóki się do ciebie nie wprowadzę – odparłam z szerokim uśmiechem.

– Naprawdę? Sądzisz, że chciałabym cię mieć u siebie?

– Oczywiście, że chcesz. Jestem fantastyczna.

– Wprowadź się, kiedy tylko zechcesz, zdziro. Ale podaj mi
tu wszystkie szczegóły o sobie i Jensenie. Kłócą się. Nie kłócą
się. Co jest grane?

Wzruszyłam ramionami.

– Sprawy nabrały perspektyw. Jensen zaryzykował dla mnie,
a ja chcę mu zaufać i go wspierać.

– Puszczasz niejasne komunikaty. Podaj mi nieprzyzwoite
szczegóły.

– Nie mogę – powiedziałam, stając przed nią. – Kocham cię,
wiesz o tym, ale to nie jest moja tajemnica. Dopóki Jensen nie
będzie gotów jej wyjawić, nie mogę zawieść jego zaufania. Jesteśmy teraz w pewnym sensie na nowym etapie... Za bardzo
mi na nim zależy, żeby to stracić.

Heidi podniosła ręce.

– Masz rację. Nie próbuję wścibiać w to nosa. Okej, próbuję.
Ale nie chcę spieprzyć waszego związku. Wszystko w porządku?

– Szczerze mówiąc... dowiemy się za kilka dni.

– Brzmi ponuro.

– Nawet sobie nie wyobrażasz.

– Okej, okej. Powiedz mi, kiedy będziesz mogła, i przygotujmy plan, żebyś mogła się do mnie wprowadzić. Wolałabym, żebyś nie była tą, która wprowadza się do swojej najlepszej przyjaciółki, a potem przez cały czas śpi w domu swojego chłopaka.

– Wiesz, że w łóżku mam dla ciebie czas.

Heidi prychnęła.

– Kocham cię. Więc dokąd jedziecie?

– To niespodzianka. Sprawdzisz, co słychać u Kimber przez tych kilka dni? Naprawdę nie chcę ich tłamsić troskliwością, ale będę tęsknić za siostrzenicą.

– Wiesz, że tak.

Skończyła się pakować, zarzuciłam torbę na ramię i zeszłam na dół. Uścisnęłam Kimber, która gruchała do Bethany śpiącej w ramionach Jensena. To wyglądało niemal komicznie: taki duży facet, a ona taka maleńka. Trzymał ją, jakby była najcenniejszym ładunkiem.

– Jest wspaniała, Kimber – powiedział Jensen, oddając jej Bethany. – Gratuluję wam obojgu.

– Dziękuję – odparła, uśmiechając się do córki.

– Zobaczymy się za kilka dni. Zadzwoń, jeśli będziesz mnie potrzebowała – zwróciłam się do Kimber.

– Okej. – Uścisnęła mnie. – Kocham cię.

Wróciliśmy z Jensenem do mercedesa.

– Masz zamiar mi powiedzieć, dokąd się wybieramy?

Uśmiechałam się, kiedy jechaliśmy do jego domu.

– Jeszcze nie zgadłeś?

– Nic mi nie przychodzi do głowy.

– Wracamy do naszej pierwszej randki.

Uśmiechnął się pierwszym tego popołudnia prawdziwym uśmiechem, a jego wzrok prześlizgnął się po moim ciele.

– Do domku.

* * *

Dom Jensena w Ransom Canyon wyglądał dokładnie tak, jak go zapamiętałam. Szykowne meble i drewniana podłoga. Owcze skóry i nowoczesne urządzenia. Płomień trzaskający w kominku i muzyka cicho sącząca się z głośników wieży stereo. Niczego więcej nie mogłam pragnąć w miejscu, które było jednocześnie ekskluzywne i oldskulowe.

Nasuwało mi na myśl wspomnienia o campingach z czasów, kiedy chodziłam do szkoły, a jednocześnie była to kraina luksusu, jakiego nie znałam, dopóki nie spotkałam Jensena.

Tu po raz pierwszy uprawialiśmy seks, zatracając się w pożądaniu i nie myśląc o tym, co będzie dalej. Gdybym wtedy wyobraziła sobie to, co się do dziś wydarzyło, prawdopodobnie pomyślałabym, że zwariowałam. Mowy nie ma, żebym została dziewczyną Jensena Wrighta. To nie była moja liga. Mogłam być ledwie podbojem… i cieszyć się, że spędziłam z nim noc. A jednak… byliśmy tu.

– Może powinniśmy wrócić – rzekł Jensen z wahaniem.

– Posłuchaj, wiem, że się martwisz – powiedziałam. Zdjęłam kurtkę i rzuciłam ją na oparcie kanapy. – Ja też się martwię. Ale musisz oderwać myśli od tych spraw do czasu, aż poznamy wynik testu. Jeśli tego nie zrobisz, jedynie zamartwisz się na śmierć… i prawdopodobnie zrobisz coś głupiego.

Przeczesał włosy palcami. W jego oczach widziałam udrękę.

– Chyba masz rację.

– Zdecydowanie mam rację.

Spojrzał na mnie.

– A jak konkretnie zamierzasz oderwać moje myśli od tych spraw?

– Mam kilka pomysłów.

– Czy pierwszy zaczyna się od tego, że znów rozbierzesz się przed kominkiem?

Uśmiechnęłam się leciutko.

– To trzeci pomysł.

Przesunął mi dłońmi po biodrach.

– Powinniśmy przenieść go na początek listy.

Objął moje uda i podniósł mnie. Przywarłam do jego szyi, żeby nie upaść. Bez wysiłku zaniósł mnie na owczą skórę, gdzie pierwszy raz uprawialiśmy seks.

– Pomóż mi zapomnieć – wyszeptał, kładąc mnie na futrze.

Nie musiał mi tego powtarzać. Jeśli pragnął seksu, byłam tu, ale wiedziałam, że tak naprawdę nie zapomni. Seks osłabiłby, ale nie zmieniłby tego, co Jensen czuł. Wiedziałam, że tu pomoże jedynie rozmowa. Byłam w pełni gotowa rozmawiać, ale potem.

Zdjęłam koszulkę i sięgnęłam do guzika jego spodni. Usiadłam i zsunęłam z niego dżinsy, a potem przesunęłam palcami wzdłuż górnej krawędzi bokserek. Jęknął, jeszcze zanim sięgnęłam pod nie i wzięłam go w dłoń. Powiększył się pod wpływem moich uważnych zabiegów. Potem pochyliłam się w przód, zdjęłam z niego bokserki i oblizałam go od dołu do góry. Teraz zdecydowanie nie myślał już o niczym innym.

Doprowadziłam go ustami niemal do orgazmu, a wtedy pchnął mnie na podłogę, zdarł ubranie i wbił się we mnie. W jego oczach płonęły emocje. Chuć, pożądanie, żar. Pragnął mnie, a ja pragnęłam jego.

Dotknęłam dłonią jego policzka.

– Kocham cię – wyszeptałam.

Zwolnił rytm i oparty na łokciach przesunął się do przodu, tak by patrzeć mi prosto w oczy.

– Zawsze będę cię kochał.

Całował mnie, powoli i zdecydowanie, dotknięcia naszych ust towarzyszyły jego pchnięciom. Oplotłam go nogami, rozkoszując się doznawanym wrażeniem. Zanim zdążyłam to sobie uświadomić, moje ciało zaczęło drżeć konwulsyjnie i szczytowałam, mając go głęboko w sobie. Odchylił głowę w tył i doszedł po mnie.

To było coś więcej niż tylko seks.

Więcej niż po prostu pieprzenie.

To było głębokie i intymne.

Dotknął mojej duszy.

Pochłonął moje serce.

I oboje nas przywrócił do życia.

Jensen Wright odmienił mój świat.

Leżeliśmy na owczej skórze, wyczerpani... na razie. Oddychałam nierówno, a serce biło mi jak szalone. A mimo to pragnęłam jedynie zacząć od nowa. Byłam nienasycona tym mężczyzną. I przerażało mnie, że byliśmy tak bliscy oddalenia się, powiedzenia, że to zbyt wiele.

Miłość jest trudna.

Potrafi wstrząsnąć tobą do głębi jestestwa.

Zmienia cię w inną osobę.

Ale to właśnie czyni ją piękną. Kiedy wiesz, że nikt inny na świecie nie mógłby sprawić, że czujesz się wtedy w ten sposób. Kiedy akceptujesz ból i prawdziwie doświadczasz tego, czym jest bycie razem.

To poruszało góry.

I z pewnością poruszało mnie.

– Jak się czujesz? – zapytał Jensen, całując mnie w ramię.

– Nigdy nie było lepiej.

– Mmm – zgodził się.

– Myślę, że chciałabym uczyć – powiedziałam ni stąd, ni zowąd.

– Założę się, że byłabyś w tym fantastyczna.

– Moja matka, wszyscy, sugerują mi to, a teraz myślę, że to właściwy wybór.

– A więc tego właśnie chcesz?

– To była jedyna rzecz, która sprawiała mi radość na studiach. Myślałam, że będzie łatwiej. Wszystkie te badania, prace pisemne i tak dalej, ale to w sali lekcyjnej czułam się szczęśliwa. Po prostu wydawało mi się to normalne.

– Może to ci coś podpowiadało – zasugerował, owijając sobie na palcu pasmo moich włosów.

– Być może – szepnęłam. – Tak naprawdę nigdy nikomu tego nie powiedziałam. Wszyscy byli zdania, że to ostatnia, najgorsza rzecz, na jakiej należało się skupiać na studiach. Nikt nie mówił o tym, że można kochać uczyć.

– Uważam, że powinnaś przestać przejmować się tym, co inni myślą, i iść za głosem serca.

Zerknęłam na niego. Byłam naga i zaspokojona na owczej skórze z nikim innym, jak Jensenem Wrightem obok siebie.

– Chyba muszę tak zrobić.

– Jesteś moim sercem – powiedział. Uniósł do ust moją dłoń i całował po kolei wszystkie kostki. – I nie potrafię wystarczająco ci podziękować za to, że jesteś tu teraz i przechodzisz ze mną przez to wszystko. Wiem, że było niełatwo. W każdej chwili mogłaś odejść. A jednak jesteś tu ze mną w najtrudniejszym momencie mojego życia. Nieważne, co się stanie, Emery, kiedy będę miał to już za sobą... pragnę, żebyś była ze mną. Chcę, żebyś była moja.

Dotknęłam jego twarzy i przyciągnęłam jego usta do swoich.

– Jestem.

ROZDZIAŁ TRZYDZIESTY SZÓSTY

Jensen

Ostatnie cztery dni spędziliśmy z Emery w moim domu w Ransom Canyon odcięci od świata. Emery znakomicie wymyśli-
ła, że w oczekiwaniu na to, co ma nadejść, powinienem wyjechać i spróbować przez chwilę o niczym nie myśleć. Czekając
na wyniki testu, nie miałem na nic wpływu. Mogłem się jedynie
denerwować. A więc byliśmy tu, dostatecznie daleko od tych
spraw, abym mógł się trochę odprężyć.

Znajdowałem się na granicy wytrzymałości, ale Emery nie
pozwoliła mi pozostać w takim stanie. Przynajmniej nie na
długo.

Piątego dnia rano właśnie skończyliśmy się kochać, kiedy zadzwonił mój telefon.

– Przyszły wyniki testu – oznajmił Jake. – Czas na show.

– Wiesz, jakie są?

– Są zapieczętowane. Dowiemy się w tym samym momencie, co wszyscy pozostali. Ale bądź przygotowany.

Skinąłem głową i rozłączyłem się.

– Musimy jechać.

Emery przeciągnęła się na łóżku i ziewnęła. Jej piersi wyglądały cudownie tuż po tym, jak pieprzyłem ją do utraty zmysłów.

– W tej chwili?

– Przyszły wyniki testu.

– Cholera – powiedziała, podrywając się z miejsca. – Jedźmy.

– Musimy się spotkać wszyscy naraz, by móc otworzyć zapieczętowany dokument. Ale powinniśmy tam pojechać jak najszybciej.

Wyskoczyła z łóżka i prędko zaczęła uprzątać bałagan, którego narobiliśmy podczas naszego pobytu tutaj. Ubrania, w pośpiechu zdejmowane w naszym gnieździe rozpusty, były rozrzucone po całym pokoju. Żadne z nas się tym nie przejmowało. Łatwiej było zostawić wszystko i pieprzyć się radośnie, niż zastanawiać się nad tym, co nas czeka.

Teraz jednak nadszedł ten czas.

Ogarnęliśmy dom w rekordowym tempie i wyszliśmy. Powrót do Lubbock i do rzeczywistości trwał krótko.

W tamtej chwili byłem absolutnie przekonany, że Colton jest synem Marca. Nie wiedziałem, co zrobię z tą informacją. Od Vanessy będzie zależało, czy spróbuje zmienić porozumienie dotyczące opieki nad nim. To był dzień, którego od dawna się bałem. Miałem nadzieję, że nigdy nie nadejdzie.

Do kancelarii mojego adwokata dojechaliśmy na czas. Rozmawiał już z prawnikami Vanessy i Marca. Powinniśmy wszyscy zgromadzić się w ciągu godziny. Postanowiłem tam zaczekać. Nie mogłem wyjść, wiedząc, że wyniki testu czekają na otwarcie. Latami czekałem na ten moment. Mogłem poczekać jeszcze godzinę.

Vanessa i Marc pojawili się osobno i wymienili ostrożne spojrzenia. Zastanawiałem się, co robili, kiedy ja spędzałem czas
z Emery. Miałem nadzieję, że to wszystko doprowadzało ich
oboje do szaleństwa tak jak mnie. Ale nie mieli cudownego seksu, który pozwoliłby im zapomnieć. Sposób, w jaki na siebie pa-
trzyli, upewnił mnie, że sobie na to nie pozwolili. Uśmiechnąłem się.

– Co? – warknęła Vanessa.

– Nic – odparłem, celowo patrząc w przestrzeń między
nimi. – Po prostu coś zabawnego przyszło mi do głowy.

– Miałeś to wypisane na twarzy. Spuść żaluzje.

Wzruszyłem ramionami. Oczywiście, że potrafiła odczytać
moją myśl. Właśnie tego chciałem.

Jake pojawił się ponownie kilka minut później z doku-
mentem w ręce i wszyscy zajęliśmy miejsca. Marc był roz-
trzęsiony. Widziałem to po tym, jak machinalnie bawił się
dłońmi. Robił tak jeszcze w szkole. Vanessa zachowywała
stoicki spokój, jakby jej relacja z synem nie zależała od tego,
co tu się działo. Emery ścisnęła pod stołem moje udo i wy-
mieniliśmy szybkie spojrzenia. Cieszyłem się, że jest tu ze
mną, by mnie wspierać. Nie wiem, jak bym wyglądał, gdyby
jej nie było.

Rozklekotany i w rozsypce.

Nikt poza nią nigdy nie widział mnie w takim stanie.

– Dziękuję, że zechcieli państwo do nas dołączyć w tak
krótkim czasie – powiedział Jake, rozpoczynając spotkanie. –
Właśnie otrzymaliśmy dokumenty z laboratorium, które prze-
prowadziło badanie. Każdy z tu obecnych zobaczy je po raz
pierwszy. Jak zostało wcześniej powiedziane, pani Hendricks
twierdziła, że ojcem Coltona nie jest jej mąż, pan Wright, ale

pan Tarman. Jeśli to twierdzenie jest prawdziwe, zajmiemy się zmianą warunków porozumienia dotyczącego opieki nad dzieckiem, aby ewentualnie umożliwić panu Tarmanowi widywanie syna. Jeśli jest fałszywe, warunki porozumienia pozostaną bez zmian, dopóki pan Wright lub pani Hendricks nie zechcą zwrócić się do sądu, by je renegocjować. Czy to jest jasne?

Wszyscy siedzący przy stole, prócz Emery, po kolei potwierdzili, z niepokojem spoglądając na dokument.

Jake odgiął metalowe zabezpieczenia koperty, otworzył ją i wyjął plik papierów. Na wierzchu znajdował się wynik badania. Wstrzymałem oddech, kiedy adwokat zaczął przeglądać dokument. W pokoju zapadła kompletna cisza.

– Wynik testu na ustalenie ojcostwa jest pozytywny dla... pana Wrighta. – Jake odwrócił się do mnie z szerokim uśmiechem na twarzy. – Jensenie, jesteś ojcem. Colton jest twoim synem.

Vanessa krzyknęła i usłyszałem, jak Marc rzucił przekleństwo. Ale dla mnie to był tylko szum w tle. Miałem poczucie, że jestem zamknięty w próżni.

Colton był moim synem.

Był mój.

Mój chłopak.

O mało nie wybuchnąłem płaczem na myśl, że przez te wszystkie lata, przy całym tym zamartwianiu się, wszystkich kłótniach, dyskusjach i komplikacjach... Colton był mój. Byłem taki pewny, że Vanessa mówiła prawdę. Była o tym tak bardzo przekonana. Pozwoliłem jej trzymać mnie tym w szachu latami. Latami!

Ale myliła się. Albo kłamała. Za każdym razem kłamała mi prosto w oczy. Zawsze powtarzała, że w miesiącu, kiedy zaszła w ciążę, nie było mnie w Nowym Jorku. Nasze terminarze nie zawsze się pokrywały, ale jej wierzyłem. Nie miała powodu, żeby mówić co innego. Colton miał dwa lata, kiedy się o tym dowiedziałem. Nie pamiętałem dokładnych dat moich przyjazdów do tego czasu. Widywaliśmy się, kiedy pozwalał na to mój harmonogram pracy i rozkład lotów, ale nie za każdym moim pobytem uprawialiśmy z Vanessą seks. Ustalenie, czy jestem ojcem Coltona, było niemożliwe.

Teraz wiedziałem, że nim jestem.

Colton był mój.

Emery otoczyła mnie ramionami, a ja wstałem, podnosząc ją z krzesła.

– Tak się cieszę z twojego powodu – usłyszałem jej szept poprzez próżnię.

– Boże, kocham cię – odszepnąłem, zapominając o wszystkich obecnych w pokoju.

Postawiłem ją z powrotem na podłodze, ująłem w dłonie jej twarz i pocałowałem do utraty tchu. Dla tej chwili się narodziłem. Wiedziałem, że mam teraz przy sobie kobietę, którą kocham, i że nigdy już nie będę się musiał martwić o syna. Byłem w euforii.

– Co jest, do kurwy nędzy, Vanesso! – krzyknął Marc, wyrywając mnie z nastroju. – Dlaczego mnie w to wciągnęłaś?

Prawnicy Marca i Vanessy przeglądali dokument, ale po ich minach poznałem, że zgadzali się z Jakiem.

– Przysięgam, to byłeś ty, Marc. Przysięgam – zapewniała Vanessa. – W tamtym miesiącu Jensena nawet nie było w mieście. Nie byliśmy razem. Wiesz o tym.

– Kurwa! Po prostu chciałaś urządzić przedstawienie.

– Naprawdę wierzyłam, że to byłeś ty – szepnęła. Jej oczy wypełniły się łzami. – Naprawdę.

– Okłamywałaś nas wszystkich, Vanesso – powiedziałem, ściągając na siebie jej uwagę. – Okłamywałaś mnie, Marca, wszystkich. Ale jeszcze gorsze było to, że oszukiwałaś samą siebie. Już nigdy nie będziesz używać tego przeciwko mnie. Jestem wolny. Uwolniłem się od ciebie.

Słysząc to, Vanessa kompletnie straciła panowanie nad sobą. Wybuchła płaczem, zakrywając dłońmi twarz. Tak długo trwała przy swoim twierdzeniu, przekonana, że dzięki temu mnie zatrzyma. Jakby w ogóle mogła pomyśleć, że po tym, co zrobiła, nadal byłem w stanie żywić dla niej uczucie.

Ale to był koniec. Nic już nie zostało. I nie miała już nade mną żadnej kontroli.

– Jeśli to wszystkich satysfakcjonuje, pozostawimy bez zmian warunki porozumienia dotyczącego opieki i odrzucimy żądanie pana Tarmana dotyczące kontaktów z Coltonem – oznajmił Jake. – Jeśli zechcemy nadać sprawie dalszy bieg, spotkamy się w sądzie, pani Hendricks.

Vanessa potrząsnęła głową, powtarzając, jak była pewna, że wie, kto jest ojcem Coltona. Myślała, że to wszystko naprawi.

– Jestem za – powiedziałem do Jake'a.

Oczywiście bardzo pragnąłem przejąć opiekę nad Coltonem i zabrać go do siebie do Lubbock. Ale nie chciałem załatwiać tego z Vanessą poprzez sąd i nie chciałem zdezorganizować mu życia.

Był szczęśliwy w Nowym Jorku i miał tam świetną szkołę. Nie potrafiłem zrobić czegoś takiego tylko po to, żeby pognębić kogoś innego. Tak postępowała Vanessa.

Wyszliśmy z biura i staliśmy w holu kancelarii. Vanessa drżała, rozmawiając ze swoim prawnikiem.

Marc podszedł do nas.

– Widzę, że odebrałeś mi już wszystko. Vanessę, Coltona, firmę.

– Ciekawie to ująłeś – odparłem. – Ja widzę jedynie, że próbowałeś odebrać mi to, co do ciebie nigdy nie należało. A firma była dla zabawy.

Marc spiorunował mnie wzrokiem i wyglądał, jakby był gotów mnie uderzyć. Zamiast tego zwrócił się z uśmiechem do Emery.

– Zadzwoń do mnie, kiedy się tobą zmęczy.

Emery zniesmaczona uniosła brew.

– Nawet nie masz co marzyć.

Roześmiał się.

– Och, bądź pewna, że się tobą zmęczy. Szybko się nudzi.

– Na twoim miejscu bym odszedł, chyba że chcesz powtórki tego, co było, kiedy dowiedziałem się, że miałeś romans z moją żoną – warknąłem. – No już.

– Szkoda dla niego słów, Jensenie – powiedziała Emery. – Jedynie próbuje cię prowokować, bo jest zazdrosny. Masz świat u swoich stóp.

Odwróciłem się do swojej dziewczyny i uśmiechnąłem się. Miała rację. Oczywiście, że miała.

– Chciałbym, żebyś spotkała się z moim synem.

– Z radością się z nim spotkam.

Wziąłem Emery za rękę i wyszliśmy z kancelarii. Wiedziałem, że jest jeszcze wiele spraw do załatwienia i że koniecznie musiałem wrócić do biura. Ale po kolei. Musiałem wszystko uporządkować. Vanessa zapewne nie będzie tym zachwycona.

Szczerze mówiąc, nie obchodziły mnie już jej opinie. Emery była w moim życiu i miała w nim pozostać.

Przyjechaliśmy do hotelu od razu po spotkaniu w kancelarii i zabrałem Emery na ostatnie piętro. Zapukałem do drzwi. Otworzyła nam niania Jennifer.

– Jensenie! Jestem zaskoczona, że cię widzę – powiedziała. – Vanessa mówiła, że nie wolno ci teraz widywać się z Coltonem.

– Zmiana planów. Właśnie sędzia zatwierdził moje pełne prawo do kontaktu z nim.

– Och, to cudownie. – Jennifer uśmiechnęła się do Emery. – A pani musi być Emery.

– Cześć, miło cię poznać – powiedziała Emery, wyciągając do niej rękę.

– Pozwólcie, że pójdę i przygotuję Coltona.

Odwróciłem się do Emery.

– Czy możesz zostać tu przez chwilę? Chciałbym najpierw sam z nim pomówić.

– Oczywiście – odparła.

– Coltonie, twój tata jest tutaj! – zawołała niania Jennifer.

Colton przybiegł do mnie w chwili, gdy wszedłem do apartamentu.

– Tatusiu!

Rzucił mi się w objęcia, a ja przytuliłem go tak mocno, jak jeszcze nigdy dotąd. Mój syn. Mój! Już nikt nie będzie mógł mi go odebrać.

– Cześć, mistrzu – powiedziałem. – Pamiętasz, jak ci mówiłem, że chciałbym, żebyś poznał moją przyjaciółkę?

– Tak. Dziewczyyynę! – odrzekł śpiewnie.

Roześmiałem się.

– Tak. Dziewczynę. Jest moją dziewczyną i ma na imię Emery.

– Masz dziewczynę?

– Tak. I chcę, żebyś ją poznał. Myślę, że ją polubisz. Jesteś gotowy?

Colton spojrzał w dół i pokazał mi uniesiony kciuk.

Boże, jak ja go kochałem!

Wziąłem syna za rękę i razem poszliśmy do części apartamentu, w której czekała Emery.

– Dobra, mistrzu, to jest moja dziewczyna Emery – zwróciłem się do Coltona.

Stał nieruchomo i uśmiechał się do Emery tak promiennie, jak tylko dziecko potrafi.

Spojrzałem w wielkie zielone oczy Emery.

– Emery, to jest mój syn.

– Jesteś bardzo ładna – powiedział z charakterystycznym uśmiechem Wrightów.

Emery roześmiała się.

– Rany, dziękuję. Bardzo mi miło cię poznać. Dużo o tobie słyszałam.

– Tata powiedział, że będziesz moją nową przyjaciółką.

– Bardzo bym chciała.

– Odwiedzisz mnie w domu?

Emery uśmiechnęła się i spojrzała na mnie pytającym wzrokiem.

– Tak – odpowiedziałem za nią. – Absolutnie zdecydowanie będzie odwiedzać cię w Nowym Jorku. Mam zamiar ją ze sobą zabierać za każdym razem, kiedy przyjadę.

– To mi się podoba – powiedziała Emery zarówno do mnie, jak i do Coltona. – Chciałabym być w waszym życiu przez cały czas.

Przenieśliśmy się wszyscy do salonu i usiedliśmy. Podniosłem Coltona i posadziłem go sobie na kolanie. Emery usiadła obok mnie i objąłem ją drugim ramieniem.

To było nasze życie. Nie było idealne. Nie było łatwe. Ale było nasze. I kochałem ich oboje, bardziej niż można to wyrazić słowami, za to, że byli jego częścią.

Emery

OSIEM MIESIĘCY PÓŹNIEJ

– Heidi, widziałaś gdzieś moje czarne szpilki? – zawołałam w głąb salonu.

– Które?

– Te z zakrytymi palcami. Zaokrąglone.

Po chwili pojawiła się w mojej sypialni z butami w ręce. Przekleństwo mieszkania z kimś, kto nosił mniej więcej ten sam rozmiar. Z wyjątkiem dżinsów, bo w porównaniu ze mną była wielkoludem.

– Daj mi je.

Włożyłam buty i obejrzałam się w lustrze. Miałam na sobie czarną spódnicę do kolan i czarny top, do tego wysokie obcasy.

– I jak wyglądam?

– Przeleciałabym cię – stwierdziła ze śmiechem.

– O Boże, mam nadzieję, że ci wszyscy chłopcy z liceum nie będą tak myśleć.

– Hm… Jak cholera będą.

W tym momencie ktoś zapukał do frontowych drzwi i jęknęłam, próbując nie myśleć o chłopcach z liceum, którzy chcą mnie przelecieć. Pod tym względem musiałam znieść tyle, że wystarczy mi na całe życie. Zanim zdążyłam podejść do drzwi, Jensen otworzył je swoim kluczem.

– Cześć, kochanie – powiedział, całując mnie na powitanie. – Naprawdę masz zamiar pokazać się w tym pierwszego dnia?

– Dlaczego? Czy tak fatalnie wyglądam? – zapytałam zaniepokojona.

– Nie, wyglądasz cholernie seksownie. Każdy dzieciak w tej szkole będzie chciał puknąć swoją nauczycielkę.

Jęknęłam.

– Ech. Czy mam włożyć płaskie buty?

– Tylko wtedy, jeśli później zmienisz je dla mnie na szpilki. – Puścił do mnie oko.

Zdjęłam szpilki i wcisnęłam mu je do rąk. Potem zawróciłam do sypialni i włożyłam praktyczne płaskie czarne buty. Chwyciłam oficjalnie wyglądającą torbę, którą Jensen dał mi, gratulując pierwszej pracy nauczycielki w szkole średniej.

Przez ostatni semestr pracowałam na zastępstwie, gromadząc godziny potrzebne, by zdobyć certyfikat. Tylko tak mogłam oficjalnie prowadzić lekcje. Potem składałam miliony podań o pracę w całym Lubbock i w jakiś sposób, mimo wszelkich przeszkód, zostałam zatrudniona jako nauczycielka historii Europy w mojej dawnej szkole średniej. Co za ironia!

– Pospiesz się, bo się spóźnisz na lekcje – zażartował Jensen, dając mi klapsa, kiedy kierowaliśmy się do drzwi.

– Zobaczymy się później, Heidi! – zawołałam.

– Dobrego pierwszego dnia w szkole, kochanie! – odkrzyknęła.

Jensen miał terenówkę, która kojąco działała mi na nerwy. Nie mogłam sobie wyobrazić, że pojadę do Lubbock High School mercedesem albo efekciarskim sportowym samochodem, który ostatnio kupił. Jasne, do szkoły chodziły dzieci z rodzin nafciarzy i zawsze była tam rodzina Wrightów, ale ja nie byłam częścią wąskiego elitarnego kręgu – a przynajmniej tak sobie mówiłam.

Bo kiedy miliarder i prezes we własnej osobie wysadził mnie przed szkołą, poczułam, że jak najbardziej do niego należę.

Sprawy z Jensenem układały się dużo lepiej po szaleństwie, które działo się po świętach. Kilka nocy w tygodniu spędzałam w jego domu. Lataliśmy do Nowego Jorku, żeby spotkać się z Coltonem, który zaczął co miesiąc przyjeżdżać do Lubbock na weekend. Wiedziałam, że Jensen wolałby spędzać z nim więcej czasu, ale nie chciał zakłócać Coltonowi harmonogramu szkolnych zajęć. Vanessa złagodniała. Nie byłam pewna, czy pod wpływem dużych dawek xanaxu, czy z innego powodu, ale już nie walczyła z nami, kiedy przylatywaliśmy do Nowego Jorku. Po ośmiu miesiącach musiała wreszcie uznać, że nigdzie się nie wybieram. I nie wybierałam się.

– Dziękuję za podwiezienie – powiedziałam.

Próbowałam się nie denerwować, chociaż był to mój pierwszy oficjalny dzień pracy jako nauczycielki w szkole średniej. W college'u byłam asystentką prowadzącą zajęcia i prowadziłam własny kurs wstępny z historii, ale z jakiegoś powodu szkoła średnia wydawała mi się trudniejsza niż college. Być może dlatego, że w college'u odkryłam, kim jestem i że w liceum byłam tak bardzo wystraszona.

– Dobrego pierwszego dnia – powiedział, pochylając się i całując mnie długo.

– Czy ktoś kiedyś był naprawdę gotów na swój pierwszy dzień w liceum?

– Kiedyś to przetrwałaś. Chyba będziesz potrafiła zrobić to drugi raz.

– Tym razem z właściwym bratem.

– Ha, ha! – odparł, przewracając oczami. – Lepiej, żebym był tym właściwym.

– Jednym jedynym – szepnęłam, całując go.

– Dobrze. Teraz idź tam, a potem możemy wcielić w życie wszystkie moje fantazje o niegrzecznych nauczycielkach.

Zarumieniłam się bezwiednie. Nieważne, jak dużo seksu uprawialiśmy. Nie mogłam temu zapobiec.

– Boże, jak ja cię kocham – powiedział.

– Ja też cię kocham.

Pocałowałam go jeszcze raz i wysiadłam z terenówki.

Poprawiłam spódnicę i nieskończenie długo zwlekałam z wejściem. Nigdy nie sądziłam, że mogłabym tu wrócić. Fajnie było myśleć, że właśnie tu mogłam zacząć od nowa. Weszłam do budynku z o wiele większym optymizmem, niż się spodziewałam.

Dzień przeleciał błyskawicznie. O wiele szybciej, niż pamiętałam z czasów, kiedy się tu uczyłam. Zanim się zorientowałam, było już po zajęciach. Miałam do zapamiętania ponad sto pięćdziesiąt nazwisk, które kompletnie wyleciały mi z głowy. Ale przetrwałam.

Kiedy wyszłam, Jensen już na mnie czekał. Oczywiście przyjechał szpanerską corvettą. Czerwoną, z niskim zawieszeniem i opuszczonym dachem. Pokręciłam głową i zaśmiałam się, podchodząc do auta, na które gapili się wszyscy uczniowie.

– Tęskniłaś za mną? – zapytał z uśmiechem.

– Cały czas.

– Świetnie. – Otworzył drzwi od strony pasażera i wsiadłam do środka. – Więc gdzie chcesz pojechać, żeby świętować swoje urodziny?

Chwyciłam się za głowę i jęknęłam.

– O Boże, jak się dowiedziałeś?

– Od Heidi. – Wsiadł do auta. Silnik zaryczał, kiedy go uruchomił.

– Zdzira. – Pokręciłam głową z niedowierzaniem. – Nie wiem. Po prostu zostańmy w domu i popracujmy nad tymi fantazjami.

Pokazał zęby w uśmiechu.

– Wiedziałem, że to powiesz.

Droga do jego domu w jego nowym aucie minęła niewiarygodnie szybko. Wiatr rozwiewał mi włosy, ale to było radosne uczucie. Rozumiałam już, dlaczego lubił ten samochód i zaczął już mówić o czymś eleganckim i bardzo europejskim. Był uzależniony.

Zaparkował w garażu i wziął mnie za rękę, kiedy wysiadłam.

– Nie przepadam za przyjęciami urodzinowymi – powiedziałam z westchnieniem. – Ale lubię tort.

– Uświadomiono mi to. Ale nie zamierzam się przejmować. Będziesz ze mną świętować, jeśli tego zechcę.

– Ostrzegam cię, zemszczę się!

Zaśmiał się, przyciągnął mnie do siebie i pocałował.

– Przyjmę karę, którą zechcesz mi wymierzyć.

Weszliśmy przez garaż prosto do kuchni.

Jensen włączył światła i nagle grupa ludzi wyskoczyła z okrzykiem:

– Niespodzianka!

Zakryłam usta dłonią.

– O mój Boże!

W całej kuchni i w korytarzu wisiały serpentyny. Gigantyczny urodzinowy tort miał napis „Happy Birthday, Emery", a pośrodku płonęły świeczki. Wokół gromadzili się moi przyjaciele, rodzina i rodzina Jensena.

Oni wszyscy mieścili się w moim sercu. Jeśli nie przepadałam wcześniej za urodzinowymi przyjęciami, dziś się to zmieniło. Kiedy dorastałam, nigdy nie miałam miłych urodzin. Zawsze wiązały się z rozczarowaniem – dzieciaki gdzieś znikały albo nikt nie przyszedł i tak dalej. Ale tu było dokładnie to, o czym zawsze marzyłam.

Heidi podskakiwała obok Landona. Oboje wydawali się zachwyceni, że mogli zrobić mi niespodziankę. Austin stał po drugiej stronie kuchni, z dala od Julii, ale nie spuszczał z niej wzroku. Z kolei ona tak bardzo starała się nie patrzeć na niego, że było jasne, że chciała spojrzeć. Za to uśmiechała się do mnie podwójnie promiennie. Morgan pochylała się do Patricka, a Sutton trzymała w ramionach swego nowo narodzonego synka Jasona. Maverick stał obok niej i widać było, że się o nią troszczy. Oczywiście byli też Kimber, Noah, Lilyanne i Bethany. Wszyscy oni stali razem obok mojej matki.

Ale jedna osóbka, która dała kuksańca Lilyanne i uśmiechnęła się do mnie, była dla mnie największą niespodzianką. Jensen musiał naprawdę się postarać, organizując to przyjęcie, bo był tu nawet Colton.

Jensen objął mnie ramieniem, kiedy Heidi popchnęła mnie w stronę tortu.

– Pomyśl życzenie – powiedział.

Spojrzałam na tort i uświadomiłam sobie, że mam już wszystko, czego pragnęłam.

Czego zawsze szukałam.

Dom.

W myślach zrobiłam zdjęcie pięknego obrazu, który miałam przed sobą, w mojej nowej rzeczywistości, a potem pochyliłam się i pomyślałam życzenie.

KONIEC

Podziękowania

Pomysł tej książki poddała mi kompletnie obca osoba, którą dziś nazywam moją przyjaciółką. Dziękuję Ci, Kristino, za opowiedzenie tej wyjątkowej historii mojemu mężowi.

I oczywiście jest długa lista osób, które pomogły mi uczynić tę książkę taką, jaka się stała. Są to: Rebecca Kimmerling, Anjee Sapp, Katie Miller, Polly Matthews, Diana Peterfreund, Lori Francis, Rebecca Gibson. Sarah Hansen dziękuję za cudownie erotyczną okładkę, Sarze Eirew za seksowną fotografię, Jovanie Shirley za wspaniałą redakcję i formatowanie tekstu, Danielle Sanchez za to, że trwałam przy zdrowych zmysłach i za jej marketingowy geniusz, Alyssii Garcii za piękne opracowanie graficzne, a mojej cudownej agentce Kimberly Brower za całą jej fantastyczną pracę.

Tak potrzebną mi miłość dostałam od autorów, którzy trzymali mnie przy pracy do późnych nocy i cały czas mnie wspierali. Są to: A.L. Jackson, Lauren Blakely, Kristy Bromberg, Corinne Michaels, Tijan, Rachel Brookes, Rebecca Yarros, Sloane Howell, Jessica Hawkins, Staci Hart, Belle Aurora, Kendall

Ryan, Meghan March, Jillian Dodd, Jenn Sterling, S.C. Stephens, Laurelin Paige, Kandi Steiner, Claire Contreras i wielu innych.

Dziękuję wszystkim wspaniałym blogerom, którzy niestrudzenie pracowali dzień w dzień, by książka dotarła do czytelników, dlatego że tak bardzo kochacie książki. Doceniam to.

Jak zawsze bardzo dziękuję mężowi, który zajmował się mną, kiedy zachorowałam, chcąc nocami napisać trzy książki naraz, i przez miesiąc towarzyszył mi przy pracy. Kocham Cię ogromnie, Ciebie i nasze pieski.

Wreszcie i przede wszystkim TOBIE! Właśnie. Tobie, Czytelniczko! Dziękuję, że przeczytałaś tę książkę. Mam nadzieję, że Ci się podobała, i nie mogę się doczekać, by dać Ci więcej fantastycznych książek.